KB101221

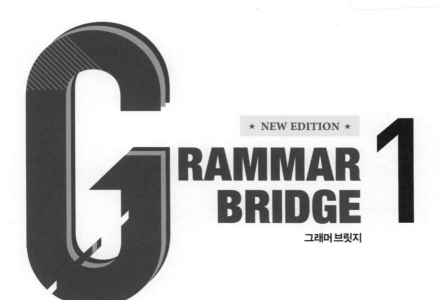

★ NEW EDITION ★

GRAMMAR BRIDGE 1

그래머 브릿지

Grammar Bridge NEW EDITION ❶

지은이 넥서스영어교육연구소, 김경태
펴낸이 임상진
펴낸곳 (주)넥서스

출판신고 1992년 4월 3일 제311-2002-2호 [3-5]
10880 경기도 파주시 지목로 5
Tel (02)330-5500 Fax (02)330-5555

ISBN 979-11-6683-357-1 54740
　　　979-11-6683-360-1 54740 (SET)

출판사의 허락 없이 내용의 일부를
인용하거나 발췌하는 것을 금합니다.

가격은 뒤표지에 있습니다.
잘못 만들어진 책은 구입처에서 바꾸어 드립니다.

www.nexusbook.com

NEW
EDITION

그래머 브릿지

GRAMMAR BRIDGE

넥서스영어교육연구소 · 김경태 지음

The bridge that takes
your English to the next level

Level
1

NEXUS Edu

영어하면 떠오르는 말이 무엇입니까?
시험, 성적, 내신일지도 모릅니다.

하지만, 영어 하면 떠오르는 말은 시험, 성적, 내신이 아니어야 합니다. 영어는 우리말과 같은 하나의 언어입니다. 영어는 어렵고 암기해야 할 것이 많은 학습의 대상이 아니라, 자연스럽게 습득하고 이해해야 하는 언어입니다. 영어과 교육과정의 학습 목표가 의사소통에 필요한 언어 형식의 학습인 것을 보아서도 알 수 있듯이 우리는 영어를 의사소통을 위한 도구로 활용할 수 있어야 합니다.

영어의 가장 기본이 되는 것은 단어입니다. 단어가 모여서 문장이 됩니다. 하지만, 단어를 아무렇게나 나열한다고 해서 문장이 되는 것은 아닙니다. 제대로 된 문장을 만들려면 문법을 알아야 합니다. 하지만, 문법을 무조건 암기하는 것은 효과적인 학습법이 아닙니다.

우리는 학교에서 국어를 배웁니다. 영어도 배웁니다. 국어와 영어는 학습적인 측면에서 차이가 없는 것처럼 보일지도 모르지만, 언어 사용적 측면에서는 현격한 차이가 납니다. 우리는 영어보다 국어를 훨씬 많이 사용합니다. 전문가들은 영어를 모국어처럼 사용하고자 한다면 약 4배 더 많이 사용하고 접해야 한다고 말합니다.

더욱 강화된 **GRAMMAR BRIDGE** NEW EDITION!
보너스 유형별 문제와 워크북을 추가하여
영문법 체화 학습의 길을 더욱더 견고히 다졌습니다.

우리가 국어를 많이 사용해서 자연스럽게 그 쓰임을 익히듯이, 영문법 또한 그 쓰임을 자연스럽게 익힐 수 있는 방법이 있다면 적극적으로 활용해야 할 것입니다. 학습자들이 영어를 어려운 외국어로 보지 않고, 자연스럽게 이해하고 체득할 수 있도록 도와드리고자 고민하였습니다. 가능한 한 간단하게 한 번에 한 가지씩 문법 요소를 설명하려 했습니다. 쉽고 간단한 문법 요소에서 시작해서 높은 수준의 문법 요소로 학습이 진행되는 계단식 학습 방식을 고려하였습니다.

기본보다 더 다양하고 많은 문제를 제공할 수 있도록 NEW EDITION 개정을 통해 실제 시험과 유사한 서술형 문제와 수능 대비형 문제를 수록하여 학습 자극을 유도하도록 했습니다. 또한 워크북을 새롭게 추가하여 철저하게 단원 학습을 마무리할 수 있도록 했습니다. 보다 더 강화되고 풍부해진 문제와 간단하고 이해하기 쉬운 설명, 단계적 연습 문제를 통해 영문법을 쉽고 체계적으로 익힐 수 있기를 기대합니다.

이 책의 구성과 특징

Grammar Point

학교 내신 시험에 꼭 나오는 문법 사항을 수록하였습니다. 여러 가지 문법 요소를 나열한 것이 아니라 한 번에 한 가지 문법 요소를 설명하여 이해가 쉽게 했습니다. 헷갈리기 쉬운 부분에 Tips를 달아 다시 한번 개념 정의를 돕도록 구성하였습니다.

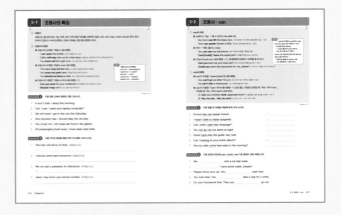

Exercise

문제를 푸는 동안 저절로 문법을 습득할 수 있도록 풍부한 연습문제를 수록하였습니다. 문법 개념을 이해하고 문제를 푸는 학습뿐만 아니라, 문제를 풀면서 스스로 문법 개념을 체계화할 수 있도록 구성하였습니다.

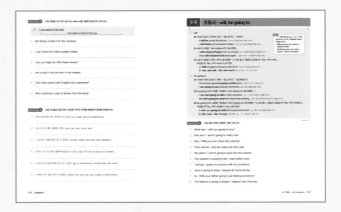

Review Test

실제 내신 기출 문제를 분석하여 수록하였습니다. 객관식, 단답식 유형뿐만 아니라, 점점 증가하는 서술형 문제에도 대비할 수 있도록 다양하고 많은 문제를 수록하였습니다.

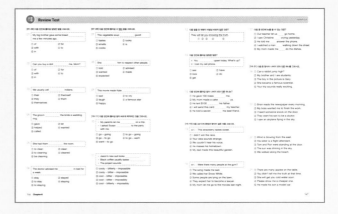

보너스 유형별 문제

각 Chapter를 완벽하게 마무리 지을 수 있도록 실제 시험과 같은 서술형 문제를 수록하여 내신을 대비할 수 있습니다. 또한 고난도의 수능 대비형 문제를 풀어보며 자신의 실력을 점검해 볼 수 있고 그에 따른 학습 동기 부여의 효과를 기대할 수 있습니다.

Workbook

Chapter별로 다양한 유형의 단답형/서술형 연습문제를 수록하여 학습한 내용을 종합적으로 점검할 수 있도록 Workbook을 새롭게 추가하였습니다.

부가자료 무료 제공(www.nexusbook.com)

모바일 단어장
VOCA TEST

모바일 단어장
& VOCA TEST

어휘 리스트
& 어휘 테스트

문장 배열 영작

통문장 영작

기타 활용 자료

1 진단 평가
2 문법 용어 정리
3 불규칙 동사 변화표
4 형용사와 부사의 비교급 리스트

이 책의 차례

» Chapter 1

문장의 종류

1-1	be동사의 현재형	012
1-2	be동사의 부정문	014
1-3	be동사의 의문문	016
1-4	일반동사의 현재형	018
1-5	일반동사의 부정문	020
1-6	일반동사의 의문문	022
1-7	의문사로 시작하는 의문문	024
1-8	부정의문문	027
1-9	명령문	028
1-10	제안문	029
1-11	부가의문문	030
1-12	감탄문	031
Review Test		032
보너스 유형별 문제		036

» Chapter 2

시제

2-1	현재시제의 쓰임	038
2-2	과거시제 – be동사	039
2-3	과거시제 – 일반동사의 규칙 변화	040
2-4	과거시제 – 일반동사의 불규칙 변화	041
2-5	과거시제의 쓰임	042
2-6	과거시제의 부정문과 의문문	043
2-7	진행시제	045
2-8	진행시제 – 현재진행과 과거진행	046
2-9	진행시제의 부정문과 의문문	048
Review Test		050
보너스 유형별 문제		054

» Chapter 3

조동사

3-1	조동사의 특징	056
3-2	조동사 – can	057
3-3	조동사 – will, be going to	059
3-4	조동사 – may	061
3-5	조동사 – must	062
3-6	조동사 – should	065
Review Test		066
보너스 유형별 문제		070

≫ Chapter 4

명사와 관사

4-1	명사의 종류	072
4-2	셀 수 있는 명사의 복수형	073
4-3	셀 수 없는 명사의 수량 표현	075
4-4	관사 – 부정관사 a(n)	077
4-5	관사 – 정관사 the	078
4-6	관사의 생략	079
Review Test		080
보너스 유형별 문제		084

≫ Chapter 5

대명사

5-1	인칭대명사	086
5-2	비인칭 주어 it	089
5-3	지시대명사	091
5-4	부정대명사 I	093
5-5	부정대명사 II	094
5-6	부정대명사 III	096
Review Test		098
보너스 유형별 문제		102

≫ Chapter 6

형용사와 부사

6-1	형용사	104
6-2	부정수량 형용사 I	106
6-3	부정수량 형용사 II	108
6-4	수사 – 기수와 서수	109
6-5	부사	110
6-6	빈도부사	112
6-7	주의해야 할 형용사/부사	113
Review Test		114
보너스 유형별 문제		118

≫ Chapter 7

비교

7-1	비교급과 최상급의 형태 – 규칙 변화형	120
7-2	비교급과 최상급의 형태 – 불규칙 변화형	122
7-3	원급을 이용한 비교 표현	123
7-4	비교급을 이용한 비교 표현	125
7-5	최상급을 이용한 비교 표현	128
Review Test		130
보너스 유형별 문제		134

≫ **Chapter 8**

문장의 구조

8-1	문장의 기본 구성요소	136
8-2	1형식	138
8-3	2형식	139
8-4	3형식	140
8-5	4형식	141
8-6	4형식에서 3형식으로의 전환	142
8-7	5형식	144
Review Test		146
보너스 유형별 문제		150

≫ **Chapter 9**

to부정사와 동명사

9-1	to부정사의 명사적 쓰임	152
9-2	to부정사의 형용사적 쓰임	154
9-3	to부정사의 부사적 쓰임	155
9-4	동명사	157
9-5	to부정사와 동명사	159
9-6	to부정사와 동명사의 관용 표현	161
Review Test		162
보너스 유형별 문제		166

≫ **Chapter 10**

전치사

10-1	장소를 나타내는 전치사 I	168
10-2	장소를 나타내는 전치사 II	169
10-3	방향을 나타내는 전치사 I	171
10-4	방향을 나타내는 전치사 II	172
10-5	시간을 나타내는 전치사 I	173
10-6	시간을 나타내는 전치사 II	175
10-7	시간을 나타내는 전치사 III	176
10-8	기타 주요 전치사	177
Review Test		178
보너스 유형별 문제		182

≫ **Chapter 11**

접속사

11-1	등위접속사 I	184
11-2	등위접속사 II	186
11-3	종속접속사 I	187
11-4	종속접속사 II	188
11-5	종속접속사 III	190
11-6	종속접속사 IV	191
Review Test		192
보너스 유형별 문제		196

≫ **Workbook**

	198

Chapter

1

문장의 종류

1-1   be동사의 현재형

1-2   be동사의 부정문

1-3   be동사의 의문문

1-4   일반동사의 현재형

1-5   일반동사의 부정문

1-6   일반동사의 의문문

1-7   의문사로 시작하는 의문문

1-8   부정의문문

1-9   명령문

1-10 제안문

1-11 부가의문문

1-12 감탄문

Review Test

보너스 유형별 문제

be동사의 현재형

☐ **인칭대명사와 be동사**: 주어가 인칭대명사일 경우, 「주어+be동사」는 줄여 쓸 수 있다.

인칭	주어	be동사	축약형		인칭	주어	be동사	축약형
단수	1	I	am	I'm	복수	1	we	are	we're
	2	you(너)	are	you're		2	you(너희들)		you're
	3	he	is	he's		3	they		they're
		she		she's					
		it		it's					

- **I am [I'm]** smart. 나는 똑똑하다.
- **You are [You're]** a pretty girl. 너는 예쁜 소녀다.
- **We are [We're]** good friends. 우리는 좋은 친구다.
- **She is [She's]** at school. 그녀는 학교에 있다.
- **They are [They're]** my parents. 그들은 내 부모님이다.

> **TIPs** 3인칭 단수의 경우 남자는 he로, 여자는 she로, 사물은 it으로 받는다. 3인칭 복수는 사람, 사물에 관계없이 they로 받는다.

Answers: p.02

Exercise 1 다음 주어에 알맞은 be동사의 현재형을 쓰시오.

1 I ⇒ _____
2 You ⇒ _____
3 It ⇒ _____
4 Your bike ⇒ _____
5 She ⇒ _____
6 His books ⇒ _____
7 Tigers ⇒ _____
8 Sally and Kate ⇒ _____
9 You and I ⇒ _____
10 The White House ⇒ _____

Exercise 2 다음 빈칸에 am, are, is 중 알맞은 것을 써넣으시오.

1 He _____ Mr. Smith.

2 I _____ a jazz singer.

3 The flower _____ red.

4 They _____ pretty dolls.

5 We _____ from Australia.

6 She _____ a famous journalist.

7 You _____ my favorite classmate.

8 Jessica _____ in the playground.

9 Sam and Tom _____ in the same school.

10 Mrs. Green _____ my next-door neighbor.

Exercise 3 다음 밑줄 친 부분을 줄여 쓰시오.

1 <u>It is</u> cold outside. ⇒ _____

2 <u>I am</u> an airline pilot. ⇒ _____

3 <u>He is</u> afraid of snakes. ⇒ _____

4 <u>She is</u> our music teacher. ⇒ _____

5 <u>They are</u> on the school bus. ⇒ _____

6 <u>We are</u> middle school students. ⇒ _____

Exercise 4 다음 밑줄 친 부분을 어법에 맞게 고쳐 쓰시오.

1 You <u>is</u> a nice guy. ⇒ _____

2 She <u>am</u> my little sister. ⇒ _____

3 They <u>is</u> late for school. ⇒ _____

4 The kitten <u>are</u> very cute. ⇒ _____

5 The twins <u>is</u> eight years old. ⇒ _____

6 He and I <u>am</u> in the same class. ⇒ _____

Exercise 5 다음 괄호 안의 대명사를 주어로 하는 문장으로 다시 쓰시오.

1 You're very brave. (She)

⇒ _____

2 I'm really thirsty. (They)

⇒ _____

3 We're from Singapore. (He)

⇒ _____

4 They are good at English. (I)

⇒ _____

5 She's in the art gallery. (We)

⇒ _____

6 He is a science fiction writer. (You)

⇒ _____

🔖 be동사의 부정문: 「am/are/is+not」의 형태로, '~가 아니다', '~가 없다'로 해석한다.

	주어+be동사+not	축약형		주어+be동사+not	축약형
단수	I am not	I'm not	복수	we are not	we're not / we aren't
	you are not	you're not / you aren't		you are not	you're not / you aren't
	he	he's not / he isn't		they are not	they're not / they aren't
	she is not	she's not / she isn't			
	it	it's not / it isn't			

· I **am not** happy. 나는 행복하지 않다.
· You **are not[aren't]** a police officer. 너는 경찰관이 아니다.
· My sister **is not[isn't]** six years old. 내 여동생은 여섯 살이 아니다.
· They **are not[aren't]** in the library. 그들은 도서관에 있지 않다.

> **TIPs**
> 「be동사+not」은 줄여 쓸 수 있지만, 「am+not」은 줄여 쓸 수 없다.
> · You aren't a musician. (o)
> · I amn't a nurse. (x)

Answers: p.02

Exercise 1 다음 〈보기〉와 같이 부정어 **not**이 들어갈 곳을 표시하시오.

🔍 You are my friend.

1 It is a ball-point pen.

2 Jennifer is in the hospital.

3 They are my best friends.

4 The earrings are expensive.

5 I am a big fan of hers.

Exercise 2 다음 밑줄 친 부분을 줄여 문장을 다시 쓰시오.

1 It <u>is not</u> his wallet.
⇒ _____

2 We <u>are not</u> from Germany.
⇒ _____

3 I <u>am not</u> on my way to school.
⇒ _____

4 My new neighbor <u>is not</u> Canadian.
⇒ _____

5 Jeff and Fred <u>are not</u> at the amusement park.
⇒ _____

Exercise 3 다음 문장을 부정문으로 바꾸시오.

1 This old book is mine.

⇨ _____

2 They are very kind people.

⇨ _____

3 It is warm and sunny today.

⇨ _____

4 He is a Hollywood superstar.

⇨ _____

5 I am a high school student.

⇨ _____

Exercise 4 다음 밑줄 친 부분을 어법에 맞게 고쳐 쓰시오.

1 Daniel not is in the office.　　　　　　　⇨ _____

2 I amn't good at table tennis.　　　　　　⇨ _____

3 You and your sister is not twins.　　　　⇨ _____

4 Most students isn't afraid of tests.　　　⇨ _____

5 Jane and I am not on the school bus.　　⇨ _____

Exercise 5 다음 〈보기〉와 같이 우리말과 같은 뜻이 되도록 주어진 단어를 이용해 문장을 완성하시오.

🔍　그녀는 소방관이 아니다. (a firefighter)
⇨ _____ She is not[isn't] a firefighter. _____

1 Shane은 영국인이 아니다. (English)

⇨ _____

2 너는 그녀의 사촌이 아니다. (her cousin)

⇨ _____

3 그것은 공포 영화가 아니다. (a horror movie)

⇨ _____

4 그들은 훌륭한 요리사가 아니다. (wonderful cooks)

⇨ _____

□ be동사가 있는 의문문의 형태: 「Be동사(Am/Are/Is)+주어 ~?」

· **You are** a flight attendant. 너는 비행기 승무원이다.

Are you a flight attendant? 너는 비행기 승무원이니?

· **He is** in the bank. 그는 은행에 있다.

Is he in the bank? 그는 은행에 있니?

□ be동사가 있는 의문문에 대한 응답: 「Yes, 주어+be동사.」 또는 「No, 주어+be동사+not.」

질문	응답
Are you a good player? 당신은 훌륭한 선수입니까?	Yes, I am. 네, 맞아요. No, I'm not. 아니요, 아니에요.
Is he a Korean singer? 그는 한국 가수입니까?	Yes, he is. 네, 맞아요. No, he isn't. 아니요, 아니에요.

TIPs Yes로 대답할 때는 주어와 be동사를 줄여 쓰지 않는다.

Answers: p.02

Exercise 1 다음 문장을 의문문으로 바꾸시오.

1 You are on holiday.

⇨ _____

2 Dogs are good swimmers.

⇨ _____

3 Your grandfather is in the garden.

⇨ _____

4 The chocolate cake is delicious.

⇨ _____

5 She is a member of the tennis club.

⇨ _____

Exercise 2 다음 의문문과 그에 알맞은 대답을 연결하시오.

1 Are your pants old? •   • a. Yes, they are.

2 Is the bracelet gold? •   • b. No, he isn't.

3 Is your father angry? •   • c. No, I'm not.

4 Are you late for school? •   • d. Yes, it is.

5 Is she your grandmother? •   • e. No, she isn't.

1 A Are your sisters healthy?

   B Yes, _____ _____.

2 A _____ _____ a lawyer?

   B No, she isn't. She is a judge.

3 A Is this machine dangerous?

   B No, _____ _____. It's safe.

4 A _____ you from Japan?

   B No, _____ _____. I'm from Korea.

5 A _____ you ready for the English contest?

   B Yes, _____ _____.

6 A Is this movie good?

   B Yes, _____ _____. It's really interesting.

7 A Is he in the swimming pool?

   B No, _____ _____. He's in the locker room.

Exercise **4** 다음 우리말과 같은 뜻이 되도록 주어진 단어를 배열하시오.

1 너는 지금 바쁘니? (busy, now, you, are)

   ⇨ _____

2 Daniel은 체육관에 있니? (Daniel, at the gym, is)

   ⇨ _____

3 그 연극은 지루하니? (the play, boring, is)

   ⇨ _____

4 너의 형들은 키가 크니? (your older brothers, tall, are)

   ⇨ _____

5 그것들은 너의 새 신발이니? (are, your new shoes, they)

   ⇨ _____

6 너의 컴퓨터는 최신식이니? (is, brand-new, your computer)

   ⇨ _____

7 Emily와 Becky는 박물관에 있니? (Emily and Becky, are, at the museum)

   ⇨ _____

일반동사의 현재형

일반동사: be동사와 조동사를 제외한 모든 동사로, 주어의 동작이나 상태를 나타낸다.

❶ 일반동사의 현재형

주어	현재형	예
1인칭 단·복수(I/we) 2인칭 단·복수(you) 3인칭 복수(they, my sons)	동사원형	I **live** / We **sing** You **run** They **climb** / My sons **play**
3인칭 단수(he, she, it, Tom)	동사원형+-(e)s	He **calls** / Tom **works**

❷ 일반동사의 3인칭 단수 현재형 만드는 법

대부분의 동사	+-s	speak**s**, like**s**, clean**s**, get**s**, walk**s** ...
「-o,-(s)s,-sh,-x,-ch」로 끝나는 동사	+-es	wash**es**, do**es**, go**es**, catch**es** ...
「자음+y」로 끝나는 동사	y → i+-es	study → stud**ies**　　cry → cr**ies** try → tr**ies**　　fly → fl**ies** ...
「모음+y」로 끝나는 동사	+-s	play**s**, say**s**, enjoy**s**, buy**s**, pay**s** ...
불규칙 동사		have → **has**

Answers: p.03

Exercise ❶ 다음 동사의 3인칭 단수 현재형을 쓰시오.

1 want ⇨ _____
2 go ⇨ _____
3 study ⇨ _____
4 mix ⇨ _____
5 have ⇨ _____
6 run ⇨ _____
7 do ⇨ _____
8 catch ⇨ _____
9 try ⇨ _____
10 like ⇨ _____
11 reach ⇨ _____
12 drink ⇨ _____
13 sit ⇨ _____
14 wake ⇨ _____
15 get ⇨ _____
16 cry ⇨ _____
17 read ⇨ _____
18 build ⇨ _____
19 enjoy ⇨ _____
20 lose ⇨ _____
21 carry ⇨ _____
22 buy ⇨ _____
23 clean ⇨ _____
24 fly ⇨ _____
25 teach ⇨ _____
26 come ⇨ _____
27 say ⇨ _____
28 pass ⇨ _____
29 wash ⇨ _____
30 play ⇨ _____

Exercise 2 다음 괄호 안의 주어진 동사를 현재형으로 바꿔 문장을 완성하시오.

1 He _____ his granddad so much. (love)

2 I _____ comic books with my brother. (read)

3 Emily _____ many pretty accessories. (have)

4 My father _____ three different languages. (speak)

5 Mr. Brown _____ English at a language center. (teach)

6 The children _____ with their puppies after school. (play)

Exercise 3 다음 밑줄 친 부분을 어법에 맞게 고쳐 쓰시오. (단, 어법에 맞으면 ○표 할 것)

1 I clean the office every morning. ⇨ _____

2 She washs her hands with soap. ⇨ _____

3 We leaves for school at 7 o'clock. ⇨ _____

4 My grandparents always get up early. ⇨ _____

5 Dennis and Jessica lives in New York. ⇨ _____

6 He carrys his backpack to the office. ⇨ _____

Exercise 4 다음 〈보기〉와 같이 우리말과 같은 뜻이 되도록 주어진 단어를 이용해 문장을 완성하시오.

🔍 그녀는 스페인어를 열심히 공부한다. (study Spanish)
⇨ She _____ studies Spanish _____ hard.

1 Tommy는 수박을 좋아한다. (like watermelon)
⇨ Tommy _____ .

2 그녀는 자신의 방에서 숙제를 한다. (do her homework)
⇨ She _____ in her room.

3 Mike는 강아지 한 마리와 고양이 두 마리를 가지고 있다. (have a puppy)
⇨ Mike _____ and two cats.

4 우리 엄마는 주말마다 장을 보러 간다. (go grocery shopping)
⇨ My mom _____ every weekend.

5 남동생과 나는 매일 텔레비전을 본다. (watch TV)
⇨ My brother and I _____ every day.

1-5 일반동사의 부정문

일반동사의 부정문

1인칭 단·복수 2인칭 단·복수 3인칭 복수	주어+do not[don't]+동사원형
3인칭 단수	주어+does not[doesn't]+동사원형

> **TIPs** 일반동사의 부정문과 의문문을 만드는 조동사 do는 해석하지 않지만, 일반동사 do는 '~을 하다'라고 해석한다.
> · I **don't** drink Coke. (조동사)
> · I **do** my homework after school. (일반동사)

· I **collect** stamps. 나는 우표를 수집한다.
　⇨ I **do not[don't] collect** stamps. 나는 우표를 수집하지 않는다.

· We **go** to school by bus. 우리는 버스를 타고 학교에 간다.
　⇨ We **do not[don't] go** to school by bus. 우리는 버스를 타고 학교에 가지 않는다.

· Tom **has** a nice camera. Tom은 좋은 카메라를 가지고 있다.
　⇨ Tom **does not[doesn't] have** a nice camera. Tom은 좋은 카메라를 가지고 있지 않다.

Answers: p.03

Exercise 1 다음 밑줄 친 부분을 어법에 맞게 고쳐 쓰시오. (단, 축약형으로 쓸 것)

1　You <u>aren't need</u> my help.　⇨ _____

2　He <u>don't sleep</u> on the floor.　⇨ _____

3　I <u>not do eat</u> breakfast every day.　⇨ _____

4　She and I <u>doesn't know</u> each other.　⇨ _____

5　My grandfather <u>not likes</u> cloudy days.　⇨ _____

6　They <u>doesn't go</u> to school on Saturdays.　⇨ _____

7　Kate and Matthew <u>lives not</u> in Paris now.　⇨ _____

8　We <u>have not</u> a laptop computer in our room.　⇨ _____

Exercise 2 다음 괄호 안의 주어진 동사를 이용하여 부정문을 완성하시오. (단, 축약형으로 쓸 것)

1　Andy _____ _____ junk food. (eat)

2　Rachel _____ _____ very fast. (walk)

3　Mr. Johnson _____ _____ science. (teach)

4　I _____ _____ to the radio at night. (listen)

5　The man _____ _____ a bike very well. (ride)

6　We _____ _____ our house every day. (clean)

7　This jacket _____ _____ many pockets. (have)

8　They _____ _____ up early in the morning. (get)

Exercise 3   다음 문장을 부정문으로 바꾸시오.

1   Erin eats cereal for breakfast.
⇨ _____

2   My mom kisses me on the forehead every night.
⇨ _____

3   The baby cries at midnight.
⇨ _____

4   I play volleyball with my friends.
⇨ _____

5   Sunny and Natalie take a nap after lunch.
⇨ _____

6   My children move around during meals.
⇨ _____

Exercise 4   다음 〈보기〉와 같이 우리말과 같은 뜻이 되도록 주어진 단어를 이용해 문장을 완성하시오.

🔍   그녀는 매일 영어를 공부하지 않는다. (study English, every day)
⇨ _____ She doesn't study English every day. _____

1   Jenny는 코끼리를 좋아하지 않는다. (like elephants)
⇨ _____

2   우리는 사전을 사용하지 않는다. (use a dictionary)
⇨ _____

3   그는 선글라스를 가지고 있지 않다. (have sunglasses)
⇨ _____

4   나는 매일 바이올린을 연주하지 않는다. (play the violin, every day)
⇨ _____

5   Becky와 Brian은 함께 기차를 타지 않는다. (take the train, together)
⇨ _____

6   그들은 저녁 식사 전에 손을 씻지 않는다. (wash their hands, before dinner)
⇨ _____

일반동사의 의문문

☐ 일반동사의 의문문

주어	의문문	대답
1인칭 단·복수 2인칭 단·복수 3인칭 복수	**Do**+주어+동사원형 ~?	**Yes, 주어+do.** **No, 주어+don't.**
3인칭 단수	**Does**+주어+동사원형 ~?	**Yes, 주어+does.** **No, 주어+doesn't.**

· **You play** soccer every Sunday. 너는 일요일마다 축구를 한다.
  ⇨ **Do** you **play** soccer every Sunday? 너는 일요일마다 축구를 하니?

· **She lives** in London with her aunt. 그녀는 이모와 함께 런던에 산다.
  ⇨ **Does** she **live** in London with her aunt? 그녀는 이모와 함께 런던에 사니?

· A: **Do** you **know** her address? 너는 그녀의 주소를 아니?
  B: **Yes, I do. / No, I don't.** 응, 알아. / 아니, 몰라.

· A: **Does** George **like** potato chips? George는 감자칩을 좋아하니?
  B: **Yes, he does. / No, he doesn't.** 응, 좋아해. / 아니, 싫어해.

Answers: p.03

Exercise ① 다음 문장을 의문문으로 고치시오.

1 It rains a lot in this town.
   ⇨ _____

2 The computer works fast.
   ⇨ _____

3 Mike goes skiing in winter.
   ⇨ _____

4 Linda has long dark curly hair.
   ⇨ _____

5 The children make a snowman.
   ⇨ _____

6 They work hard during the week.
   ⇨ _____

7 Jason washes his car every weekend.
   ⇨ _____

8 Jessy and Megan wear school uniforms.
   ⇨ _____

Exercise 2 다음 문장에서 <u>틀린</u> 부분을 찾아 어법에 맞게 고쳐 쓰시오. (단, 어법에 맞으면 ○표 할 것)

1 Does she wears a necklace? ⇨ _____

2 Does Jessica like classical music? ⇨ _____

3 Do Mr. Smith teach history at school? ⇨ _____

4 Does the movie have a happy ending? ⇨ _____

5 Do you keep an English diary every day? ⇨ _____

6 Do they plays online games after school? ⇨ _____

Exercise 3 다음 그림을 보고, 대화의 빈칸에 알맞은 말을 써넣으시오.

❶ ❷ ❸ ❹

1 A _____ the boys study hard?

   B _____, _____ _____ .

2 A _____ Sophia jog every morning?

   B _____, _____ _____ .

3 A _____ you play the drums in a band?

   B _____, _____ _____ .

4 A _____ Charlie go to school on foot?

   B _____, _____ _____ .

Exercise 4 다음 주어진 동사를 현재형으로 하여 대화를 완성하시오.

1 A _____ Jacob _____ coffee? (drink)

   B No, _____ _____ . He drinks green tea.

2 A _____ you _____ a bicycle? (have)

   B Yes, _____ _____ . I ride my bicycle on weekends.

3 A _____ they _____ the science magazine? (read)

   B Yes, _____ _____ . They like science very much.

4 A _____ Christine _____ a shower in the morning? (take)

   B No, _____ _____ . She takes a shower at night.

1-7 의문사로 시작하는 의문문

📑 **의문사가 있는 의문문**

의문사가 있는 의문문은 Yes나 No로 대답하지 않는다. be동사가 있는 의문문은 「의문사+be동사+주어 ~?」,
일반동사가 있는 의문문은 「의문사+do(es)+주어+동사원형 ~?」의 어순으로 쓴다.

❶ **who** : '누구'라는 의미로, 신분이나 이름, 관계 등을 물을 때 쓴다.
　　A: **Who** is he? 그는 누구입니까?
　　B: He is my brother. 그는 제 형이에요.

❷ **what** : '무엇'이라는 의미로, 사람의 직업이나 사물의 이름 등을 물을 때 쓴다.
　　A: **What** is your name? 당신의 이름은 무엇입니까?
　　B: My name is Michael. 제 이름은 Michael이에요.

❸ **which** : '어느 것'이라는 의미로, 정해진 대상 중에서 선택하는 경우에 쓴다.
　　A: **Which** do you like better, blue or green? 파란색과 초록색 중에 어떤 색을 더 좋아하나요?
　　B: I like blue better. 저는 파란색을 더 좋아해요.

❹ **when** : '언제'라는 의미로, 시간이나 날짜 등을 물을 때 쓴다.
　　A: **When** is your birthday? 당신의 생일은 언제입니까?
　　B: It's September 1st. 9월 1일이에요.

❺ **where** : '어디서', '어디에'라는 의미로, 장소를 물을 때 쓴다.
　　A: **Where** is my pencil? 제 연필은 어디에 있나요?
　　B: It's on the table. 탁자 위에 있어요.

❻ **why** : '왜'라는 의미로, 이유를 물을 때 쓴다.
　　A: **Why** do you like cats? 당신은 왜 고양이를 좋아하나요?
　　B: I like them because they are very cute. 그것들은 아주 귀엽기 때문에 좋아해요.

❼ **how** : '어떻게'라는 의미로, 수단, 방법, 상태 등을 물을 때 쓴다.
　　A: **How** do you go to school? 당신은 어떻게 학교에 가나요?
　　B: I go to school by bus. 저는 버스를 타고 학교에 가요.

❽ 「**how**+형용사/부사」: '얼마나 ~한'이라는 의미이다.
　　· **How old** is he? 그는 몇 살인가요?
　　· **How long** is the film? 그 영화는 얼마나 긴가요?
　　· **How many** dolls do you have? 당신은 얼마나 많은 인형을 가지고 있나요?
　　· **How often** do you visit your grandparents? 당신은 얼마나 자주 조부모님을 방문하나요?

> **TIPs**
> 의문사 what(무슨, 어떤), which(어느), whose(누구의) 뒤에 명사가 오면 의문사는 형용사로 쓰인다.
> · **What** sports do you like?
>   어떤 스포츠를 좋아하세요?
> · **Which** book are you looking for?
>   너는 어떤 책을 찾고 있니?

> **TIPs**
> why로 물을 경우, 대답은 주로 because(~ 때문에)를 쓴다.

Answers: p.04

Exercise ① 다음 빈칸에 알맞은 의문사를 써넣으시오.

1　네 우비는 어디에 있니?　　　　　　⇒ _____ is your raincoat?

2　너희 아버지께서는 무슨 일을 하시니?　⇒ _____ does your father do?

3　벤치에 앉아 있는 저 소년은 누구니?　⇒ _____ is that boy on the bench?

4　James는 나에 대해 어떻게 생각하니?　⇒ _____ does James feel about me?

5　너희 선생님께서는 왜 그렇게 생각하시니?　⇒ _____ does your teacher think so?

Exercise 2 다음 질문에 알맞은 대답을 찾아 연결하시오.

1 What is this? •   • a. It's around the corner.

2 Why were you late? •   • b. Because I woke up late.

3 Where is the post office? •   • c. My favorite actor is Tom Cruise.

4 Who is your favorite actor? •   • d. I go to school by bicycle.

5 How do you go to school? •   • e. It's a keyboard.

Exercise 3 다음 괄호 안에서 알맞은 말을 골라 대화를 완성하시오.

1 A (When / Where) can you come back?
  B I can come back here next Saturday.

2 A (What / How) does she spell her last name?
  B J-O-H-N-S-O-N.

3 A (What / Where) is your favorite subject?
  B My favorite subject is English.

4 A (How / Why) are you crying?
  B Because I failed my math test.

5 A (Who / What) is that man with your husband?
  B My new neighbor, Jack.

Exercise 4 다음 〈보기〉에서 알맞은 의문사를 골라 대화를 완성하시오.

🔍	what	where	who	which	when

1 A _____ does your mother do?
  B She works at a bank.

2 A _____ does the contest start?
  B It starts tomorrow.

3 A _____ is my laptop computer?
  B It's on the desk.

4 A _____ is the guy with curly hair?
  B He is my cousin, Jim.

5 A _____ do you like better, dogs or cats?
  B I like dogs better.

Exercise 5 다음 대화의 빈칸에 알맞은 말을 써넣으시오.

1 A _____ _____ is that dress?
   B It's $200.

2 A _____ _____ is the new bridge?
   B It is 150 feet long.

3 A _____ _____ is your little sister?
   B She is five years old.

4 A _____ _____ do you play tennis?
   B I play tennis once a week.

5 A _____ _____ apples do you have?
   B I have only one apple.

Exercise 6 다음 우리말과 같은 뜻이 되도록 주어진 단어를 배열하여 문장을 완성하시오.

1 그는 어디에 사나요? (where, he, live, does)
   ⇨ _____

2 저 친절한 소녀는 누구입니까? (that kind girl, who, is)
   ⇨ _____

3 그는 왜 학교에 지각하나요? (he, is, why, late for, school)
   ⇨ _____

4 백화점은 어디에 있나요? (the department store, where, is)
   ⇨ _____

5 박물관은 언제 문을 여나요? (does, the museum, when, open)
   ⇨ _____

6 당신은 도서관에 어떻게 가나요? (do, you, how, go to the library)
   ⇨ _____

7 당신은 여자 형제가 몇 명이나 있나요? (do, you, have, many, sisters, how)
   ⇨ _____

8 콜라와 우유 중 어떤 것을 원하니? (do, you, want, or, which, Coke, milk)
   ⇨ _____

1-8 부정의문문

부정의문문

부정의문문은 동사의 부정형으로 시작하는 의문문이다. 부정의문문에 대한 응답은 대답하는 내용이 긍정이면 Yes, 부정이면 No로 답한다.

- A: **Aren't they** family? 그들은 가족이 아니니?
  B: **Yes, they are. / No, they aren't.** 아니, 가족이야. / 응, 아니야.

- A: **Isn't he** a teacher? 그는 선생님이 아니니?
  B: **Yes, he is. / No, he isn't.** 아니, 선생님이야. / 응, 아니야.

- A: **Don't you** like soccer? 너는 축구를 좋아하지 않니?
  B: **Yes, I do. / No, I don't.** 아니, 좋아해. / 응, 안 좋아해.

- A: **Doesn't she** love him? 그녀는 그를 사랑하지 않니?
  B: **Yes, she does. / No, she doesn't.** 아니, 사랑해. / 응, 사랑하지 않아.

> **TIPs** 부정의문문은 모두 축약형(조동사/be동사+not)으로 시작한다.

Answers: p.04

Exercise 1 다음 〈보기〉와 같이 주어진 문장을 부정의문문으로 바꿔 쓰시오.

> You walk to school.
> ⇒ _____ Don't you walk to school? _____

1 They sing in a choir.

⇒ _____

2 Rick wears big glasses.

⇒ _____

3 They are in the stadium.

⇒ _____

4 Miss Hanson is a pianist.

⇒ _____

Exercise 2 다음 대화의 빈칸에 알맞은 말을 써넣으시오.

1 A Don't you like tomato pasta?

  B _____, _____ _____. I like cream pasta.

2 A Aren't you Tom's sister?

  B _____, _____ _____. Nice to meet you.

3 A Doesn't he enjoy Japanese food?

  B _____, _____ _____. He really likes sushi.

4 A Isn't she your music teacher?

  B _____, _____ _____. She is my English teacher.

1-9 명령문

□ **명령문**: 상대방에게 명령이나 지시, 요청 등을 할 때 쓰는 문장

　❶ **긍정명령문**: '~해라'라는 의미로, 일반적으로 You를 생략하고 동사원형으로 시작한다.
　　· **Listen** to my words. 내 말을 들어라.
　　· **Be** quiet in the theater. 영화관에서는 조용히 해라.
　　· **Go** straight and turn left. 곧장 가서 왼쪽으로 돌아라.

　❷ **부정명령문**: '~하지 마라'라는 의미로 「do not[don't]+동사원형」의 형태로 쓴다.
　　· **Don't make** a noise. 시끄럽게 하지 마라.
　　· **Don't be** late for school again. 다시는 학교에 지각하지 마라.
　　· **Don't throw** trash on the street. 길거리에 쓰레기를 버리지 마라.

> **TIPs**
> 강조하기 위해 명령문 앞에 You를 넣기도 한다.
> · **You** be quiet. 조용히 해라.
> 문장의 맨 앞이나 뒤에 **please**를 붙이면 공손한 표현이 된다.
> · **Please** be quiet. = Be quiet, **please**. 조용히 해 주세요.

Answers: p.04

Exercise ❶　다음 문장을 괄호 안의 지시대로 고쳐 쓰시오.

1　You wear a seat belt. (긍정명령문으로)
　⇒ _____

2　You make me angry. (부정명령문으로)
　⇒ _____

3　You keep the promise. (긍정명령문으로)
　⇒ _____

4　You swim in the deep water. (부정명령문으로)
　⇒ _____

5　You touch the painting on the wall. (부정명령문으로)
　⇒ _____

Exercise ❷　다음 우리말과 같은 뜻이 되도록 주어진 단어를 배열하여 문장을 완성하시오.

1　거짓말을 하지 마라. (not, lie, do)
　⇒ _____

2　소금 좀 건네주세요. (the salt, please, pass, me)
　⇒ _____

3　잔디를 밟지 마시오. (don't, on the grass, walk)
　⇒ _____

4　나이 든 사람에게 친절해라. (please, kind, be, to old people)
　⇒ _____

5　여기서는 사진을 찍지 마시오. (take, don't, here, pictures, please)
　⇒ _____

1-10 제안문

□ 제안문: 상대방에게 어떤 행동을 하거나 하지 말라고 권유하거나 제안하는 문장

❶ 긍정제안문: '〜하자'라는 의미로, 「Let's+동사원형 〜.」의 형태로 쓴다.

- **Let's take** a break. 잠시 쉽시다.
- **Let's play** basketball with them. 그들과 농구하자.
- **Let's meet** in front of the bookstore. 서점 앞에서 만나자.

❷ 부정제안문: '〜하지 말자'라는 의미로 「Let's+not+동사원형 〜.」의 형태로 쓴다.

- **Let's not go** outside. 밖에 나가지 말자.
- **Let's not play** basketball. 야구하지 말자.
- **Let's not run** around in the classroom. 교실에서 뛰어다니지 말자.

> **TIPs**
> 「Let's+동사원형 〜.」= 「Why don't we+동사원형 〜?」
> - **Let's have** lunch. 점심을 먹자.
>   = **Why don't we have** lunch?

Answers: p.04

Exercise 1 다음 우리말과 같은 뜻이 되도록 주어진 단어를 이용해 문장을 완성하시오.

1 서두르지 말자. (hurry up)

⇨ _____

2 저녁 먹으러 나가자. (go out for)

⇨ _____

3 영화 보러 가자. (go to a movie)

⇨ _____

4 지하철을 타자. (take the subway)

⇨ _____

5 시끄럽게 하지 말자. (make noise)

⇨ _____

6 교실을 청소하자. (clean the classroom)

⇨ _____

Exercise 2 다음 괄호 안의 주어진 단어를 알맞게 배열하여 대화를 완성하시오.

1 A _____ (the window, let's, close)

  B No, let's not. It's very hot in here.

2 A _____ (order, let's, some spaghetti)

  B Yes, let's. I'm very hungry.

3 A _____ (let's, computer games, play)

  B No, let's not. I'm very busy now.

4 A _____ (go to the market, tonight, let's)

  B Sounds great! The refrigerator is empty.

부가의문문

부가의문문은 상대방에게 동의를 구하거나 확인하기 위한 의문문으로, 문장 뒤에 「동사+주어」를 덧붙인다.
긍정문에서는 부정으로, 부정문에서는 긍정으로 묻고, 주어는 대명사로 받는다.

❶ 긍정문의 부가의문문: 「주어+동사 ~, be/do/조동사의 부정 축약형+주어(대명사)?」

· It is Tuesday, **isn't it**? 화요일이지, 그렇지 않니?
· She <u>knows</u> how to drive, **doesn't she**? 그녀는 운전하는 법을 알아, 그렇지 않니?
· You <u>can</u> download the file, **can't you**? 너는 그 파일을 내려받을 수 있지, 그렇지 않니?

❷ 부정문의 부가의문문: 「주어+동사의 부정형 ~, be/do/조동사의 긍정형+주어(대명사)?」

· He isn't diligent, **is he**? 그는 부지런하지 않지, 그렇지?
· Anne <u>doesn't</u> like carrots, **does she**? Anne은 당근을 싫어하지, 그렇지?
· You <u>can't</u> speak Spanish, **can you**? 너는 스페인어를 못하지, 그렇지?

> **TIPs** 부가의문문이 긍정문이든 부정문이든 상관없이 대답하는 내용이 긍정이면 Yes, 부정이면 No로 답한다.

주의해야 할 부가의문문

명령문, will you?	Come to school on time, **will you**? 제시간에 학교에 와라. 그럴 거지? Don't ride a motorcycle, **will you**? 오토바이를 타지 마라. 그럴 거지?
Let's ~, shall we?	Let's play hide-and-seek, **shall we**? 숨바꼭질하자. 응? Let's not eat out today, **shall we**? 오늘은 외식하지 말자. 응?

Answers: p.04

Exercise ❶ 다음 빈칸에 알맞은 부가의문문을 쓰시오.

1 Look both ways, _____ _____?

2 She likes her new job, _____ _____?

3 You don't cook very well, _____ _____?

4 Teddy is a handsome guy, _____ _____?

5 Let's go out for a walk after lunch, _____ _____?

6 They can swim there in the morning, _____ _____?

Exercise ❷ 다음 밑줄 친 부분을 어법에 맞게 고쳐 쓰시오.

1 They can pass the exam, <u>can they</u>?　　⇒ _____

2 Max works at the hospital, <u>does he</u>?　　⇒ _____

3 Please be nice to children, <u>shall we</u>?　　⇒ _____

4 Let's get together at 3 o'clock, <u>will you</u>?　　⇒ _____

5 They aren't your classmates, <u>aren't they</u>?　　⇒ _____

6 You don't know Jennifer very well, <u>don't you</u>?　　⇒ _____

1-12 감탄문

📖 감탄문: 기쁨이나 슬픔, 놀라움 등의 감정을 표현하는 문장

❶ What 감탄문: What(+a[an])+형용사+명사(+주어+동사)!
- You have a very nice car. 너는 매우 멋진 자동차를 가졌다.

  What a nice car (you have)! 너는 정말 멋진 자동차를 가졌구나!
- **What pretty dolls** (they are)! 그것들은 참 예쁜 인형이구나!

❷ How 감탄문: How+형용사/부사(+주어+동사)!
- The man is very tall. 그 남자는 키가 매우 크다.

  How tall (the man is)! (형용사 강조) 그 남자는 정말 키가 크구나!
- **How fast** (she runs)! (부사 강조) 그녀는 참 빨리 달리는구나!

> **TIPs**
> 셀 수 있는 명사의 경우 형용사 앞에 반드시 a[an]를 붙이고, 복수명사나 셀 수 없는 명사의 경우 a[an]를 붙이지 않는다.

> **TIPs**
> What 감탄문과 How 감탄문 뒤의 주어와 동사는 종종 생략된다.

Answers: p.05

Exercise 1 다음 문장을 주어진 단어로 시작하는 감탄문으로 바꾸시오. (「주어+동사」 생략 금지)

1 It is a very easy job.

⇨ What _____!

2 They are very long pencils.

⇨ What _____!

3 The mountain is very high.

⇨ How _____!

4 His backpack is very heavy.

⇨ How _____!

5 Daniel is a very smart boy.

⇨ What _____!

Exercise 2 다음 우리말과 같은 뜻이 되도록 주어진 단어를 배열하여 문장을 완성하시오.

1 그들은 너무 어리석어요! (how, they, stupid, are)

⇨ _____

2 이 문제는 참 쉽구나! (how, this question, is, easy)

⇨ _____

3 그녀는 정말 훌륭한 가수구나! (what, a, singer, she, good, is)

⇨ _____

4 그것은 정말 유용한 스마트폰이구나! (a, smartphone, it, useful, what, is)

⇨ _____

01 다음 중 동사원형과 3인칭 단수 현재형이 바르게 연결되지 <u>않은</u> 것은?

① cry – cries ② walk – walks
③ play – plays ④ push – pushs
⑤ have – has

02 다음 중 동사원형과 3인칭 단수 현재형이 바르게 연결된 것은?

① enjoy – enjoys ② go – gos
③ study – studys ④ buy – buies
⑤ watch – watchs

[03-07] 다음 빈칸에 들어갈 알맞은 말을 고르시오.

03
Gary wants to buy a new cap, _____?

① is he ② does he
③ isn't he ④ don't he
⑤ doesn't he

04
_____ run here! The floor is very slippery.

① Be ② You
③ Do ④ Don't
⑤ Please

05
_____ strong the man is!

① How ② What
③ How a ④ What a
⑤ Very

06
_____ respects the teacher.

① I ② The girl
③ We ④ They
⑤ Mary and Jennifer

07
_____ Sunny write her diary in English?

① Am ② Are
③ Does ④ Is
⑤ Do

[08-11] 다음 대화의 빈칸에 들어갈 알맞은 말을 고르시오.

08
A Happy birthday! I have a present for you.
B Wow! _____ a pretty doll! Thank you very much.

① Really ② What
③ How ④ Very
⑤ Which

09
A _____ way does the bus go, this way or that way?
B It goes that way.

① What ② Why
③ Where ④ When
⑤ Which

10
A Mom, I want to go out and play.
B _____ your homework first.

① Do ② Be
③ Does ④ Doing
⑤ Are

11
A Does Serena study English very hard?
B _____ She studies it every day.

① Yes, she is. ② No, she isn't.
③ Yes, she does. ④ No, she doesn't.
⑤ Yes, she doesn't.

[12-14] 다음 빈칸에 들어갈 말이 바르게 짝지어진 것을 고르시오.

12
· _____ your father listen to the radio?
· _____ you a swimmer?

① Does – Do   ② Are – Do
③ Are – Does   ④ Does – Are
⑤ Is – Are

13
· She doesn't _____ junk food.
· James and Kate _____ like horror movies.
· _____ your grandfather grow vegetables in the yard?

① eat – don't – Do
② eat – doesn't – Does
③ eat – don't – Does
④ eat – doesn't – Does
⑤ eat – doesn't – Do

14
· _____ Emily a cheerleader?
· The children _____ afraid of ghosts.
· Christine _____ her hair in the morning.

① Is – are – wash
② Are – is – wash
③ Are – are – washes
④ Is – are – washes
⑤ Is – is – wash

15 다음 문장을 긍정명령문으로 바꿀 때 생략할 수 있는 것은?

You have a good time.
①   ② ③ ④   ⑤

16 다음 빈칸에 공통으로 들어갈 알맞은 말은?

· _____ color is your hat?
· _____ do you have in your hand?

① How   ② Why
③ Which   ④ Where
⑤ What

[17-20] 다음 중 어법상 바르지 않은 것을 고르시오.

17 ① I amn't from France.
② This pencil is too short.
③ They are not good movies.
④ He's not a good baseball player.
⑤ Dan and I are on the school bus.

18 ① We don't exercise in the winter.
② He reads the newspaper in the morning.
③ My mother use honey instead of sugar.
④ Does Jake come to school by subway?
⑤ Anne collects stamps from many countries.

19 ① What good books you have!
② How difficult the problem is!
③ What a hot summer day it is!
④ How delicious the doughnut is!
⑤ What clever these dolphins are!

20 ① Please be quiet in the museum.
② She can drive a car, can't she?
③ Let's not makes fun of the way she talks.
④ Be honest and kind to other people.
⑤ Don't worry about your grandmother.

[21-23] 다음 빈칸에 들어갈 단어가 나머지와 <u>다른</u> 하나를 고르시오.

21 ① _____ huge his feet are!
   ② _____ interesting the game is!
   ③ _____ heavy your suitcase is!
   ④ _____ beautiful girls they are!
   ⑤ _____ dangerous the snake is!

22 ① _____ this subway go to Seoul Station?
   ② _____ you visit your grandparents?
   ③ _____ Brian really like online games?
   ④ _____ your mother wear glasses?
   ⑤ _____ Jenny live near her school?

23 ① _____ much are these boots?
   ② _____ subject does Chris like?
   ③ _____ tall is that volleyball player?
   ④ _____ often do you wash your car?
   ⑤ _____ long does it take to come here?

24 다음 밑줄 친 부분이 어법상 바르지 <u>않은</u> 것은?
   ① The soup smells delicious, <u>doesn't it</u>?
   ② Study science hard, <u>will you</u>?
   ③ Edward likes milk tea, <u>does he</u>?
   ④ The classroom isn't clean, <u>is it</u>?
   ⑤ She can swim in the sea, <u>can't she</u>?

25 다음 문장을 부정문으로 바르게 바꾼 것은?
   ① You and your sister are twins.
     ⇒ You and your sister isn't twins.
   ② I am ready for the English contest.
     ⇒ I amn't ready for the English contest.
   ③ My father plays golf on weekends.
     ⇒ My father don't plays golf on weekends.
   ④ They wake up early in the morning.
     ⇒ They don't wakes up early in the morning.
   ⑤ She teaches science at our school.
     ⇒ She doesn't teach science at our school.

[26-27] 다음 중 어법상 바른 것을 고르시오.

26 ① My sister and I am not tall.
   ② It's not a new backpack, isn't it?
   ③ Let's have some coffee, don't we?
   ④ Mr. Brown is very rich, isn't she?
   ⑤ What beautiful long hair Julie has!

27 ① They are my favorite earrings.
   ② His bedroom are small and cozy.
   ③ Are your brother a football player?
   ④ Charlie and Emma is from England.
   ⑤ I amn't good at speaking Japanese.

[28-29] 다음 대화 중 자연스럽지 <u>않은</u> 것을 고르시오.

28 ① A: Do you drink a lot of milk?
     B: No, I don't. I don't like milk.
   ② A: Is Paul the new class leader?
     B: Yes, he is. He won the class election.
   ③ A: Tom is in the hospital, isn't he?
     B: Yes, he is. He broke his leg last week.
   ④ A: Isn't she your English teacher?
     B: No, she isn't. She is my math teacher.
   ⑤ A: The gallery closes on Tuesdays, doesn't it?
     B: Yes, it does. It closes on Mondays.

29 ① A: How much are these cotton socks?
     B: They're $15.
   ② A: What does she do?
     B: She works at the library.
   ③ A: Which do you like better, pasta or pizza?
     B: I like pasta better.
   ④ A: Why do you like dogs?
     B: Because they are friendly.
   ⑤ A: How often do you eat out?
     B: Yes, we usually eat out twice a month.

[30-31] 다음 우리말을 영어로 바르게 옮긴 것을 고르시오.

30 | 그들은 참 좋은 사람들이구나!

① How nice people are they!
② How nice people they are!
③ What nice people are they!
④ What nice people they are!
⑤ What they are nice friends!

31 | 그녀는 그 사실을 몰라, 그렇지?

① She doesn't know the truth, doesn't she?
② She doesn't know the truth, does she?
③ She doesn't know the truth, is she?
④ She knows the truth, doesn't she?
⑤ She knows the truth, does she?

32 다음 빈칸에 알맞은 말을 넣어 문장을 완성하시오.

A Do you know the man over there?
B Of course. _____ is my uncle.

33 다음 빈칸에 알맞은 부가의문문을 써넣으시오.

• Let's go on a picnic this Sunday,
  _____ _____ ?

• Jeremy is kind and funny, _____
  _____ ?

• You can't come to my party, _____
  _____ ?

[34-35] 다음 주어진 문장을 지시문에 맞게 고쳐 쓰시오.

34 | Miranda spends a lot of money on shoes.
(부정문으로)

⇒ _____

35 | Jake goes to school at 7. (의문문으로)

⇒ _____

[36-39] 다음 우리말과 같은 뜻이 되도록 주어진 단어를 알맞게 배열하여 문장을 완성하시오.

36 | 다시는 똑같은 실수를 하지 마라.
(the same mistake, again, make, don't)

⇒ _____

37 | 너희 엄마는 정말 훌륭한 요리사구나!
(what, your mother, a, is, cook, good)

⇒ _____

38 | 너는 내 생일 선물이 마음에 들지 않니?
(don't, my, you, like, birthday present)

⇒ _____

39 | 자전거를 조심히 타라, 그럴 거지?
(will, carefully, your bike, you, ride)

⇒ _____

40 다음 대화의 빈칸에 알맞은 감탄사와 의문사를 써넣으시오.

A _____ handsome the boy is! Is he your
   friend?
B No, he isn't. He is my cousin.
A _____ does he live?
B He lives in Sydney.
A _____ is his name?
B His name is Harry Potter.

Answers: p.06

[1-2] 다음 대화를 읽고, 물음에 답하시오. 서술형

> 조건 1. 일반동사의 현재형을 사용하여 쓸 것
> 2. 주어의 인칭이나 수에 주의하여 do나 does를 사용할 것

A Do you play basketball after school?

B Yes, I do. I am on the basketball team.

A (A) <u>Do you likes playing basketball?</u>

B Of course! I practice every day. I like it a lot.

A My brother wants to join the basketball team. He really loves basketball, but (B) <u>그는 경험이 많지 않다.</u> (not, have)

B Well, he can practice with me if he wants to.

A Thanks a lot. He'll love it.

1 밑줄 친 (A)를 알맞은 문장으로 고쳐 쓰시오.

→ _____

2 (B)에 주어진 단어를 이용하여 우리말에 맞도록 영작하시오.

→ _____ much experience.

3 다음 글의 밑줄 친 부분 중, 어법상 틀린 것은? 수능 대비형

① Don't it make you feel good when your dog runs over to you and gives you a kiss? Even when someone ② is in a bad mood, a pet can make him or her feel great! Health care workers use animals to cheer up sick people. It's called animal therapy. It can help people in a lot of ways. Animals can provide comfort for people through physical contact. This ③ helps to reduce loneliness. We ④ use many kinds of animals such as dogs, cats, birds, and rabbits for animal therapy. ⑤ How helpful they are!

* physical contact: 신체 접촉
** animal therapy: 동물매개치료

Chapter 2

시제

—

2-1   현재시제의 쓰임

2-2   과거시제 – be동사

2-3   과거시제 – 일반동사의 규칙 변화

2-4   과거시제 – 일반동사의 불규칙 변화

2-5   과거시제의 쓰임

2-6   과거시제의 부정문과 의문문

2-7   진행시제

2-8   진행시제 – 현재진행과 과거진행

2-9   진행시제의 부정문과 의문문

Review Test

보너스 유형별 문제

2-1 현재시제의 쓰임

📑 **현재시제의 쓰임**

❶ 반복적인 행동이나 습관, 변하지 않는 진리나 일반적인 사실, 현재의 상태를 나타낼 때 쓴다.
- I **go** to school at 8 in the morning. (반복적인 행동·습관) 나는 아침 여덟 시에 학교에 간다.
- Mt. Halla **is** 1,947 meters high. (진리·사실) 한라산은 높이가 1947미터이다.
- She **looks** sad now. (현재의 상태) 그녀는 지금 슬퍼 보인다.

❷ every day, every Thursday, once a week[month, year], on Sundays 등의 부사구와 함께 쓰인다.
- Rachel **goes** to church on Sundays. Rachel은 일요일마다 교회에 간다.
- He **takes** a piano lesson every Thursday. 그는 목요일마다 피아노 레슨을 받는다.

❸ go, leave, start, arrive, come 등의 동사는 이미 확정된 미래를 나타낼 때 현재시제로 쓰기도 한다.
- The airplane **leaves** at 9. 비행기는 9시에 떠난다.
- The jazz festival **starts** this week. 재즈 페스티벌은 이번 주에 시작한다.

Answers: p.07

Exercise 1 다음 우리말과 같은 뜻이 되도록 〈보기〉에서 알맞은 동사를 골라 빈칸에 적절한 형태로 써넣으시오.

🔍 play   rise   brush   eat

1 태양은 동쪽에서 뜬다.
⇨ The sun ＿＿＿＿＿＿＿＿ in the east.

2 우리는 구내식당에서 점심을 먹는다.
⇨ We ＿＿＿＿＿＿＿＿ lunch in the cafeteria.

3 나는 하루에 세 번 이를 닦는다.
⇨ I ＿＿＿＿＿＿＿＿ my teeth three times a day.

4 Lisa는 남동생과 함께 일주일에 한 번 배드민턴을 친다.
⇨ Lisa ＿＿＿＿＿＿＿＿ badminton with her brother once a week.

Exercise 2 다음 우리말과 같은 뜻이 되도록 주어진 단어를 배열하여 문장을 완성하시오.

1 기린은 긴 목을 가지고 있다. (have, giraffes, long necks)
⇨ ＿＿＿＿＿＿＿＿＿＿＿＿＿＿＿＿＿＿

2 그는 매일 이곳에 자신의 차를 주차한다. (every day, here, his car, parks, he)
⇨ ＿＿＿＿＿＿＿＿＿＿＿＿＿＿＿＿＿＿

3 백화점은 오후 여덟 시에 문을 닫는다. (closes, the department store, at 8 p.m.)
⇨ ＿＿＿＿＿＿＿＿＿＿＿＿＿＿＿＿＿＿

4 우리는 일요일에 함께 영어를 공부한다. (on Sundays, study English, together, we)
⇨ ＿＿＿＿＿＿＿＿＿＿＿＿＿＿＿＿＿＿

과거시제-be동사

□ **be동사의 과거형**

	인칭	주어	be동사		인칭	주어	be동사
단수	1	I	was	복수	1	we	were
	2	you	were		2	you	
	3	he	was		3	they	
		she					
		it					

· I **was** in France last year. 나는 작년에 프랑스에 있었다.
· It **was** hot yesterday. 어제는 더웠다.
· We **were** at the library then. 우리는 그때 도서관에 있었다.
· Jenny and Tom **were** good students. Jenny와 Tom은 훌륭한 학생이었다.

Answers: p.07

Exercise 1 다음 빈칸에 알맞은 be동사의 과거형을 써넣으시오.

1 I _____ very busy last week.

2 He _____ here an hour ago.

3 My birthday _____ last Monday.

4 It _____ sunny in L.A. yesterday.

5 You _____ late for the meeting again.

6 My brother and I _____ hungry last night.

7 The book _____ popular all around the world.

8 John and I _____ in the playground two hours ago.

Exercise 2 다음 우리말과 같은 뜻이 되도록 주어진 단어를 이용해 문장을 완성하시오.

1 그녀는 유명한 영화배우였다. (a famous actress)

⇨ She _____.

2 나는 그 수업이 지루했다. (bored)

⇨ I _____ in the class.

3 우리는 작년에 초등학생이었다. (elementary school students)

⇨ We _____ last year.

4 그 간호사는 모든 환자에게 친절했다. (kind)

⇨ The nurse _____ to all patients.

과거시제 - 일반동사의 규칙 변화

📑 일반동사의 규칙 변화

대부분의 일반동사	+-ed	walk**ed**, ask**ed**, learn**ed** ...
-e로 끝나는 동사	+-d	like**d**, arrive**d**, love**d**, move**d** ...
「단모음+단자음」으로 끝나는 동사	자음을 한 번 더 쓰고+-ed	stop → stop**ped**, plan → plan**ned** ...
「자음+y」로 끝나는 동사	y를 i로 바꾸고+-ed	study → stud**ied**, try → **tried** ...

· They **talked** about her dog. 그들은 그녀의 개에 대해서 이야기했다.
· She **bathed** in the bathroom. 그녀는 욕실에서 목욕했다.
· I **skipped** breakfast this morning. 나는 오늘 아침 식사를 걸렀다.
· He **studied** hard. 그는 열심히 공부했다.

Answers: p.07

Exercise 1 다음 동사의 과거형을 쓰시오.

1 end ⇒ _____
2 cry ⇒ _____
3 jump ⇒ _____
4 drop ⇒ _____
5 help ⇒ _____
6 visit ⇒ _____
7 die ⇒ _____
8 arrive ⇒ _____
9 worry ⇒ _____
10 try ⇒ _____
11 stay ⇒ _____
12 save ⇒ _____
13 push ⇒ _____
14 stop ⇒ _____
15 want ⇒ _____
16 live ⇒ _____
17 start ⇒ _____
18 work ⇒ _____
19 play ⇒ _____
20 plan ⇒ _____

Exercise 2 다음 밑줄 친 부분을 어법에 맞게 고쳐 쓰시오. (단, 과거형으로 쓸 것)

1 Steve <u>carry</u> the big bag. ⇒ _____

2 She <u>touch</u> my shoulder. ⇒ _____

3 We <u>stay</u> home yesterday. ⇒ _____

4 He <u>plan</u> to write an essay. ⇒ _____

5 My mom <u>close</u> the curtains. ⇒ _____

6 The bus <u>drop</u> some people off. ⇒ _____

7 I <u>open</u> a clothing store last week. ⇒ _____

8 My best friend <u>move</u> to Seoul last month. ⇒ _____

과거시제 - 일반동사의 불규칙 변화

일반동사의 불규칙 변화

begin – **began**	go – **went**	meet – **met**	stand – **stood**
break – **broke**	give – **gave**	ride – **rode**	swim – **swam**
buy – **bought**	have – **had**	ring – **rang**	take – **took**
come – **came**	hear – **heard**	run – **ran**	teach – **taught**
catch – **caught**	hold – **held**	see – **saw**	tell – **told**
do – **did**	keep – **kept**	sing – **sang**	think – **thought**
drink – **drank**	know – **knew**	sit – **sat**	wake – **woke**
feel – **felt**	leave – **left**	sleep – **slept**	wear – **wore**
find – **found**	lose – **lost**	speak – **spoke**	win – **won**
get – **got**	make – **made**	spend – **spent**	write – **wrote**

· I **met** him at the park. 나는 공원에서 그를 만났다.
· She **went** to school yesterday. 그녀는 어제 학교에 갔다.
· He **came** home late last night. 그는 어젯밤에 늦게 집에 왔다.

TIPs read의 원형과 과거형의 형태는 같지만 발음은 다르다. 원형은 [ri:d], 과거형은 [red]로 발음한다.

현재형과 과거형이 같은 동사: cost, cut, hit, hurt, put, read ...
· She **hurt** her arm last week. 그녀는 지난주에 팔을 다쳤다.
· I **put** my keys in my bag last night. 나는 어젯밤에 가방에 열쇠를 넣어 두었다.

Answers: p.07

Exercise 1 다음 동사의 과거형을 쓰시오.

1 think ⇒ _____

2 go ⇒ _____

3 build ⇒ _____

4 put ⇒ _____

5 come ⇒ _____

6 give ⇒ _____

7 do ⇒ _____

8 have ⇒ _____

9 tell ⇒ _____

10 make ⇒ _____

11 buy ⇒ _____

12 lose ⇒ _____

13 spend ⇒ _____

14 cut ⇒ _____

15 speak ⇒ _____

16 drink ⇒ _____

17 stand ⇒ _____

18 wear ⇒ _____

19 see ⇒ _____

20 write ⇒ _____

Exercise 2 다음 괄호 안의 동사를 이용해 빈칸을 채우시오. (단, 과거형으로 쓸 것)

1 Mr. White _____ us math last year. (teach)

2 She _____ her purse under the couch. (find)

3 My cat _____ a mouse this morning. (catch)

4 We _____ up late and were late for school. (wake)

2-5 과거시제의 쓰임

과거시제의 쓰임

❶ 이미 끝난 과거의 동작이나 상태를 나타낼 때 쓴다.
- I **visited** Jeju Island two years ago. 나는 2년 전에 제주도를 방문했다.
- James and Emily **loved** each other. James와 Emily는 서로 사랑했다.

❷ 역사적 사실을 나타낼 때 쓴다.
- Columbus **discovered** America in 1492. 콜럼버스는 1492년에 아메리카 대륙을 발견했다.
- King Sejong the Great **invented** Hangul. 세종대왕이 한글을 만들었다.

❸ 과거를 나타내는 부사구와 함께 쓰기도 한다.

yesterday, ago, then, at that time, last week[month, year] ...

- They **ate** pizza for lunch <u>yesterday</u>. 그들은 어제 점심으로 피자를 먹었다.
- Kate **graduated** from high school <u>ten years ago</u>. Kate는 10년 전에 고등학교를 졸업했다.

Answers: p.07

Exercise ❶ 다음 괄호 안에서 알맞은 것을 고르시오

1 Kelly (has / had) a nightmare last night.

2 World War II (breaks / broke) out in 1939.

3 We (come / came) back home last Saturday.

4 They (finish / finished) the project an hour ago.

5 I (visit / visited) my uncle in Canada last month.

6 We cleaned the park all together (last Sunday / next week).

7 Mr. Brown took a walk with his son (this morning / tomorrow).

8 (Yesterday / Tomorrow) she came home from work at 10 p.m.

Exercise ❷ 다음 괄호 안의 동사를 알맞은 형태로 바꿔 빈칸을 채우시오.

1 We _____ *Newsweek* yesterday. (read)

2 Jeremy _____ me a letter last week. (write)

3 He _____ in the cold water last winter. (swim)

4 Tracy _____ her wedding ring last night. (lose)

5 I _____ to a concert with my friend last night. (go)

6 Our team _____ a gold medal at the last Olympics. (win)

7 The bus _____ at the post office five minutes ago. (stop)

8 They _____ their grandmother's house at that time. (visit)

과거시제의 부정문과 의문문

☐ **과거시제의 부정문**

❶ be동사일 경우: 「was/were+not ~」
  - I **was not[wasn't]** late for the meeting yesterday. 나는 어제 회의에 늦지 않았다.
  - They **were not[weren't]** at home last weekend. 그들은 지난 주말에 집에 없었다.

❷ 일반동사일 경우: 「did not[didn't]+동사원형 ~」
  - Joe **did not[didn't]** have breakfast this morning. Joe는 오늘 아침을 먹지 않았다.
  - The children **did not[didn't]** break the window. 아이들은 창문을 깨뜨리지 않았다.

☐ **과거시제의 의문문**

❶ be동사일 경우: 「Was/Were+주어 ~?」로 묻고, 대답은 긍정일 때 「Yes, 주어+was/were.」 또는 부정일 때 「No, 주어+wasn't/weren't.」로 한다.
  - **She was** sick last week. 그녀는 지난주에 아팠다.
   Was she sick last week? 그녀가 지난주에 아팠니?

  - A: **Was** the movie interesting? 그 영화는 재미있었나요?
   B: **Yes, it was. / No, it wasn't.** 네, 재미있었어요. / 아니요, 재미없었어요.

❷ 일반동사일 경우: 「Did+주어+동사원형 ~?」으로 묻고, 대답은 긍정일 때 「Yes, 주어+did.」 또는 부정일 때 「No, 주어+didn't.」로 한다.
  - Jeremy **wanted** a new bicycle. Jeremy는 새 자전거를 원했다.
   Did Jeremy **want** a new bicycle? Jeremy가 새 자전거를 원했니?

  - A: **Did** you **buy** a new purse last week? 당신은 지난주에 새 지갑을 샀나요?
   B: **Yes, I did. / No, I didn't.** 네, 샀어요. / 아니요, 사지 못했어요.

Answers: p.07

Exercise 1 다음 문장을 부정문으로 바꾸시오. (단, 축약형으로 쓸 것)

1 Anne was ten years old last year.

⇨ _____

2 The quiz was very difficult.

⇨ _____

3 Ben told me an interesting story.

⇨ _____

4 We waited for him for two hours.

⇨ _____

5 They walked along the street together.

⇨ _____

6 Tommy and I were in the same class three years ago.

⇨ _____

Exercise 2 다음 문장을 의문문으로 바꾸시오.

1 She wore a green scarf.

⇒ _____

2 You were good at dancing.

⇒ _____

3 We went on a picnic to the park.

⇒ _____

4 They lived near here in the past.

⇒ _____

5 Brian and Julie passed the exam.

⇒ _____

6 Chris was at the gym this morning.

⇒ _____

7 Kelly and Susie were tired yesterday.

⇒ _____

8 He bought a birthday present for me.

⇒ _____

Exercise 3 다음 대화의 빈칸을 채우시오.

1 A _____ your parents angry at you?

B Yes, _____ _____. I lied to them.

2 A _____ the test difficult?

B No, _____ _____. It was very easy.

3 A _____ you eat something in the morning?

B No, _____ _____. I didn't have time.

4 A _____ your sister watch TV last night?

B No, _____ _____. She did her homework.

5 A _____ Kate leave for her business trip already?

B Yes, _____ _____. She left two hours ago.

6 A _____ Steve at the party?

B Yes, _____ _____. He had a great time there.

진행시제

☐ 진행시제

진행시제는 특정한 시점에 진행 중인 일을 나타내며, 「be동사+-ing」의 형태로 쓴다.
시제에 따라 과거진행, 현재진행, 미래진행으로 나뉜다.

· I **was swimming** in the pool. (과거진행) 나는 수영장에서 수영하고 있었다.
· She **is singing** now. (현재진행) 그녀는 지금 노래를 부르고 있다.
· We **will be watching** the baseball game. (미래진행) 우리는 야구 경기를 보고 있을 것이다.

TIPs
미래시제는 「will+동사원형」이나
「be going to+동사원형」으로 나타낸다.
· I **will go** to China someday.
나는 언젠가는 중국에 갈 것이다.
· She **is going to call** you soon.
그녀가 곧 너에게 전화할 것이다.

☐ -ing형 만드는 법

대부분의 동사	동사원형+-ing	playing, working, studying, eating ...
-e로 끝나는 동사	e를 빼고+-ing	come → coming, write → writing, leave → leaving ...
-ie로 끝나는 동사	ie를 y로 바꾸고+-ing	lie → lying, die → dying, tie → tying ...
「단모음+단자음」으로 끝나는 동사	마지막 자음을 한번 더 쓰고+-ing	stop → stopping, begin → beginning, run → running, sit → sitting, swim → swimming ...

Answers: p.08

Exercise 1 다음 동사를 -ing형으로 고치시오.

1 say   ⇒ _____
2 sit   ⇒ _____
3 sleep   ⇒ _____
4 talk   ⇒ _____
5 have   ⇒ _____
6 die   ⇒ _____
7 give   ⇒ _____
8 dance   ⇒ _____
9 draw   ⇒ _____
10 fly   ⇒ _____
11 get   ⇒ _____
12 climb   ⇒ _____
13 call   ⇒ _____
14 ask   ⇒ _____
15 cut   ⇒ _____
16 walk   _____
17 shop   ⇒ _____
18 stand   ⇒ _____
19 open   ⇒ _____
20 swim   ⇒ _____

Exercise 2 다음 괄호 안의 주어진 동사를 알맞은 형태로 바꿔 빈칸에 써넣으시오.

1 Emily is _____ the cello. (play)

2 My mom is _____ a doll for me. (make)

3 The old man is _____ the roof. (repair)

4 A boy is _____ the birds in the park. (feed)

5 I was _____ a text message to Jacob. (send)

6 The children are _____ in the playground. (run)

2-8 진행시제 – 현재진행과 과거진행

현재진행: 현재 진행 중인 일을 나타낸다.

am/are/is + -ing : ~하고 있다

· I **am walking** along the beach. 나는 해변을 따라 걷고 있다.
· My mom **is making** sandwiches now. 엄마는 지금 샌드위치를 만들고 있다.
· They **are playing** a video game. 그들은 비디오 게임을 하고 있다.

과거진행: 과거의 특정 시점에서 일시적으로 진행된 동작이나 상태를 나타낸다.

was/were + -ing : (과거에) ~하고 있었다, ~하던 중이었다

· I **was watching** TV at that time. 나는 그때 텔레비전을 보고 있었다.
· We **were talking** about the accident. 우리는 그 사고에 대해서 이야기하고 있었다.
· She **was dancing** on the stage. 그녀는 무대에서 춤을 추고 있었다.

Answers: p.08

Exercise 1 다음 괄호 안에서 알맞은 것을 고르시오.

1 I (am / was) reading a storybook then.

2 The rabbit is (climbs / climbing) over the fence.

3 Ted and Gary (are / were) sitting on the sofa now.

4 Two puppies (are / were) sleeping on the floor at that time.

5 The workers are (carry / carrying) heavy boxes to the truck.

Exercise 2 다음 〈보기〉와 같이 주어진 문장을 진행시제로 바꿔 쓰시오.

🔍 **My brother watches TV in the living room.**
⇒ _____ My brother is watching TV in the living room. _____

1 Many people lay on the beach.
⇒ _____

2 A man climbed up the Rocky Mountains.
⇒ _____

3 Jennifer draws a picture on a canvas.
⇒ _____

4 They ask their teacher some questions.
⇒ _____

5 Vicky and Billy chatted on the computer.
⇒ _____

Exercise 3 다음 그림을 보고, 〈보기〉에서 알맞은 동사를 골라 현재진행형을 이용하여 문장을 완성하시오.

❶ ❷ ❸

❹ ❺ ❻

| play | work | shop | sleep | stand | read |

1 A little girl _____ a book.

2 A baby _____ in the cradle.

3 Some girls _____ at a mall.

4 A man _____ in the garden.

5 An old man _____ the guitar.

6 Three children _____ in a line.

Exercise 4 다음 우리말과 같은 뜻이 되도록 주어진 단어를 이용하여 문장을 완성하시오.

1 그녀는 지갑을 찾고 있었다. (look for)

   ⇨ She _____ her purse.

2 우리는 그때 파티를 준비하고 있었다. (prepare for)

   ⇨ We _____ the party at that time.

3 나의 부모님은 전화로 이야기하고 계시다. (talk)

   ⇨ My parents _____ on the phone.

4 우리는 여기서 매주 즐거운 시간을 보내고 있다. (have)

   ⇨ We _____ so much fun here.

5 그들은 그때 숨바꼭질을 하고 있었다. (play)

   ⇨ They _____ hide-and-seek at that time.

6 그는 영화관 앞에서 여자 친구를 기다리고 있다. (wait for)

   ⇨ He _____ his girlfriend in front of the theater.

진행시제의 부정문과 의문문

□ 진행시제의 부정문: 「be동사+not+-ing」
- I **am not waiting** for Henry. 나는 Henry를 기다리고 있지 않다.
- He **is not washing** the dishes. 그는 설거지를 하고 있지 않다.
- She **was not talking** with him. 그녀는 그와 대화를 나누고 있지 않았다.
- They **were not exercising** in the gym. 그들은 체육관에서 운동을 하고 있지 않았다.

□ 진행시제의 의문문: 「Be동사+주어+-ing?」의 형태이고, 대답은 「Yes, 주어+be동사.」 또는 「No, 주어+be동사+not.」으로 답한다.
- A: **Is** she **driving** a bus? 그녀는 버스를 운전하고 있나요?
  B: **Yes, she is.** 네, 그래요.
- A: **Are** they **having** a party? 그들은 파티를 하고 있나요?
  B: **No, they aren't.** They are staying at home. 아니요, 그들은 집에 있어요.
- A: **Were** you **taking** a shower? 당신은 샤워하고 있었나요?
  B: **Yes, I was.** So I didn't hear the bell. 네, 그래서 벨소리를 듣지 못했어요.
- A: **Was** he **reading** a magazine? 그는 잡지를 읽고 있었나요?
  B: **No, he wasn't.** He was listening to music. 아니요, 그는 음악을 듣고 있었어요.

Answers: p.08

Exercise 1 다음 괄호 안에서 알맞은 것을 고르시오.

1 I (am / was) not ironing my shirt at the time.

2 (Are / Do) you getting ready for the party?

3 She (isn't / doesn't) surfing the Internet now.

4 (Is / Was) Jacob cleaning up the garage now?

5 You (weren't / didn't) listening to the teacher then.

6 (Was / Did) she wearing a pink dress yesterday?

7 The player (isn't / wasn't) riding a horse at the stadium now.

Exercise 2 다음 문장에서 <u>틀린</u> 부분을 찾아 어법에 맞게 고쳐 쓰시오.

1 My uncle wasn't watering the plants now.   ⇨ _____

2 Was Charlie cleaning the windows now?   ⇨ _____

3 Christine isn't drinking coffee at that time.   ⇨ _____

4 Was David take a nap at 3 p.m. yesterday?   ⇨ _____

5 Do the flight attendants wearing uniforms now?   ⇨ _____

6 Do his grandparents smiling at his grandson then?   ⇨ _____

7 Emily and Jessy weren't swimming at the beach now.   ⇨ _____

Exercise 3 다음 문장을 괄호 안의 지시대로 고쳐 쓰시오.

1 You are walking too fast now. (부정문으로)
   ⇒ _____

2 Sue was enjoying the holiday then. (의문문으로)
   ⇒ _____

3 They were carrying heavy bags then. (의문문으로)
   ⇒ _____

4 We are making a Christmas tree now. (부정문으로)
   ⇒ _____

5 I was sitting on the bench at that time. (부정문으로)
   ⇒ _____

6 You were having lunch at the restaurant. (의문문으로)
   ⇒ _____

7 Jane is living with her sister in Paris now. (부정문으로)
   ⇒ _____

8 Many people are standing in line at the entrance. (부정문으로)
   ⇒ _____

9 Jack is talking too loudly on the phone now. (의문문으로)
   ⇒ _____

10 He was looking for his textbook at that time. (의문문으로)
   ⇒ _____

Exercise 4 다음 주어진 동사를 진행시제를 이용하여 대화를 완성하시오.

1 A _____ you _____ at home then? (stay)
   B No, _____ _____ . I was in the office.

2 A _____ you _____ a song now? (sing)
   B No, _____ _____ . I am chatting with my friends.

3 A _____ your mother _____ some cookies now? (make)
   B Yes, _____ _____ . They smell delicious.

4 A _____ she _____ at that time? (dance)
   B Yes, _____ _____ . She was preparing for a dance party.

[01-03] 다음 중 동사원형과 과거형이 바르게 연결되지 <u>않은</u> 것을 고르시오.

01 ① look – looked ② speak – spoke
   ③ cost – cost ④ stop – stoped
   ⑤ try – tried

02 ① eat – ate ② teach – taught
   ③ see – saw ④ give – gave
   ⑤ read – readed

03 ① arrive – arrived ② take – taked
   ③ come – came ④ write – wrote
   ⑤ leave – left

04 다음 중 동사원형과 과거형이 바르게 연결된 것은?
   ① get – getted ② sing – song
   ③ swim – swam ④ play – plaied
   ⑤ carry – carryed

[05-07] 다음 빈칸에 알맞은 것을 고르시오.

05 Emily _____ to the train station an hour ago.

   ① go ② going
   ③ went ④ goes
   ⑤ is going

06 The children _____ comic books in the classroom now.

   ① read ② was reading
   ③ is reading ④ were reading
   ⑤ are reading

07 Peter and his wife _____ their car yesterday.

   ① wash ② washes
   ③ washed ④ is washing
   ⑤ are washing

08 다음 밑줄 친 부분이 어법상 바르지 <u>않은</u> 것은?
   ① We <u>had</u> a good time yesterday.
   ② I <u>thinked</u> seriously about their offer.
   ③ Our team <u>won</u> the baseball game then.
   ④ He <u>came</u> back to London two years ago.
   ⑤ My mother <u>was</u> very happy this morning.

[09-11] 다음 빈칸에 들어갈 말이 바르게 짝지어진 것을 고르시오.

09 • Shane _____ a shower every day.
   • We _____ hide-and-seek yesterday afternoon.

   ① takes – played ② took – plays
   ③ is taking – play ④ took – played
   ⑤ takes – play

10 • Is Tim _____ a newspaper now?
   • They _____ the meeting at 3 o'clock this afternoon.

   ① read – start ② reading – starting
   ③ reads – started ④ reading – starts
   ⑤ reading – start

11 • The most popular band in the world _____ our city last year.
   • _____ they at your uncle's farm last Saturday?

   ① visited – Did ② visit – Were
   ③ visited – Were ④ visited – Are
   ⑤ visit – Are

12 다음 빈칸에 들어갈 수 <u>없는</u> 말은?

> Blair and Jenny went shopping at the mall
> _____.

① yesterday   ② this morning
③ two days ago   ④ last Saturday
⑤ tomorrow

[13-15] 다음 중 어법상 바르지 <u>않은</u> 것을 고르시오.

13 ① My brother wrote a letter to his friend then.
   ② Were you cleaning the house at that time?
   ③ The children are making too much noise.
   ④ Does your dog lying on the sofa now?
   ⑤ She gets up early every morning.

14 ① The Earth move around the Sun.
   ② My aunt's working at the bank now.
   ③ Did she buy a pair of shoes yesterday?
   ④ Bella won first prize in the contest.
   ⑤ Were the children waiting for Jack then?

15 ① She isn't writing in her English diary now.
   ② Are you swimming in the pool last night?
   ③ The boys were taking a bath at that time.
   ④ He built new houses for local people then.
   ⑤ We went shopping for her birthday presents
     last weekend.

16 다음 우리말과 같은 뜻이 되도록 빈칸에 들어갈 알맞은 말은?

> 오늘 아침에 눈이 많이 왔다. Tony와 나는 산책을 하지 않았다.
> ⇒ It snowed a lot this morning. Tony and I
> _____ take a walk.

① aren't   ② don't
③ didn't   ④ wasn't
⑤ weren't

[17-19] 다음 질문에 대한 알맞은 대답을 고르시오.

17
> A   Are you watching TV?
> B   _____ I'm washing the dishes.

① Yes, I am.   ② Yes, I was.
③ No, I'm not.   ④ No, I didn't.
⑤ No, I wasn't.

18
> A   Was it snowing then?
> B   _____ The road was very slippery.

① Yes, it was.   ② No, it isn't.
③ No, it wasn't.   ④ Yes, it does.
⑤ Yes, it is.

19
> A   Did Daniel walk to school?
> B   _____ He went to school by subway.

① Yes, he was.   ② No, she didn't.
③ No, he didn't.   ④ No, he wasn't.
⑤ Yes, he did.

[20-21] 다음 밑줄 친 부분이 어법상 바르지 <u>않은</u> 것을 고르시오.

20
> A   ①Is your sister ②playing the violin again?
> B   Yes, she ③is. She ④was practicing hard
>   ⑤now.

21
> A   You look tired, Jack.
> B   I ①didn't slept well last night.
> A   ②Did you ③stay up all night for the final
>   test?
> B   No, I ④didn't. My neighbor ⑤was listening
>   to loud music.

[22-23] 다음 우리말을 영어로 바르게 옮긴 것을 고르시오.

22   나는 그때 그녀와 영화를 보고 있었다.

① I watch a movie with her then.
② I watching a movie with her then.
③ I am watching a movie with her then.
④ I was watching a movie with her then.
⑤ I were watching a movie with her then.

23   우리는 지금 탁구를 치고 있지 않다.

① We didn't play table tennis now.
② We doesn't play table tennis now.
③ We aren't playing table tennis now.
④ We weren't playing table tennis now.
⑤ We aren't going to play table tennis now.

24 다음 문장을 부정문으로 바르게 바꾼 것은?

① We were digging a hole in the yard.
   ⇒ We weren't digging a hole in the yard.
② Julian was naughty in his childhood.
   ⇒ Julian didn't be naughty in his childhood.
③ I'm wearing my favorite skirt now.
   ⇒ I wasn't wearing my favorite skirt now.
④ You saw Mr. Jackson yesterday.
   ⇒ You don't see Mr. Jackson yesterday.
⑤ She ate some cakes a few minutes ago.
   ⇒ She didn't ate some cakes a few minutes
     ago.

25 다음 밑줄 친 부분이 어법상 바르지 않은 것은?

A Hi, Jason. What ①did you do yesterday?
B I ②went fishing with my father. We ③were at
   the river then.
A Oh, really? ④Did you catch any fish?
B No, I didn't. But my father ⑤catched some.

[26-27] 다음 중 어법상 바른 것을 고르시오.

26 ① Mt. Everest was 8,848 meters high.
    ② She isn't smiling at the baby then.
    ③ We were climbing a mountain now.
    ④ Are your friend staying at our home now?
    ⑤ I saw the zebras at the zoo last Saturday.

27 ① I didn't need your help right now.
    ② We have a garden party two days ago.
    ③ He bought a souvenir for Mom last week.
    ④ The store weren't full of people yesterday.
    ⑤ She went to school by subway these days.

[28-29] 다음 대화 중 어법에 맞지 않은 것을 고르시오.

28 ① A: Did Daniel get a good grade?
       B: No, he didn't. He got a bad grade.
    ② A: Is he running on the ground?
       B: Yes, he is. He's preparing for the race.
    ③ A: What are you and David doing now?
       B: We are cleaning my father's car.
    ④ A: Are you playing computer games?
       B: No, I didn't. I'm chatting with my friends.
    ⑤ A: What did Christine do two days ago?
       B: She visited her grandparents' house.

29 ① A: Who is using the computer now?
       B: Sam is using it.
    ② A: Was he playing chess with you yesterday?
       B: No, he wasn't. He was doing his work.
    ③ A: You look tired. What do you do last night?
       B: I practiced the piano for the contest.
    ④ A: Why didn't you answer the phone?
       B: I didn't hear it. I was listening to music
          then.
    ⑤ A: Do you have any plans for this summer
          vacation?
       B: No, I don't. How about you?

30 다음 빈칸에 공통으로 들어갈 말을 쓰시오.

> • Where _____ you sitting in the theater?
> • They _____ sleeping at 11 o'clock last night.

31 다음 빈칸에 알맞은 말을 써넣으시오.

> Jake usually watches TV after dinner. He just finished dinner. He _____ TV now.

32 다음 빈칸에 알맞은 말을 넣어 대화를 완성하시오.

> A When did he come home?
> B He _____ home at 9 o'clock.

33 다음 밑줄 친 부분을 어법에 맞게 고쳐 쓰시오.

> A Your classroom ①is empty two hours ago. What was your class doing?
> B The weather was very nice. So we ②are enjoying the fresh air in the playground then.

⇒ ① _____   ② _____

[34-36] 다음 우리말과 같은 뜻이 되도록 주어진 단어를 이용해 영작하시오.

34 너는 어제 의사에게 진찰을 받았니? (see a doctor)

⇒ _____

35 그들은 지금 전화로 이야기하고 있니? (talk on the phone)

⇒ _____

36 그는 3시에 자전거를 타고 있었다. (ride his bicycle)

⇒ _____

[37-39] 다음 그림을 보고, 〈보기〉에서 알맞은 말을 골라 문장을 완성하시오.

> 보기 | do Taekwondo
>   go to the movies
>   go hiking on the mountain

37 A What did Cathy and John do yesterday?
   B _____
     yesterday.

38 A What are you going to do this Saturday?
   B _____
     with my father.

39 A What does he do after school?
   B _____
     after school.

40 다음 주어진 단어를 이용하여 대화를 완성하시오.

> A I'm home, Mom! Where are you?
> B I'm in the bathroom.
> A What are you doing there?
> B I _____ _____ my hands. (wash)
> A Where is David?
> B He is in his room. He _____ _____ his homework now. (do)

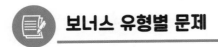

Answers: p.10

[1-2] 현장학습에 대한 표를 보고, 밑줄 친 우리말을 영작하시오.

서술형

try on Hanbok	watch the Changing of the Guard ceremony
×	○

A Mr. Park took our class on a field trip to Gyeongbokgung Palace.

B **1** 너희들은 한복 입어봤어?

A No, we didn't.

B Then, did you watch the Changing of the Guard ceremony?

A **2** 응, 그랬어.

1 _____ on Hanbok?

2 _____

---

3 다음 글의 밑줄 친 부분 중, 어법상 틀린 것은?

수능 대비형

Our teacher, Ms. Johnson, ① read "Chicken Little" to our class today. In the story, an acorn fell on Chicken Little's head. The silly chicken thought the sky ② is falling down. He ran here and there to ③ warn everyone. Chicken Little warned the farmer. "The sky is falling! The sky is falling!" Ms. Johnson read with a funny voice. Then she put the book down and asked, "Now, everyone, what ④ do you think the farmer said next?" My friend, Jack raised his hand and said, "Wow! A ⑤ talking chicken!" After his answer, she couldn't read any more.

* acorn: 도토리
** warn: 경고하다

Chapter 3

조동사

—

3-1 조동사의 특징

3-2 조동사 – can

3-3 조동사 – will, be going to

3-4 조동사 – may

3-5 조동사 – must

3-6 조동사 – should

Review Test

보너스 유형별 문제

조동사의 특징

조동사

조동사는 동사에 미래, 가능, 추측, 허가, 부탁 등의 의미를 더해주는 말로, can, will, may, must, should 등이 있다. 주어의 인칭이나 수에 관계없이 조동사 뒤에는 항상 동사원형이 온다.

조동사의 형태

❶ 조동사의 긍정문:「조동사+동사원형」
- I **can open** this bottle. 나는 이 병을 열 수 있다.
- Cathy **will stay** with us for a few days. Cathy는 며칠 동안 우리와 함께 머물 것이다.
- You **must call** him right now. 너는 지금 당장 그에게 전화해야 한다.

❷ 조동사의 부정문:「조동사+not+동사원형」
- The news **may not be** true. 그 소식이 사실이 아닐지도 모른다.
- You **must not park** here. 이곳에 주차하시면 안 됩니다.
- You **should not drive** so fast. 너는 그렇게 빠르게 운전해서는 안 된다.

❸ 조동사의 의문문:「조동사+주어+동사원형 ～?」
- **Can you lend** me your notebook? 네 노트를 나에게 빌려 줄 수 있니?
- **Should I help** him? 내가 그를 도와야 하나요?

> **TIPs**
> 「조동사+not」의 축약형
> can+not ⇒ cannot[can't]
> could+not ⇒ couldn't
> will+not ⇒ won't
> would+not ⇒ wouldn't
> should+not ⇒ shouldn't

Answers: p.11

Exercise 1 다음 괄호 안에서 알맞은 것을 고르시오.

1 It won't (rain / rains) this morning.

2 Can I (use / uses) your laptop computer?

3 We will (went / go) to the zoo this Saturday.

4 She (shoulds help / should help) the old lady.

5 You (must not / not must) eat food in the gallery.

6 All passengers (must wore / must wear) seat belts.

Exercise 2 다음 주어진 문장을 괄호 안의 지시대로 고쳐 쓰시오.

1 The train will arrive on time. (의문문으로)

⇨ _____

2 I should come back tomorrow. (의문문으로)

⇨ _____

3 We can ask a passerby for directions. (부정문으로)

⇨ _____

4 Jason may know your phone number. (부정문으로)

⇨ _____

can의 의미

❶ 능력이나 가능: '~할 수 있다'(= be able to)

- My mom **can lift** the heavy box. 우리 엄마는 저 무거운 상자를 들어 올릴 수 있다.
- Tony **can speak** Korean a little. Tony는 한국어를 조금 할 수 있다.

❷ 허가: '~해도 좋다'(= may)

- You **can use** my cell phone. 너는 내 휴대 전화를 사용해도 좋다.
- **Can[Could] I have** this apple pie? 이 애플파이를 먹어도 될까(요)?

❸ 「Can/Could you+동사원형 ~?」: 상대방에게 요청이나 부탁을 할 때 쓴다.

- **Can you** lend me your blue pen? 내게 네 파란색 펜을 빌려 줄 수 있니?
- **Could you** send this document for me, please? 저 대신 이 서류를 부쳐 주시겠어요?

> **TIPs**
> can의 과거형은 could이며, was/were be able to로 바꿔 쓸 수 있다.
> - I **could** play tennis.
> = I **was able to** play tennis.
> 나는 테니스를 칠 수 있었다.
>
> can이 다른 조동사와 함께 쓰일 때는 be able to를 써야 한다.
> - I **will be able to** drive a car.
> 나는 운전을 할 수 있을 것이다.

can의 형태

❶ can의 부정문: 「cannot[can't]+동사원형」

- You **can't go** out after 10 p.m. 너는 오후 10시 이후에 외출할 수 없다.
- He **can't ride** a motorcycle. 그는 오토바이를 탈 수 없다.

❷ can의 의문문: 「Can+주어+동사원형 ~?」으로 묻고, 대답은 긍정일 때, 「Yes, 주어+can.」 부정일 때, 「No, 주어+can't.」으로 한다.

- A: **Can** your brother **cook** Japanese food? 네 남동생은 일본 음식을 요리할 수 있니?
- B: **Yes, he can. / No, he can't.** 응, 할 수 있어. / 아니, 할 수 없어.

Answers: p.11

Exercise 1 다음 밑줄 친 부분을 어법에 맞게 고쳐 쓰시오.

1 Emma <u>may can</u> speak French. ⇒ _____

2 I <u>wasn't able to made</u> spaghetti. ⇒ _____

3 Can Justin <u>used</u> sign language? ⇒ _____

4 You <u>can go not</u> out alone at night. ⇒ _____

5 David <u>cans</u> play the guitar very well. ⇒ _____

6 Can I <u>looking</u> at your photo album? ⇒ _____

7 Are you able <u>come</u> here early in the morning? ⇒ _____

Exercise 2 다음 문장의 빈칸에 can, could, can't 중 알맞은 것을 써넣으시오.

1 We _____ rent a car last week.

2 _____ I have some water, please?

3 Please move your car. You _____ park here.

4 You look tired. You _____ take a nap for a while.

5 Do your homework first. Then you _____ go out.

Exercise 3 다음 문장을 〈보기〉와 같이 be able to를 이용한 문장으로 바꾸시오.

> 🔍 **I can swim in the sea.**
> ⇒ _____ I am able to swim in the sea. _____

1 My father couldn't fix the machine.
  ⇒ _____

2 I can solve the math problem easily.
  ⇒ _____

3 Can you help me with these boxes?
  ⇒ _____

4 He couldn't find the exit in the theater.
  ⇒ _____

5 Can Kate speak both English and Japanese?
  ⇒ _____

6 She could buy a pair of shoes from the shop.
  ⇒ _____

Exercise 4 다음 우리말과 같은 뜻이 되도록 주어진 단어를 배열하여 문장을 완성하시오.

1 제가 에어컨을 켜도 될까요? (I, turn on, could, the air conditioner)
  ⇒ _____

2 너는 내 공구를 사용해도 된다. (can, my, you, tools, use)
  ⇒ _____

3 그 남자는 컴퓨터를 고칠 수 있었다. (could, repair, the man, the computer)
  ⇒ _____

4 우리는 한 시간 동안 텔레비전을 볼 수 있다. (can, TV, for an hour, we, watch)
  ⇒ _____

5 그녀는 토요일에 영화 보러 갈 수 없다. (go to the movies, on Saturday, she, can't)
  ⇒ _____

6 시내에 가는 길을 알려 주실래요? (show, me, you, the way, could, to downtown)
  ⇒ _____

3-3 조동사 - will, be going to

📑 **will**

❶ 미래의 일이나 주어의 의지: '~할 것이다', '~하겠다'
- It **will be** sunny tomorrow. (미래의 일) 내일 날씨가 맑을 것이다.
- I **will finish** my homework today. (의지) 나는 오늘 숙제를 끝마칠 것이다.

❷ will의 부정문: 「will not[won't]+동사원형」
- I **will not [won't] give** him my money. 나는 그에게 내 돈을 주지 않을 것이다.
- They **will not [won't] do** that again. 그들은 다시는 그 일을 하지 않을 것이다.

❸ will의 의문문: 「Will+주어+동사원형 ~?」으로 묻고, 대답은 긍정일 때, 「Yes, 주어+will.」, 부정일 때, 「No, 주어+won't.」로 한다.
- A: **Will** she **go** to the party with him? 그녀가 그와 함께 파티에 갈까?
  B: **Yes, she will. / No, she won't.** 응, 갈 거야. / 아니, 안 갈 거야.

> **TIPs**
> 「Will/Would you ~?」는 '~해 줄래(요)?'라는 뜻으로, 상대방에게 요청이나 제안할 때 쓴다.
> - **Will you** open the window? 창문을 열어 줄래?
> - **Would you** give me a hand, please? 저를 좀 도와주실래요?

📑 **be going to**

❶ 가까운 미래의 일이나 계획: '~할 것이다', '~할 예정이다'
- The soccer game **is going to start** soon. 축구경기가 곧 시작할 것이다.
- I **am going to see** a doctor tomorrow. 나는 내일 진찰을 받을 것이다.

❷ be going to의 부정문: 「be동사+not+going to+동사원형 ~」
- I **am not going to take** a taxi anymore. 나는 더 이상 택시를 타지 않을 것이다.
- She **isn't going to meet** her friend this evening. 그녀는 오늘 저녁에 친구를 만나지 않을 것이다.

❸ be going to의 의문문: 「Be동사+주어+going to+동사원형 ~?」으로 묻고, 대답은 긍정일 때 「Yes, 주어+be동사.」, 부정일 때 「No, 주어+be동사+not.」으로 한다.
- A: **Are** you **going to visit** her house tomorrow? 너는 내일 그녀의 집을 방문할 거니?
  B: **Yes, I am. / No, I'm not.** 응, 방문할 거야. / 아니, 방문하지 않을 거야.

Answers: p.11

Exercise 1 다음 괄호 안에서 알맞은 것을 고르시오.

1 What (are / will) you going to buy?

2 She (isn't / won't) going to marry him.

3 (Are / Will) you turn down the volume?

4 They will (be / are) ten years old next year.

5 We (aren't / won't) going to give him the answer.

6 The weather is going to (be / was) better soon.

7 I will (go / goes) on a picnic with my boyfriend.

8 Jack is going to (stay / stayed) at home all day.

9 (Is / Will) your father going to go fishing tomorrow?

10 The festival is going to (begin / begins) next Monday.

다음 문장을 괄호 안의 지시대로 바꿔 쓰시오.

1 She will go to London next September. (will 의문문)
   ⇒ _____

2 He will invite Anne to his birthday party. (will 의문문)
   ⇒ _____

3 They will take an English test tomorrow. (will 부정문)
   ⇒ _____

4 Emily will not come back home this weekend. (will 긍정문)
   ⇒ _____

5 We are going to go to the beach this Sunday. (be going to 부정문)
   ⇒ _____

6 The musical is going to begin at 8 o'clock tonight. (be going to 의문문)
   ⇒ _____

7 I am going to move to a new apartment this month. (be going to 부정문)
   ⇒ _____

Exercise 3 다음 괄호 안의 주어진 동사를 이용하여 대화를 완성하시오.

1 A _____ Kelly _____ to the English camp? (go)
   B Yes, she will. She really wants to go there.

2 A _____ Jimmy _____ me up from the airport? (pick)
   B No, he won't. He's busy with work.

3 A Where _____ he _____ this time next year? (be)
   B He will be in the United States.

4 A _____ you _____ by my office this afternoon? (drop)
   B Yes, I will. I will arrive at 8 p.m.

5 A _____ it _____ _____ _____ today? (rain)
   B Yes, it is. Don't forget your umbrella.

6 A What are you going to do during the winter vacation?
   B _____ _____ _____ _____ across America. (travel)

7 A _____ they _____ _____ _____ the meeting? (attend)
   B No, they aren't. They're leaving for a business trip.

may

❶ 추측: '~일지도 모른다'
- They **may go** skiing this weekend. 그들은 이번 주말에 스키 타러 갈지도 모른다.
- It **may not rain** tonight. 오늘 밤에 비가 오지 않을지도 모른다.

❷ 허가: '~해도 된다'(= can)
- You **may take** the seat. 너는 그 자리에 앉아도 된다.
- **May** I **come** in? 내가 들어가도 될까요?

요청이나 부탁, 허가에 대한 답변

승낙할 때: Yes. you may [can]. / Of course. / Sure. / No problem.
거절할 때: No. you may not [can't]. / I'm afraid not. / Sorry. you can't.

Answers: p.11

Exercise 1 다음 우리말과 같은 뜻이 되도록 주어진 동사를 이용하여 문장을 완성하시오.

1 당신은 이제 나가도 좋습니다. (go)
⇒ You _____ _____ out now.

2 당신은 이곳에 원하는 만큼 머물러도 된다. (stay)
⇒ You _____ _____ here as long as you want.

3 그가 회의에 늦지 않을지도 모른다. (be)
⇒ He _____ _____ _____ late for the meeting.

4 Peter는 파리로 여행을 갈지도 모른다. (go on a trip)
⇒ Peter _____ _____ _____ _____ _____ to Paris.

Exercise 2 다음 〈보기〉에서 알맞은 말을 골라 대화를 완성하시오.

🔍 May I borrow your notebook?	May I have a cup of milk?
May I see your passport, please?	May I try this skirt on?

1 A _____
B Of course. The fitting room is over there.

2 A _____
B Sure. Here it is. I'm leaving for Beijing.

3 A _____
B Sorry, you can't. Miranda already took it.

4 A _____
B I'm really sorry, but we have no milk.

3-5 조동사 - must

must

❶ 필요나 의무: '~해야 한다'(= have to)

- You **must go** to school. 너는 반드시 학교에 가야 한다.
  = You **have to go** to school.
- He **must finish** his project by tomorrow. 그는 내일까지 프로젝트를 끝내야 한다.
  = He **has to finish** his project by tomorrow.
- We **must stop** at the red light. 우리는 빨간불에 멈춰야 한다.

❷ 강한 추측: '~임이 틀림없다'

- It **must be** true. 그것은 사실이 틀림없다.
- He **must be** hungry. 그는 배가 고픈 것이 틀림없다.

TIPs must는 과거형이 없으므로, have to의 과거 had to를 이용해 과거시제로 만든다.
· I **had to** get up early.
나는 일찍 일어나야 했다.

must not vs. don't have to

강한 금지	must+not+동사원형: ~해서는 안 된다
불필요	don't have to+동사원형: ~할 필요가 없다

- You **must not be** late for school again. 너는 다시는 학교에 지각해서는 안 된다.
- You **must not wake** up the baby. 너는 아기를 깨워서는 안 된다.
- I **don't have to wear** glasses. 나는 안경을 쓸 필요가 없다.
- She **doesn't have to work** tomorrow. 그녀는 내일 출근할 필요가 없다.

Answers: p.12

Exercise 1 다음 밑줄 친 조동사의 의미를 〈보기〉에서 골라 그 기호를 쓰시오.

🔍	a. 의무	b. 추측	c. 금지	d. 불필요

1 She <u>must</u> have a bad cold. ⇨ _____

2 You <u>must</u> answer all questions. ⇨ _____

3 I <u>don't have to</u> work on Saturdays. ⇨ _____

4 We <u>must</u> study five hours every day. ⇨ _____

5 You <u>have to</u> stop making fun of Julie. ⇨ _____

6 You <u>must not</u> lie to your parents. ⇨ _____

7 The Italian restaurant <u>must</u> be very good. ⇨ _____

8 You <u>must not</u> speak Korean in English class. ⇨ _____

9 Anne stayed up late last night. She <u>must</u> be tired. ⇨ _____

10 He <u>doesn't have to</u> hurry. He's not running late. ⇨ _____

11 You <u>must not</u> use the office phone for private calls. ⇨ _____

12 Here's the elevator. We <u>don't have to</u> climb the stairs. ⇨ _____

Exercise 2 다음 우리말과 같은 뜻이 되도록 괄호 안에서 알맞은 것을 고르시오.

1 그 어린 소녀는 천재임이 틀림없다.
⇨ The little girl (must / may) be a genius.

2 운전자들은 음주운전을 해서는 안 된다.
⇨ Drivers (must not / don't have to) drink and drive.

3 그녀는 학교에 결석했다. 그녀는 매우 아픈 것이 틀림없다.
⇨ She was absent from school. She (must / will) be very sick.

4 우리는 수업 시간에 선생님 말씀을 들어야 한다.
⇨ We (must / must not) listen to teachers in class.

5 우리는 도서관에서 떠들어서는 안 된다.
⇨ We (must not / don't have to) make noise in the library.

6 그들은 그 문제에 대해 더 이상 걱정할 필요가 없다.
⇨ They (must not / don't have to) worry about the problem.

7 죄송합니다만, 전화를 잘못 거신 것 같군요.
⇨ I'm afraid you (must / are going to) have the wrong number.

8 너는 친구들과 하루 종일 놀아서는 안 된다.
⇨ You (must not / don't have to) hang out with your friends all day long.

Exercise 3 다음 문장을 have to를 이용한 문장으로 바꾸시오.

1 You must take a rest.
⇨ _____

2 Nora must go home early.
⇨ _____

3 People must follow the rules.
⇨ _____

4 She must finish her project by tonight.
⇨ _____

5 You must do your best in that situation.
⇨ _____

6 Mickey must start exercising for his health.
⇨ _____

Exercise 4 다음 빈칸에 have[has] to 또는 had to를 넣어 문장을 완성하시오.

1 It is raining outside. You _____ take an umbrella.

2 My room is very dirty. I _____ clean it right now.

3 Someone took all my money. I _____ call the police.

4 Jack lost his wallet yesterday. He _____ walk home.

5 Becky has an exam tomorrow. She _____ study hard.

6 She hurt her legs. She _____ go to the hospital yesterday.

7 They have a meeting today. They _____ finish their project.

8 Tomorrow is our mother's birthday. We _____ buy a gift for her.

9 We got up late. We _____ take a taxi to the airport in the morning.

10 He _____ go to bed now. He is going to take the first train tomorrow.

Exercise 5 다음 우리말과 같은 뜻이 되도록 주어진 단어를 배열하여 문장을 완성하시오.

1 그녀는 부자임이 틀림없다. (she, must, rich, be)

⇨ _____

2 너는 그 상자를 열어서는 안 된다. (the box, not, open, you, must)

⇨ _____

3 그는 일찍 일어날 필요가 없다. (doesn't, he, have to, early, wake up)

⇨ _____

4 나는 새 공책을 살 필요가 없다. (don't, buy, have to, I, a new notebook)

⇨ _____

5 너는 모든 사람들에게 정직해야 한다. (you, be, honest, to, must, everyone)

⇨ _____

6 그는 오랜 여행으로 피곤한 것이 틀림없다. (be, after his long journey, must, he, tired)

⇨ _____

7 그들은 방과 후에 교실을 청소해야 한다. (after school, must, they, the classroom, clean)

⇨ _____

8 우리는 길거리에 쓰레기를 버려서는 안 된다. (must, we, not, throw away, in the street, trash)

⇨ _____

3-6 조동사 – should

□ **should**

❶ 의무나 충고: '~해야 한다'
- You **should exercise** every day. 너는 매일 운동을 해야 한다.
- You **should take** care of her. 너는 그녀를 돌봐야 한다.

❷ should의 부정문: 「should not[shouldn't]+동사원형」: '~해서는 안 된다'
- You **should not[shouldn't] eat** too much. 너는 너무 많이 먹지 말아야 한다.
- You **should not[shouldn't] play** in the dangerous area. 너는 위험한 곳에서 놀지 말아야 한다.

❸ should의 의문문: 「Should+주어+동사원형 ~?」
- A: **Should I tell** him the truth? 내가 그에게 진실을 말해야만 하나요?
- B: **Yes, you should. / No, you don't have to.** 응, 그래야 해. / 아니, 그럴 필요 없어.

Answers: p.12

Exercise 1 다음 우리말과 같은 뜻이 되도록 주어진 동사를 이용하여 문장을 완성하시오.

1 너는 그렇게 큰 소리로 말하면 안 된다. (speak)
⇨ You _____ so loudly.

2 우리는 지구를 보호해야 한다. (protect)
⇨ We _____ the Earth.

3 사람들은 교통 법규를 지켜야 한다. (obey)
⇨ People _____ traffic rules.

4 너는 공원에서 꽃을 꺾지 말아야 한다. (pick)
⇨ You _____ flowers in the park.

5 그는 불량식품을 너무 많이 먹지 말아야 한다. (eat)
⇨ He _____ too much junk food.

6 우리는 다른 사람들에게 친절해야 한다. (be)
⇨ We _____ kind to other people.

7 아이들은 동물들에게 돌을 던지지 말아야 한다. (throw)
⇨ Children _____ rocks at animals.

8 너는 좋은 점수를 받으려면 공부를 열심히 해야 한다. (study)
⇨ You _____ hard to get a good grade.

9 너는 오래된 책들을 모아서 재활용해야 한다. (collect)
⇨ You _____ your old books and recycle them.

10 너는 내일 일찍 일어나려면 지금 잠자리에 들어야 한다. (go)
⇨ You _____ to bed now to get up early tomorrow.

Review Test

[01-05] 다음 빈칸에 들어갈 알맞은 말을 고르시오.

01

Miranda is absent today. She _____ be sick.

① may
② can't
③ may not
④ had to
⑤ don't have to

02

You _____ borrow another chair. There are many chairs in the classroom.

① have to
② should
③ must not
④ had to
⑤ don't have to

03

Mickey can't _____ computers.

① repairs
② repairing
③ to repair
④ repair
⑤ is repairing

04

She _____ John next spring.

① marry
② married
③ will marry
④ was marrying
⑤ be going to marry

05

It is our fault. We _____ apologize to him.

① can
② must
③ don't have to
④ could
⑤ are able to

06 다음 빈칸에 들어갈 수 <u>없는</u> 말은?

Aaron and I will go to the island _____ .

① tonight
② yesterday
③ next year
④ three days later
⑤ some day

07 다음 빈칸에 공통으로 들어갈 말은?

• I was sick. So I _____ work.
• Serena didn't study hard. So she _____ get a good grade.

① could
② would
③ couldn't
④ shouldn't
⑤ had to

[08-11] 다음 대화의 빈칸에 알맞은 것을 고르시오.

08

A Let's play soccer together.
B Sorry, I _____ play with you. I'm very busy now.

① can
② must
③ must not
④ can't
⑤ don't have to

09

A How _____ I get to the museum?
B Take the subway. It's on Pine Street.

① would
② can
③ may
④ will
⑤ must

10

A Should I take an umbrella?
B No, you _____ . It is not going to rain today.

① will not
② cannot
③ must not
④ might not
⑤ don't have to

11

A Excuse me. _____ I see your ID?
B Sure. Here you are.

① Would
② May
③ Must
④ Might
⑤ Should

[12-14] 다음 빈칸에 들어갈 말이 바르게 짝지어진 것을 고르시오.

12

Harrison _____ swimming every Saturday, but he _____ jogging this Saturday.

① go – will go
② will go – goes
③ went – goes
④ goes – will go
⑤ goes – went

13

Rachel got up late yesterday. So she _____ be there on time. She _____ apologize to everyone.

① couldn't – could
② is able to – should
③ is able to – must not
④ wasn't able to – had to
⑤ wasn't able to – has to

14

• I'm not feeling well. _____ I go home and rest?
• The man is wearing a white gown. He _____ be a doctor.

① May – must
② May – had to
③ Must – must
④ Can – has to
⑤ Would – must not

[15-17] 다음 중 어법상 바르지 않은 것을 고르시오.

15 ① She must not skip class.
② You may not enter this room.
③ Would you pass me the napkin?
④ You shouldn't drink so much Coke.
⑤ We will goes to the market this afternoon.

16 ① Can Tom wears jeans at work?
② Could you close the door for me?
③ Will you sell the concert tickets to me?
④ Jim couldn't help his mother yesterday.
⑤ He is going to meet his friends at the gym.

17 ① The students have to wear school uniforms.
② Students must not talking during lessons.
③ Are you going to visit him tomorrow?
④ You can borrow my scooter.
⑤ We should exercise more often.

18 다음 〈보기〉의 밑줄 친 조동사와 쓰임이 같은 것은?

보기 | Students <u>must</u> follow the school rules.

① She is beautiful. She <u>must</u> be an actress.
② They worked all day. They <u>must</u> be tired.
③ The baby is crying. He <u>must</u> be hungry.
④ We <u>must</u> pass the exam this time.
⑤ Jenny couldn't sleep at all last night. She <u>must</u> be sleepy.

19 다음 대화의 빈칸에 들어갈 알맞은 말은?

A What a wonderful day it is!
B Will you go on a picnic with me?
A _____ . I have a history exam tomorrow.

① Yes, I will.
② No, you won't.
③ Sorry, I'm afraid not.
④ No, I don't have to.
⑤ Of course!

20 다음 〈보기〉와 뜻이 같은 문장은?

보기 | You should pay tax on this item.

① You can pay tax on this item.
② You may pay tax on this item.
③ You have to pay tax on this item.
④ You must not pay tax on this item.
⑤ You don't have to pay tax on this item.

[21-23] 다음 밑줄 친 조동사의 쓰임이 다른 하나를 고르시오.

21 ① We can finish the work on time.
    ② Peter can speak three languages.
    ③ Can your sister cook Italian food?
    ④ Can I watch TV a little longer, Mom?
    ⑤ Can you hear all right in the back row?

22 ① The new movie may succeed.
    ② She may not remember my name.
    ③ The project may take a few days.
    ④ You may use my cell phone.
    ⑤ She may be in her classroom.

23 ① You must always respect your parents.
    ② All workers must wear a helmet for safety.
    ③ I have a toothache. I must go to the dentist.
    ④ They won the game. They must be happy.
    ⑤ We don't have enough time. We must hurry up.

[24-25] 다음 우리말을 영어로 바르게 옮긴 것을 고르시오.

24 너는 다시는 수업에 지각해서는 안 된다.

    ① You won't be late for class again.
    ② You wouldn't be late for class again.
    ③ You must not be late for class again.
    ④ You don't have to be late for class again.
    ⑤ You aren't going to be late for class again.

25 나는 제 시간에 미팅에 참석할 수 있었다.

    ① I was able to attend the meeting on time.
    ② I'll be able to attend the meeting on time.
    ③ I should attend the meeting on time.
    ④ I can attend the meeting on time.
    ⑤ I may attend the meeting on time.

[26-27] 다음 중 어법상 바른 것을 고르시오.

26 ① Kevin may can play the violin.
    ② Could I drinks a glass of ice water?
    ③ We aren't going to watched the show.
    ④ She have to clean her room every day.
    ⑤ I don't have to cancel the appointment.

27 ① I was able to pass the driving test.
    ② You shouldn't opens strange e-mails.
    ③ Kelly could became a famous scientist.
    ④ The guests might being a few minutes late.
    ⑤ Helen and Dan won't saw the horror movie.

28 다음 대화 중 자연스럽지 않은 것은?

    ① A: May I read your science magazine?
       B: Sure. Go ahead.
    ② A: Are you going to eat at home?
       B: No, I'm not. I'll eat out with my family.
    ③ A: Would you close the window, please?
       B: Yes. I'll do that.
    ④ A: Will you send him the report?
       B: Yes, I will. I already sent it to him.
    ⑤ A: Can we meet at the library at four?
       B: Okay. I'll see you then.

29 다음 두 문장이 같은 뜻이 아닌 것은?

    ① May I use your umbrella?
       = Can I use your umbrella?
    ② I can deliver the package for you.
       = I am able to deliver the package for you.
    ③ They will invite you to the party.
       = They are going to invite you to the party.
    ④ You should listen to your teacher's advice.
       = You have to listen to your teacher's advice.
    ⑤ We must not bring food into the museum.
       = We don't have to bring food into the museum.

30 다음 우리말을 영어로 옮긴 것 중 바르지 <u>않은</u> 것은?

① 너는 이제 잠깐 쉬어도 된다.
⇨ You may take a short break now.

② 여기서는 좌회전을 해서는 안 된다.
⇨ You don't have to turn left here.

③ 에어컨 좀 켜 줄래요?
⇨ Would you turn on the air conditioner?

④ 그는 오늘 밤에 숙제를 끝내야만 한다.
⇨ He has to finish his homework tonight.

⑤ 그들은 낱말 맞추기 게임을 풀지 못했다.
⇨ They couldn't solve the crossword puzzles.

31 다음 빈칸에 알맞은 말을 써넣으시오.

- He has poor eyesight. He _____ _____ wear glasses.
- You _____ _____ _____ water the plant. I already did it.
- My father isn't at home. He _____ be very busy at work.

[32-35] 다음 두 문장이 같은 의미가 되도록 빈칸에 알맞은 말을 써넣으시오.

32
Angela can speak five languages.

⇨ Angela _____ _____ _____ five languages.

33
We should clean this room after class.

⇨ We _____ _____ _____ this room after class.

34
Tim won't be here next week.

⇨ Tim _____ _____ _____ here next week.

35
Anne must go back home before dark.

⇨ Anne _____ _____ _____ _____ home before dark.

[36-39] 다음 우리말과 같은 뜻이 되도록 주어진 단어를 이용하여 문장을 완성하시오.

36
우리는 여기서 기차를 갈아탈 필요가 없다. (change)

⇨ We _____ _____ _____ _____ trains here.

37
너는 네 이웃을 사랑해야만 한다. (love)

⇨ You _____ _____ your neighbors.

38
그는 답을 알지 못할지도 모른다. (know)

⇨ He _____ _____ _____ the answer.

39
너는 그렇게 빠르게 운전해서는 안 된다. (drive)

⇨ You _____ _____ so fast.

40 다음 대화의 빈칸에 들어갈 알맞은 조동사를 〈보기〉에서 찾아 쓰시오.

보기 | can't   can   should   will

A I want to cook chicken curry. _____ you help me?
B Sorry, I _____. I have to finish this work quickly.
A Don't worry about it. It _____ take about half an hour.
B OK, but you _____ help me with my homework, too.
A Of course. Let's cook.

Answers: p.14

[1-3] 표를 보고, 〈보기〉와 같이 문장을 완성하시오. 서술형

Name	fly a drone	speak French	play the piano
Finn	×	○	
Rose		×	○
Miles	×	○	
Jasper	○		×

보기   Finn ___can't fly a drone___ , but he ___can speak French___ .

1 Rose _____ , but she _____ .

2 Miles _____ , but he _____ .

3 Jasper _____ , but he _____ .

4 다음 글의 밑줄 친 부분 중, 어법상 틀린 것은? 수능 대비형

Do you want to take a trip to a desert? It ① would be an exciting adventure! But you ② must to remember a few things when you travel to a desert. First of all, always make sure that you take enough water with you. Drink at least one or two gallons of water per day. It will be very hot and dry ③ during the day. Also, wear a hat to protect your face from the sun. However, it ④ gets very cold at night. So make sure that you bring enough warm clothes and wear them when you sleep. Finally, wear good hiking boots. You don't want ⑤ to get blisters on your feet!

* gallon: 갤런(약 3.79리터)
** blister: 물집, 수포

Chapter 4

명사와 관사

4-1 명사의 종류

4-2 셀 수 있는 명사의 복수형

4-3 셀 수 없는 명사의 수량 표현

4-4 관사 – 부정관사 a(n)

4-5 관사 – 정관사 the

4-6 관사의 생략

Review Test

보너스 유형별 문제

4-1 명사의 종류

- 명사: 사람이나 사물, 장소 등을 나타내는 말로, 셀 수 있는 명사와 셀 수 없는 명사로 구분한다.

- 셀 수 있는 명사: a(n)를 붙이거나 복수형으로 쓸 수 있다.

보통명사	일반적인 사물에 두루 쓰이는 이름	computer, pen, tree, house, dog, cat, bird, day, week, month ...
집합명사	같은 종류의 것이 여럿 모여 전체를 나타내는 명사	family, class, people, crowd, group, club, army ...

- 셀 수 없는 명사: a(n)를 붙이거나 복수형으로 쓸 수 없다.

물질명사	일정한 형태가 없어서 셀 수 없는 물질을 나타내는 명사	water, air, furniture, money, flour, paper, wood, stone ...
고유명사	사람, 장소, 사물의 고유한 이름을 나타내는 명사로, 첫 글자는 대문자로 쓴다.	Korea, Paris, Spider-Man, Mt. Everest, James, Sunday ...
추상명사	추상적인 개념을 나타내는 명사	love, peace, beauty, hope, dream, happiness, advice ...

Answers: p.14

Exercise 1 다음 중 단어의 성격이 나머지 넷과 <u>다른</u> 하나를 고르시오.

1 ① rose   ② pen   ③ peach   ④ sand   ⑤ cow

2 ① club   ② America   ③ army   ④ class   ⑤ family

3 ① bridge   ② deer   ③ mouse   ④ school   ⑤ love

4 ① salt   ② Paris   ③ tree   ④ paper   ⑤ Mr. Brown

5 ① water   ② sugar   ③ money   ④ rice   ⑤ classmate

6 ① advice   ② Korea   ③ people   ④ wood   ⑤ friendship

Exercise 2 다음 괄호 안에서 알맞은 것을 고르시오.

1 I saw (girl / a girl) at the park.

2 She has (hamster / a hamster).

3 They don't have (money / a money).

4 Serena drinks (milk / a milk) in the morning.

5 Linda made (furniture / furnitures) by herself.

6 I want to go to (New York / a New York) next vacation.

7 Most people in the country want (freedom / freedoms).

8 (Dictionary / A dictionary) will help you to learn many words.

셀 수 있는 명사의 복수형

☐ 셀 수 있는 명사의 복수형: 셀 수 있는 명사는 두 개 이상 복수를 나타낼 때 복수형을 쓴다.

대부분의 명사	명사+-s	flowers, desks, girls, pencils, rings, apples, cars ...
-(s)s, -ch, -sh, -x, -o로 끝나는 명사	명사+-es	buses, classes, dishes, churches, boxes, tomatoes ... *cf.* piano → pianos, photo → photos
「자음+y」로 끝나는 명사	y를 i로 바꾸고+-es	baby → babies, lady → ladies, study → studies, city → cities ...
「모음+y」로 끝나는 명사	명사+-s	boys, keys, monkeys, toys ...
-f(e)로 끝나는 명사	-f(e)를 v로 바꾸고+-es	leaf → leaves, wolf → wolves, wife → wives, knife → knives ... *cf.* roof → roofs, belief → beliefs
불규칙	a man → men a child → children a deer → deer a fish → fish a foot → feet	a woman → women a sheep → sheep a mouse → mice a tooth → teeth a goose → geese

Answers: p.14

Exercise 1   다음 명사의 복수형을 쓰시오.

1 bag _____   2 family _____

3 potato _____   4 box _____

5 knife _____   6 sheep _____

7 boy _____   8 dish _____

9 piano _____   10 leaf _____

11 bench _____   12 mouse _____

13 day _____   14 baby _____

15 child _____   16 animal _____

17 body _____   18 banana _____

19 apple _____   20 deer _____

21 fish _____   22 woman _____

23 city _____   24 wife _____

25 foot _____   26 monkey _____

27 bus _____   28 idea _____

29 wolf _____   30 party _____

Exercise 2 다음 괄호 안에 주어진 명사를 적절한 형태로 바꿔 문장을 완성하시오.

1 Can you help me with these _____? (box)

2 Many _____ are exercising in the park. (man)

3 There are three _____ in the house. (bedroom)

4 Mr. and Mrs. Jackson have four _____. (child)

5 The farmer has twenty _____ on his farm. (sheep)

6 Five _____ played basketball in the playground. (boy)

Exercise 3 다음 우리말과 같은 뜻이 되도록 〈보기〉에서 알맞은 단어를 골라 적절한 형태로 바꾸시오.

🔍	photo	goose	deer	story	song	bus

1 많은 사슴들이 숲에 살고 있다.
   ⇨ Many _____ live in the forest.

2 우리는 공원에서 사진을 많이 찍었다.
   ⇨ We took lots of _____ at the park.

3 그녀는 콘서트에서 많은 노래를 불렀다.
   ⇨ She sang a lot of _____ at the concert.

4 선생님은 우리에게 많은 재미있는 이야기를 해 준다.
   ⇨ Our teacher tells us many interesting _____.

5 할아버지 농장에는 거위가 열두 마리 있다.
   ⇨ There are twelve _____ on my grandfather's farm.

6 주차장에 버스 세 대가 일렬로 서 있다.
   ⇨ Three _____ are standing in line in the parking lot.

Exercise 4 다음 밑줄 친 부분을 어법에 맞게 고쳐 쓰시오.

1 An insect has six leg.   ⇨ _____

2 Your foots are very small.   ⇨ _____

3 We have ten girl in our class.   ⇨ _____

4 There are many book on the shelves.   ⇨ _____

5 There were two mans in the truck.   ⇨ _____

6 Jack bought some sweet candys.   ⇨ _____

셀 수 없는 명사의 수량 표현

셀 수 없는 명사의 수량 표현: 그 명사를 측정하는 단위나 용기를 이용하여 수량을 나타낸다.

a piece of / two pieces of	조각	paper, bread, cake, advice, cheese ...
a bottle of / two bottles of	병	water, wine, beer, juice, milk ...
a glass of / two glasses of	잔(찬 음료)	water, juice, milk, beer ...
a cup of / two cups of	잔(더운 음료)	tea, coffee, soup ...
a slice of / two slices of	얇은 조각	meat, bread, cheese, pizza ...
a bowl of / two bowls of	그릇	rice, soup, salad ...
a loaf of / two loaves of	덩어리	bread, meat ...
a pound of / two pounds of	파운드(무게 단위)	sugar, meat, flour ...

I want **a cup of** hot tea.
나는 따뜻한 차 한 잔을 원한다.

There is **a bottle of** milk on the table.
탁자 위에 우유 한 병이 있다.

Anna bought **two loaves of** bread.
Anna는 빵 두 덩이를 샀다.

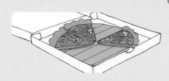

We left **three slices of** pizza.
우리는 피자 세 조각을 남겼다.

TIPs
glasses, shoes, gloves, scissors, socks, pants 등 두 개가 한 쌍으로 이루어진 명사는 수량을 나타낼 때 「a pair of+명사」로 나타낸다.
• Do you have **a pair of** scissors?
너는 가위를 가지고 있니?

Answers: p.15

Exercise 1 다음 〈보기〉와 같이 주어진 말을 알맞은 형태로 바꿔 쓰시오.

🔍 **a cup of tea** ⇒ _____ two cups of tea _____

1 a loaf of bread ⇒ two _____

2 a bowl of rice ⇒ four _____

3 a piece of cake ⇒ five _____

4 a glass of water ⇒ three _____

5 a bottle of wine ⇒ two _____

6 ten pairs of socks ⇒ a _____

7 a pound of flour ⇒ six _____

8 a piece of furniture ⇒ eight _____

9 a cup of coffee ⇒ two _____

10 a pound of sugar ⇒ three _____

Exercise 2 다음 그림을 보고, 〈보기〉에서 알맞은 것을 골라 빈칸을 채우시오. (단, 필요하면 형태를 바꿀 것)

| glass | loaf | bowl | slice |

❶ ❷ ❸ ❹

1 a _____ of soup

2 two _____ of water

3 three _____ of meat

4 six _____ of pizza

Exercise 3 다음 밑줄 친 부분을 어법에 맞게 고쳐 쓰시오.

1 We ate three piece of cake.　⇨ _____

2 Lisa bought a new pair of shoe.　⇨ _____

3 Could you bring me a glass of waters?　⇨ _____

4 There are six piece of furniture in our room.　⇨ _____

5 I was very hungry, so I ate two bowl of salad.　⇨ _____

Exercise 4 다음 우리말과 같은 뜻이 되도록 주어진 단어를 배열하여 문장을 완성하시오.

1 찬장에 와인 한 병이 있다. (in the cupboard, there, is, wine, a bottle of)

⇨ _____

2 나는 점심 때 케이크 두 조각을 먹었다. (at lunch, had, two pieces of, I, cake)

⇨ _____

3 Chris는 빵 다섯 덩이를 우리에게 주었다. (gave, bread, five loaves of, Chris, us)

⇨ _____

4 나는 어제 청바지 두 벌을 샀다. (two pairs of, yesterday, I, blue jeans, bought)

⇨ _____

5 Rachel은 매일 커피 세 잔을 마신다. (Rachel, every day, coffee, drinks, three cups of)

⇨ _____

4-4 관사 - 부정관사 a(n)

□ **관사:** 명사의 앞에 쓰여 명사의 의미와 성격을 나타내는 말로, 부정관사 **a(n)**와 정관사 **the**가 있다.

□ **부정관사 a(n)**

셀 수 있는 명사의 단수형 앞에 쓰이며, 부정관사 바로 뒤에 오는 단어의 발음이 자음으로 시작하면 a, 모음(a, e, i, o, u)으로 시작하면 an을 쓴다.

a+첫 발음이 자음인 단어	**a** student, **a** ball, **a** desk, **a** farmer, **a** girl, **a** car, **a** university ...
an+첫 발음이 모음인 단어	**an** egg, **an** artist, **an** umbrella, **an** animal, **an** hour, **an** orange ...

□ **부정관사의 쓰임**

막연한 하나(= one)	· He works at **a hospital**. 그는 병원에서 일한다. · Do you have **a pencil**? 너는 연필을 가지고 있니?
매~, ~마다(= per, every)	· I see a movie once **a week**. 나는 일주일에 한 번 영화를 본다. · We eat three meals **a day**. 우리는 하루에 세 번 식사를 한다.
하나의 부류를 통칭하는 대표단수	· **A dog** is a faithful animal. 개는 충직한 동물이다.

Answers: p.15

Exercise 1 다음 문장의 빈칸에 a나 an 중 알맞은 것을 써넣으시오.

1 He is _____ soccer player.

2 We don't wear _____ uniform.

3 A horse is _____ useful animal.

4 Tommy bought _____ umbrella.

5 Do you have _____ good idea?

6 Rome was not built in _____ day.

7 She is not _____ honest student.

8 Mrs. Johnson is _____ English teacher.

Exercise 2 다음 우리말과 같은 뜻이 되도록 문장을 완성하시오.

1 Jeremy는 한 마디도 하지 않았다.
   ⇨ Jeremy didn't say _____ _____.

2 우리는 하루에 열 두 시간을 일한다.
   ⇨ We work twelve hours _____ _____.

3 그녀는 예쁜 드레스를 입고 있다.
   ⇨ She is wearing _____ _____ _____.

4 일 년은 열두 달이다.
   ⇨ There are twelve months _____ _____ _____.

4-5 관사 - 정관사 the

▢ 정관사 the : 셀 수 있는 명사와 셀 수 없는 명사 앞에 모두 쓰인다.

❶ 이미 언급된 것을 다시 말할 때
- I bought a book. I am reading **the book** now. 나는 책을 샀다. 나는 지금 그 책을 읽고 있다.
- Becky has a flower. **The flower** is a rose. Becky는 꽃을 가지고 있다. 그 꽃은 장미꽃이다.

❷ 서로 알고 있는 것을 가리킬 때
- Would you please open **the window**? 창문 좀 열어 주실래요?
- Mrs. Smith is in **the kitchen**. Smith 부인은 부엌에 있다.

❸ 모든 사람들이 공통적으로 가리키는 대상(해, 달, 지구, 방향 등)
- (**The**) **Earth** moves around the sun. 지구는 태양 주위를 돈다.
- **The sky** is cloudy. Please take your umbrella. 하늘이 흐리다. 네 우산을 챙기렴.

> **TIPs**
> the sun: 우주의 수많은 항성(sun) 중 우리 태양계에 있는 그 항성
> the moon: 목성이나 화성의 주위를 도는 위성(moon)이 아닌 지구 주위를 도는 그 위성
> (the) Earth: 일반적으로 말하는 흙(earth)이 아닌 우리가 밟고 있는 그 땅이나 행성인 지구

❹ 구나 절에 의해 수식을 받아 특정한 대상을 가리킬 때
- **The cup** on the table is mine. 탁자 위에 있는 컵은 내 것이다.
- You must not drink **the water** in this bottle. 너는 이 병에 담긴 물을 마셔서는 안 된다.

❺ 서수나 형용사의 최상급 앞에 쓰일 때
- Christine lives on **the fifth floor**. Christine은 5층에 산다.
- He is **the tallest** boy in his class. 그는 학급에서 가장 키가 큰 소년이다.

> **TIPs**
> 형용사의 최상급은 '가장 ~한'이라는 의미로, 유일한 대상을 가리킨다.

❻ 악기 이름 앞에 쓰일 때
- I play **the piano** every day. 나는 피아노를 매일 친다.
- My father can play **the saxophone**. 우리 아버지는 색소폰을 불 수 있다.

Answers: p.15

Exercise 1 다음 밑줄 친 the와 쓰임이 같은 것을 〈보기〉에서 골라 쓰시오.

- a. Look at the moon. It's beautiful.
- b. Do you mind if I close the door?
- c. She is the prettiest girl in our school.
- d. The book in my backpack is heavy.
- e. Jimmy plays the violin in an orchestra.
- f. I saw a movie last night. The movie was interesting.

1   I play the drums every day.   ⇨ _____

2   The sun shines in the sky.   ⇨ _____

3   Can you pass me the pepper?   ⇨ _____

4   My brother is the tallest in our family.   ⇨ _____

5   The boy next to her is my little brother.   ⇨ _____

6   I met a girl at the party. The girl was kind.   ⇨ _____

4-6 관사의 생략

☐ 관사의 생략

❶ 식사, 과목, 운동경기의 이름 앞

- Let's have **lunch** at that new restaurant. 그 새로운 식당에서 점심을 먹자.
- My favorite subject is **English**. 내가 좋아하는 과목은 영어이다.
- They play **soccer** after school. 그들은 방과 후에 축구를 한다.

❷ 「by+교통수단」일 때

- My father goes to work **by bus**. 우리 아버지는 버스로 출근한다.
- They went to London **by train**. 그들은 기차를 타고 런던에 갔다.

❸ 본래의 목적으로 사용된 건물이나 장소를 말할 때

go to school 공부하러 학교에 가다	go to bed 잠자러 가다
go to church 예배 보러 교회에 가다	go to college 대학에 다니다

- I will **go to bed** early tonight. 나는 오늘 밤에 일찍 잠을 잘 거예요.
- The family **goes to church** on Sundays. 그 가족은 일요일에 교회에 간다.

Answers: p.15

Exercise 1   다음 빈칸에 a, an, the 중 알맞은 것을 쓰고, 필요 없는 경우에는 ✕표 하시오.

1   We came here by _____ car.

2   I meet him once _____ week.

3   Thomas is good at _____ science.

4   There is _____ old man on the bench.

5   She goes to _____ college in New York.

6   We play _____ drums in our school band.

7   They play _____ table tennis every Saturday.

8   It's very cold. Would you close _____ door, please?

Exercise 2   다음 우리말과 같은 뜻이 되도록 문장을 완성하시오.

1   당신은 택시를 타고 여기에 왔나요?
　　⇨ Did you come here _____ _____?

2   나는 어젯밤에 열두 시에 잠자리에 들었다.
　　⇨ I _____ _____ _____ at 12 last night.

3   Peter는 방과 후에 친구들과 야구를 한다.
　　⇨ Peter _____ _____ with his friends after school.

4   우리는 월요일부터 금요일까지 학교에 다닌다.
　　⇨ We _____ _____ from Monday to Friday.

[01-05] 다음 중 명사의 단수형과 복수형이 <u>잘못</u> 연결된 것을 고르시오.

01 ① tomato – tomatoes   ② student – students
    ③ church – churches   ④ candy – candies
    ⑤ mouse – mouses

02 ① leaf – leafs   ② story – stories
    ③ deer – deer   ④ animal – animals
    ⑤ banana – bananas

03 ① boy – boys   ② woman – womans
    ③ pencil – pencils   ④ photo – photos
    ⑤ belief – beliefs

04 ① house – houses   ② piano – pianoes
    ③ child – children   ④ wife – wives
    ⑤ dish – dishes

05 ① lady – ladyes   ② desk – desks
    ③ knife – knives   ④ zoo – zoos
    ⑤ potato – potatoes

[06-08] 다음 빈칸에 들어갈 단어로 알맞지 <u>않은</u> 것을 고르시오.

06 They have five _____.

    ① children   ② classes
    ③ water   ④ sheep
    ⑤ pencils

07 Harrison bought Kate a _____.

    ① computer   ② sugar
    ③ gold ring   ④ present
    ⑤ book

08 Anne is looking for a pair of _____.

    ① cheese   ② glasses
    ③ scissors   ④ socks
    ⑤ pants

09 다음 빈칸에 들어갈 알맞은 말은?

    Aria bought _____ shoes at the mall.

    ① a cup of   ② a slice of
    ③ a pair of   ④ a bowl of
    ⑤ a piece of

[10-11] 다음 빈칸에 들어갈 말이 바르게 짝지어진 것을 고르시오.

10 • His uncle is _____ English teacher.
    • My puppy is _____ wonderful pet.

    ① a – an   ② an – an
    ③ a – a   ④ an – a
    ⑤ 관사 없음 – an

11 • We're having spaghetti for _____ dinner tonight.
    • His nephew will be _____ university student next year.

    ① a – an   ② the – a
    ③ the – the   ④ 관사 없음 – a
    ⑤ 관사 없음 – an

12 다음 밑줄 친 부분이 바르지 <u>않은</u> 것은?

① Those <u>man</u> are my neighbors.
② Five <u>potatoes</u> are in the refrigerator.
③ She washed the <u>dishes</u> after dinner.
④ The <u>leaves</u> are red and yellow.
⑤ Ms. Green has three <u>babies</u>.

[13-15] 다음 빈칸에 공통으로 들어갈 말을 고르시오.

13
- She lives in _____ country.
- The moon moves around _____ earth.

① a
② an
③ the
④ many
⑤ 관사 없음

14
- There is _____ snow on the street.
- She gave me _____ good information.

① a
② an
③ the
④ many
⑤ 관사 없음

15
- Mr. Brown gave the boy a _____ of advice.
- I had a _____ of apple pie for dinner.

① piece
② slice
③ pound
④ bowl
⑤ bottle

[16-18] 다음 중 어법상 바르지 <u>않은</u> 것을 고르시오.

16 ① We ordered two piece of chocolate cakes.
② He bought three oranges and an apple.
③ She needs information about the area.
④ First, mix the flour and the butter.
⑤ Brian fell in love with Jessica.

17 ① The ladder is ten meters long.
② They came back from an Australia.
③ I usually have an egg and milk for breakfast.
④ There is a slice of pizza on the plate.
⑤ An elephant escaped from the zoo.

18 ① Do you live in an apartment building?
② This is my father, Mr. Johnson.
③ He drank a glass of milk at once.
④ The boys play the badminton very well.
⑤ She and I go to the movies twice a month.

19 다음 빈칸에 들어갈 부정관사가 나머지와 <u>다른</u> 하나는?

① I have _____ idea for a new book.
② Can you bring me _____ umbrella?
③ There is _____ old man in the park.
④ The students have _____ exam on Friday.
⑤ She has four Korean classes _____ week.

20 다음 중 빈칸에 the를 쓸 수 <u>없는</u> 것은?

① There are many countries in _____ world.
② Excuse me, where is _____ post office?
③ They went to New York by _____ train.
④ _____ rooms in the house are small.
⑤ His office is on _____ fifth floor.

21 다음 우리말을 영어로 바르게 옮긴 것은?

교실에 다섯 명의 학생이 있다.

① There is five students in the classroom.
② There were five student in the classroom.
③ There are five student in the classroom.
④ There are five students in the classroom.
⑤ There is a five students in the classroom.

22 다음 〈보기〉의 밑줄 친 부분과 쓰임이 같은 것은?

> 보기 | I go to the movies once a week.

① A dog is a faithful animal.
② Catherine is writing a novel.
③ There is a beautiful park in our town.
④ Jenny bought a laptop computer.
⑤ I visit my grandmother twice a month.

[23-25] 다음 중 어법상 바른 문장을 고르시오.

23 ① May I have some ice waters?
② The baby has only three teeth.
③ Two man are jogging across the bridge.
④ You can't take photoes in the museum.
⑤ Can you give me glass of orange juice?

24 ① Many child like chocolate.
② We want to live in a peace.
③ I will make a dinner for you.
④ My friend, Justin, is a good cook.
⑤ I'm full now. I ate three slices of pizzas.

25 ① He brought me a glass of milks.
② Six goose were swimming in the lake.
③ Could you please turn down the volume?
④ My father drinks glass of beer every night.
⑤ Becky got an A in a history.

26 다음 밑줄 친 우리말을 영어로 바르게 옮긴 것은?

> We bought 빵 세 덩어리 and 치즈 2파운드.

① three breads, two pound of cheese
② three loaf of bread, two pounds of cheeses
③ three loaves of bread, two pounds of cheese
④ three loaves of breads, two pound of cheese
⑤ three loaves of bread, two pound of cheeses

[27-28] 다음 우리말을 영어로 바르게 옮긴 것을 고르시오.

27 그 가방 안에 있는 선물은 너를 위한 것이다.

① A present in a bag is for you.
② A present in the bag is for you.
③ The present in the bag is for you.
④ The present in a bag is for you.
⑤ Present in the bag is for you.

28 그는 커피에 설탕 세 스푼을 넣는다.

① He puts three sugars in his coffee.
② He puts three teaspoons of sugars in his coffee.
③ He puts three teaspoon of sugars in his coffee.
④ He puts three teaspoon of sugar in his coffee.
⑤ He puts three teaspoons of sugar in his coffee.

29 다음 우리말을 영어로 옮긴 것 중 바르지 않은 것은?

① 내 여동생은 도쿄에 있는 대학에 다닌다.
   ⇨ My sister goes to college in Tokyo.
② 자녀가 몇 명 있으세요?
   ⇨ How many children do you have?
③ 여섯 마리의 양이 농장에서 풀을 먹고 있다.
   ⇨ Six sheeps are eating grass on the farm.
④ 이번 일요일에 나랑 테니스 칠래요?
   ⇨ Will you play tennis with me this Sunday?
⑤ 나는 재즈 페스티벌에 대한 몇 가지 정보가 필요하다.
   ⇨ I need some information about the jazz
      festival.

30 다음 〈보기〉에서 셀 수 없는 명사를 모두 골라 쓰시오.

> 보기 | family   lesson   dictionary
>   friendship   crowd   month
>   the U.S.A.   hope   money
>   Mt. Everest   church   water

⇨ _____

[31-33] 다음 괄호 안에서 알맞은 것을 고르시오.

31
A Dad, where is Mom?
B She's in (a kitchen / the kitchen). She is preparing (dinner / the dinner).

32
A I have to buy some (furniture / furnitures). Can you come with me now?
B Of course. By the way, what are you going to buy?
A I'm going to buy (a bed / bed) and (a sofa / sofa).

33
A Please pass me (salt / the salt) on (a table / the table).
B I can't find it. Where is it?
A It's next to (a vase / the vase).

[34-37] 다음 우리말과 같은 뜻이 되도록 문장을 완성하시오.

34
테이블 위에 케이크가 세 조각 있다.
⇒ There are _____ _____ _____ _____ on the table.

35
나는 어제 바지 한 벌을 샀다.
⇒ I bought _____ _____ _____ _____ yesterday.

36
우리는 대개 일 년에 네 번 시험을 본다.
⇒ We usually have exams _____ _____ _____ _____ .

37
나는 매주 일요일에 가족과 함께 교회에 간다.
⇒ I _____ _____ _____ every Sunday with my family.

[38-39] 다음 밑줄 친 부분이 어법상 바르지 않은 것을 찾아 고치시오.

38
Today is my mother's birthday. My father and I baked a cake and some ①cookies. First, we mixed ②two pound of flour with baking powder. And then, we added sugar, ③butter, and ④milk and mixed it together. We also added ⑤two eggs.

⇒ _____

39
My brother is ①a baseball player. He plays ②the baseball very well. Last Friday, his team had ③a game with another team. My parents and I went to ④the game. There were many ⑤people there. We enjoyed it a lot.

⇒ _____

[40-42] 다음 글의 빈칸에 알맞은 관사를 쓰시오. (단, 필요 없으면 ×표 할 것)

40
I live in _____ apartment building in New York. _____ apartment building is 30 stories high and has a fitness center. There is _____ swimming pool on the roof. _____ swimming pool is big and wide.

41
Todd went to _____ bed at ten last night. At eleven, _____ strange noise woke him up. He went to the living room. Suddenly, _____ young man ran out of _____ kitchen.

42
I like my friend, Jenny. She is thirteen years old. She is very kind and cute. She has small ears, _____ small nose, and _____ tiny mouth. She also has _____ big brown eyes. She likes _____ music. She can play _____ piano very well.

[1-2] Kai가 아빠에게 보낸 편지를 읽고, 밑줄 친 ①~⑥ 중 어법상 어색한 것을 두 개 찾아 바르게 고치시오. **서술형**

> Dear, Dad!
>
> Today was my first day of camp. ① It was a beautiful day with bright sunshine. ② My friends and I went jogging along the river before a breakfast. Then we went swimming in the river in the afternoon. ③ We also crossed the river in a boat. ④ We had a barbecue for dinner. ⑤ After dinner, we made a big bonfire and had a mini concert. ⑥ I played guitar, and everyone had a great time. I'm having so much fun here so don't worry about me, dad.
>
> Your son, Kai

1 _____

2 _____

3 다음 글의 밑줄 친 부분 중, 어법상 틀린 것은? **수능 대비형**

   This special product ① will clear up your skin quickly and easily. Use it every morning and every evening when you wash your face. You only need a small amount. After drying your face, spread ② the cream over your skin. Make sure not to get ③ it in your eyes. Let ④ a cream dry for five ⑤ minutes then rinse with warm water. After two weeks, all of your pimples will disappear .

* pimple: 여드름

Chapter 5

대명사

5-1 인칭대명사

5-2 비인칭 주어 it

5-3 지시대명사

5-4 부정대명사 I

5-5 부정대명사 II

5-6 부정대명사 III

Review Test

보너스 유형별 문제

5-1 인칭대명사

인칭대명사

인칭대명사는 사람이나 사물을 가리키는 말로, '나'를 말하는 1인칭, '너'를 말하는 2인칭, '나, 너를 제외한 나머지'를 말하는 3인칭이 있다.

구분	인칭	주격	소유격	목적격	소유대명사
단수	1	I	my	me	mine
	2	you	your	you	yours
	3	he	his	him	his
		she	her	her	hers
		it	its	it	–
복수	1	we	our	us	ours
	2	you	your	you	yours
	3	they	their	them	theirs

❶ 주격: 문장에서 주어 역할을 하며, '〜은[는]', '〜이[가]'로 해석한다.
- **She** is my best friend. 그녀는 내 가장 친한 친구이다.
- **They** are from Australia. 그들은 호주 출신이다.

❷ 소유격: 명사 앞에 쓰여 '〜의'로 해석한다. 앞에 a(n), the 등의 관사가 올 수 없다.
- **Our** house is on the corner. 우리 집은 코너에 있다.
- She is **his** homeroom teacher. 그녀는 그의 담임선생님이다.

❸ 목적격: 문장에서 목적어 역할을 하며, '〜을[를]', '〜에게'로 해석한다.
- Mr. Smith teaches **us** math. Smith 선생님은 우리에게 수학을 가르친다.
- We will give **her** pretty earrings. 우리는 그녀에게 예쁜 귀고리를 줄 것이다.

❹ 소유대명사: 「소유격+명사」를 대신하는 말로, '〜의 것'으로 해석한다.
- Those shoes are not **mine**. 저 신발은 내 것이 아니다.
- These school bags are **theirs**. 이 책가방은 그들의 것이다.

> **TIPs**
> its는 it의 소유격이고, it's는 it is를 줄인 말이다.

> **TIPs**
> 명사(사람이나 동물)의 소유격은 일반적으로 명사 뒤에 's를 붙인다.
> - She is **Tom's** mother.
>   그녀는 Tom의 어머니이다.

> **TIPs**
> 전치사 뒤에는 목적격 인칭대명사를 쓴다.
> - I'd like to talk **to him**.
>   나는 그에게 말하고 싶다.
> - He went out for a walk **with them**.
>   그는 그들과 함께 산책하러 나갔다.

Answers: p.17

Exercise 1 다음 괄호 안에서 알맞은 것을 고르시오.

1 We don't know about (he / him / his).

2 (He / His / Him) lecture is not difficult.

3 I bought a nice car. (It / Its / It's) color is white.

4 My grandmother sent (I / my / me) a present.

5 Can (we / our / us) have some cookies, Mom?

6 Are (you / your / yours) brothers college students?

7 The children live next to (they / them / their) school.

8 Mrs. Anderson is our teacher. (She / Her / Hers) teaches us history.

Exercise 2 다음 괄호 안에서 알맞은 것을 고르시오.

1 Look at those turtles! (It / We / They) are so cute!

2 Jennifer is at home. (He / She / It) is doing her homework.

3 My sunglasses are new. I bought (it / him / them) last week.

4 Give my notebook back to me. I need (it / them / its) for the test.

5 My friend Jack is a good cook. (He / She / It) made pizza for us.

6 Chris is my friend. (My / His / Their) parents are very kind to me.

7 Let's see this musical tonight. (He / She / It) will be very interesting.

8 We saw peacocks in the zoo. (Your / Our / Their) feathers were so beautiful.

Exercise 3 다음 밑줄 친 부분을 알맞은 인칭대명사로 바꿔 쓰시오.

1 <u>Anne</u> is a good runner.

⇒ _____ is a good runner.

2 <u>The store</u> closes at midnight.

⇒ _____ closes at midnight.

3 <u>My brother's</u> friend is over 190cm tall!

⇒ _____ friend is over 190cm tall!

4 He gave <u>my sister and me</u> a ride to school.

⇒ He gave _____ a ride to school.

5 I didn't meet <u>Brian and Mary</u> last weekend.

⇒ I didn't meet _____ last weekend.

6 <u>Jack and I</u> studied English with Billy last night.

⇒ _____ studied English with Billy last night.

7 We like <u>Christine</u>, but <u>Christine</u> hates us.

⇒ We like _____, but _____ hates us.

8 <u>My grandfather</u> grows many fruits and vegetables.

⇒ _____ grows many fruits and vegetables.

9 I forgot my phone. Can I use <u>your phone</u> for a minute?

⇒ I forgot my phone. Can I use _____ for a minute?

10 She keeps her bicycle inside, but he leaves <u>his bicycle</u> outside.

⇒ She keeps her bicycle inside, but he leaves _____ outside.

Exercise 4 다음 우리말과 같은 뜻이 되도록 문장을 완성하시오.

1 저 파란색 집은 그녀의 것이다.
  ⇨ That blue house is _____.

2 그는 뉴질랜드에서 왔다.
  ⇨ _____ came from New Zealand.

3 나는 며칠 전에 다리가 부러졌다.
  ⇨ I broke _____ leg a few days ago.

4 우리를 파티에 초대해 줘서 고마워요.
  ⇨ Thank you for inviting _____ to the party.

5 그들은 한국에서 살고 있고, 그들의 아버지는 미국에서 살고 있다.
  ⇨ They are living in Korea, and _____ father is living in the U.S.A.

Exercise 5 다음 밑줄 친 부분을 어법에 맞게 고쳐 쓰시오.

1 The babysitter will take care of he.   ⇨ _____

2 Emma showed I the way to the airport.   ⇨ _____

3 My friend Anne sent his a lot of postcards.   ⇨ _____

4 These mittens are not mine. They are her.   ⇨ _____

5 A grasshopper is on the grass. Its very small.   ⇨ _____

6 I love you new blue jeans. Where did you get them?   ⇨ _____

Exercise 6 다음 괄호에서 어법상 알맞은 것을 고르시오.

1 A Is this your uncle's motorcycle?
  B No, it's not (his / him). (He / His) is black.

2 A Are they (you / your) cousins?
  B No, they aren't. They are (my / mine) classmates.

3 A I'm looking for my keys, but I can't find (them / theirs).
  B I saw some keys on the table. They may be (you / yours).

4 A Where is (you / your) friend going?
  B She is going to the theater. She forgot (her / hers) umbrella.

5 A (We / Our) math teacher gave (us / ours) a lot of homework!
  B Don't worry. I'll help you with your homework.

□ 비인칭 주어 it : 시간, 날짜, 요일, 날씨, 계절, 거리, 명암 등을 나타낼 때 주어로 쓴다.

시간	A: What time is **it** now? 지금 몇 시예요? B: **It's** 7:30. 7시 30분이에요.
날짜	A: What's the date today? / What is today's date? 오늘은 며칠인가요? B: **It's** November 24th. 11월 24일이에요.
요일	A: What day is **it** today? 오늘은 무슨 요일이에요? B: **It's** Thursday. 목요일이에요.
날씨	A: How is the weather today? 오늘 날씨가 어떤가요? B: **It's** cloudy and windy. 흐리고 바람이 불어요.
거리	A: How far is **it** from here to the bank? 여기서 은행까지 얼마나 머나요? B: **It's** about ten miles. 약 10마일이에요. A: How long does **it** take from here to City Hall? 여기서 시청까지 얼마나 걸리나요? B: **It** takes an hour by bus. 버스로 한 시간 걸려요.
명암	A: **It** is quite dark in this room. 이 방은 꽤 어두워요. B: You're right. Let's turn on the light. 맞아요. 전등을 켭시다.

> **TIPs**
> 날씨를 묻는 또 다른 표현으로 「What is the weather like?」가 있다.
> 시간을 묻는 또 다른 표현으로 「Do you have the time?」이 있다. 「Do you have time?」은 '시간 있나요?'라는 의미이다.

□ 비인칭 주어 it vs. 인칭대명사 it

	쓰임	의미
비인칭 주어 it	시간, 날짜, 요일, 날씨, 거리, 명암 등을 나타내는 말	해석하지 않음
인칭대명사 it	사물이나 동·식물 등을 대신 나타내는 말	그것

· **It** was my birthday yesterday. (비인칭 주어 it) 어제는 내 생일이었다.
· **It** is very cold in the winter. (비인칭 주어 it) 겨울에는 매우 춥다.

· **It** is her favorite doll. (인칭대명사 it) 그것은 그녀가 가장 좋아하는 인형이다.
· **It** is a beautiful painting. (인칭대명사 it) 그것은 아름다운 그림이다.

Answers: p.17

Exercise 1 다음 밑줄 친 it과 쓰임이 같은 것을 〈보기〉에서 골라 쓰시오.

🔍 a. <u>It</u> was sunny yesterday.   b. She has <u>it</u> in her pocket.

1 <u>It</u> rained in the night. ⇨ _____

2 What a huge dolphin <u>it</u> is! ⇨ _____

3 Is <u>it</u> your new jacket? ⇨ _____

4 <u>It</u> takes five minutes on foot. ⇨ _____

5 <u>It</u>'s over 50 miles from here to Seoul. ⇨ _____

6 <u>It</u> gets dark at around 5 p.m. in the winter. ⇨ _____

Exercise 2 다음 질문에 알맞은 대답을 〈보기〉에서 골라 쓰시오.

> a. It is 9 o'clock.
> b. It's very hot today.
> c. It was Wednesday.
> d. It is October 3rd.
> e. It takes half an hour by bus.
> f. No, it's not mine.

1 What time is it now? ⇒ _____

2 What is the date today? ⇒ _____

3 Is it your laptop computer? ⇒ _____

4 What day was it yesterday? ⇒ _____

5 What is the weather like today? ⇒ _____

6 How long does it take from your house to the school? ⇒ _____

Exercise 3 다음 우리말과 같은 뜻이 되도록 주어진 단어를 이용하여 문장을 완성하시오.

1 벌써 열한 시예요. (already)

⇒ _____

2 기차로 세 시간 걸려요. (take)

⇒ _____

3 어제 날씨는 어땠나요? (how)

⇒ _____

4 하루 종일 비가 내려요. (all day long)

⇒ _____

5 어제는 12월 25일이었어요. (yesterday)

⇒ _____

6 그것이 너의 새로운 샤프야? (mechanical pencil)

⇒ _____

7 그것은 내 남동생의 줄무늬 셔츠이다. (striped shirt)

⇒ _____

8 여기서 우체국까지 30킬로미터예요. (from here to the post office)

⇒ _____

지시대명사

□ **지시대명사: 특정한 사람이나 사물을 대신 가리키는 말**

	가까이 있는 대상	멀리 있는 대상
단수	this 이것	that 저것
복수	these 이것들	those 저것들

TIPs 누군가를 소개하거나 전화통화를 할 때 'this is ~'를 쓴다.
· Dad, **this is** Serena.
아빠, 얘가 Serena예요.
· Hello, **this is** Logan.
여보세요, 저는 Logan입니다.

· **This is** my brother, Jack. 이 사람은 내 남동생 Jack이야.
· **These are** my classmates, Ben and Jessy. 이 사람들은 내 학급친구 Ben과 Jessy이다.

· **That is** my high school yearbook. 저것은 내 고등학교 졸업 앨범이다.
· **Those are** her stamps. 저것들은 그녀의 우표이다.

□ **this[these], that[those]는 명사 앞에 쓰여 명사를 수식하는 지시형용사로도 쓰인다.**
· **This textbook** is hers. 이 교과서는 그녀의 것이다.
· I like **those robots**. 나는 저 로봇들을 좋아한다.

□ **지시대명사가 있는 의문문**

지시대명사가 있는 의문문은 Yes나 No로 대답한다. this[that]로 물어볼 때는 it으로, these[those]로 물어볼 때는 they로 받는다.

· A: **Is this** your puppy? 이것은 네 강아지니?
B: **Yes, it is. / No, it isn't.** 응, 내 강아지야. / 아니, 내 강아지가 아니야.

· A: **Are those** her hats? 저것들은 그녀의 모자니?
B: **Yes, they are. / No, they aren't.** 응, 그녀의 모자야. / 아니, 그녀의 모자가 아니야.

Answers: p.18

Exercise 1 다음 그림을 보고, 〈보기〉에서 알맞은 것을 골라 문장을 완성하시오.

🔍   this   that   these   those

1 _____ cats are mine. _____ dog is not mine.

2 _____ is my umbrella. _____ are his umbrellas.

3 _____ are women's shoes. _____ are men's shoes.

4 _____ is a new alarm clock. _____ is Millie's wristwatch.

Exercise 2 다음 괄호 안에서 알맞은 것을 고르시오.

1 Is (this / these) your grandfather?

2 (That / Those) are my favorite dolls.

3 (This / These) is my sister, Christine.

4 Are (this / these) pencils Jennifer's?

5 (That / Those) children are my students.

6 I bought (this / these) new glasses yesterday.

Exercise 3 다음 우리말과 같은 뜻이 되도록 주어진 단어를 이용하여 문장을 완성하시오.

1 그는 저 남자를 잘 알고 있다. (man)
  ⇨ He knows _____ _____ very well.

2 저 배낭들은 우리의 것이 아니다. (backpack)
  ⇨ _____ _____ _____ not ours.

3 저 소녀는 우리 이웃이다. (girl)
  ⇨ _____ _____ _____ our neighbor.

4 이 책들은 내가 가장 좋아하는 소설책이다. (book)
  ⇨ _____ _____ _____ my favorite novels.

5 이 게임들은 요즘 매우 인기 있다. (game)
  ⇨ _____ _____ _____ very popular these days.

Exercise 4 다음 대화의 빈칸을 채우시오.

1 A Are those scarves your mother's?
   B Yes, _____ _____.

2 A Is that a butterfly?
   B No, _____ _____. It is a ladybug.

3 A Does this taste good?
   B No, _____ _____. It's too spicy and salty.

4 A Is this your father's car?
   B Yes, _____ _____. He bought it last week.

5 A Are these your sons?
   B Yes, _____ _____. They are cute, aren't they?

5-4 부정대명사 I

📑 **부정대명사**: 정해지지 않은 불특정한 대상을 가리키는 대명사

📑 **부정대명사 one**

❶ 앞서 언급한 명사와 같은 종류의 불특정한 하나를 나타낼 때, one을 쓴다. 복수일 경우 ones를 쓴다.

- I lost my cell phone. I need to buy a new **one**. (one=a cell phone)
  나는 휴대 전화를 잃어버렸다. 나는 새것을 사야만 한다.
- Let's go shopping for some shoes. I'll buy red **ones**. (ones=shoes)
  신발을 사러 가자. 나는 빨간 것을 살 것이다.
- The girl has five hats: a pink **one** and four blue **ones**. (one=hat, ones=hats)
  그 소녀는 다섯 개의 모자, 즉 핑크색 모자 한 개와 파란색 모자 네 개를 가지고 있다.

❷ 일반적인 사람을 나타낼 때, one을 쓴다.

- **One** should keep one's promise. 사람들은 자신의 약속을 지켜야 한다.
- **One** should not break the law. 사람들은 법을 어겨서는 안 된다.

📑 **one vs. it**

one	앞서 언급된 사물과 같은 사물이 아닌, 같은 종류의 사물일 경우
it	앞서 언급된 바로 그 사물일 경우(복수: they)

- I don't have my own computer. I want to buy **one**. (one=a computer)
  나는 컴퓨터를 가지고 있지 않다. 나는 컴퓨터를 사고 싶다.
- Is this computer yours? May I use **it** for a moment? (it=this computer)
  이 컴퓨터는 당신의 것입니까? 제가 잠시 사용해도 될까요?

Answers: p.18

Exercise 1 다음 괄호 안에서 알맞은 것을 고르시오.

1 Is this your ruler? Can I borrow (one / it)?

2 I think I left my jacket here. (One / It) is black.

3 My shoes are too old. I want new (ones / them).

4 She wanted the book. So she ordered (one / it).

5 This subway is full. Let's wait for the next (one / it).

6 I have an interesting book. I'll lend (one / it) to you.

7 My father bought me a bicycle. (One / It) is over there.

8 Kate has two cats. She washes (ones / them) once a month.

9 This blouse is too small for me. Do you have a larger (one / it)?

10 Brian bought some flowers. He gave (ones / them) to his girlfriend.

11 This keyboard is very expensive. Are there any cheaper (ones / them)?

12 I lost my purse yesterday. But somebody found (one / it) and returned it to me.

부정대명사 another

❶ '하나 더', '또 다른 하나'라는 의미로, 같은 종류의 다른 하나를 나타낼 때 쓴다.
- This towel is very dirty. Please give me **another.** 이 수건은 매우 더러워요. 다른 것을 주세요.
- I don't like this skirt. Can you show me **another?** 이 치마가 마음에 들지 않아요. 다른 것을 보여 줄래요?

❷ 「another+단수명사」의 형태로도 쓴다.
- Can I have **another cup** of coffee? 커피를 한 잔 더 마실 수 있을까요?
- Can you show me **another sweater?** 다른 스웨터를 보여 줄래요?

> **TIPs**
> other+복수명사: '그 밖의 ~', '다른 ~'
> · Do you have any **other questions?**
>   다른 질문 없나요?

부정대명사 표현

❶ **one ~, the other** …: '(둘 중에서) 하나는 ~, 다른 나머지 하나는 …'
- She has two cats. **One** is black, and **the other** is white.
  그녀는 고양이 두 마리를 가지고 있다. 한 마리는 검은색이고, 다른 한 마리는 흰색이다.

❷ **one ~, the others** …: '(많은 것 중에서) 하나는 ~, 나머지는 …'
- She has five cats. **One** is black, and **the others** are white.
  그녀는 고양이 다섯 마리를 가지고 있다. 한 마리는 검은색이고, 나머지는 흰색이다.

> **TIPs**
> one ~, another ~, the other ~.:
> (셋 중에서) 하나는 ~, 또 하나는 ~, 나머지
> 하나는 ~.
> · I have three pets. **One** is a dog,
>   **another** is a cat, and **the other**
>   is a hamster.
>   나는 애완동물 세 마리가 있다. 하나는
>   개이고, 다른 하나는 고양이이며, 나머
>   지 하나는 햄스터이다.

❸ **some ~, others** …: '일부는 ~, 다른 일부는 …'
- There are many cats in the yard. **Some** are black, and **others** are white.
  뜰에 많은 고양이가 있다. 일부는 검은색이고, 다른 일부는 흰색이다.

❹ **some ~, the others** …: '일부는 ~, 나머지 전부는 …'
- There are seven cats in the yard. **Some** are black, and **the others** are white.
  뜰에 고양이 일곱 마리가 있다. 일부는 검은색이고, 나머지 전부는 흰색이다.

Exercise 1 다음 괄호 안에서 알맞은 것을 고르시오.

1 Would you like (another / other) glass of water?

2 This coat doesn't fit me. Can you show me (another / other)?

3 She has two balls. One is red, and (another / the other) is blue.

4 I have four sisters. One is tall, and (the other / the others) are short.

5 Some of the erasers are Mary's, and (the other / the others) are mine.

6 Some like coffee with their breakfast, and (the other / others) like tea.

7 I have two computers. (One / Another) is a laptop, and the other is a desktop.

8 There are six pencils on the desk. (One / The other) is black, and (the other / the others) are blue.

Exercise 2 다음 〈보기〉에서 알맞은 것을 골라 대화를 완성하시오.

🔍	another	the other	the others	one

1 A When will you give my raincoat back to me?
   B I'm really sorry, I lost it. I will buy you a new _____.

2 A This apple pie is very delicious. Can I have _____ piece?
   B Sure. Help yourself.

3 A Emily, how many pets do you have?
   B I have two pets. One is a puppy, and _____ is a hamster.

4 A How many students are there in your class, Anne?
   B There are thirty students in my class. Twenty are boys, and _____ are girls.

Exercise 3 다음 우리말과 같은 뜻이 되도록 빈칸에 알맞은 부정대명사를 쓰시오.

1 나는 두 가지 색깔을 좋아한다. 하나는 분홍색이고, 나머지 하나는 파란색이다.
   ⇨ I like two different colors. One is pink, and _____ is blue.

2 딸기를 좀 먹고 나머지는 냉장고에 넣어 두어라.
   ⇨ Have some of the strawberries, and put _____ in the refrigerator.

3 그녀는 다섯 켤레의 양말을 샀다. 두 개는 흰색이었고, 나머지는 모두 회색이었다.
   ⇨ She bought five pairs of socks. Two were white, _____ were gray.

4 그는 강아지 세 마리를 가지고 있다. 하나는 흰색, 또 다른 하나는 갈색, 나머지 하나는 회색이다.
   ⇨ He has three puppies. One is white, _____ is brown, and _____ is gray.

5-6 부정대명사 III

all : '모든 사람', '모든 것', '모든'이라는 의미로, 단독으로 쓰이거나 명사를 수식한다.
- **All students** are afraid of tests. 모든 학생들은 시험을 두려워한다.
- **All the people** were dancing at that time. 모든 사람들이 그때 춤을 추고 있었다.
- **All of the boys** in my class are kind. 우리 반 남자 아이들은 모두 친절하다.

both : '둘 다', '양쪽 다'라는 의미로, 단독으로 쓰이거나 복수명사를 수식한다.
- **Both** are good to me. 저에게는 둘 다 괜찮아요.
- **Both his parents** live in Korea. 그의 부모님 두 분 모두 한국에 산다.
- **Both of them** like Kate. 그들 둘 다 Kate를 좋아한다.

every : '모든 ~'이라는 의미로, 단수명사를 수식하며 단수 취급한다.
- **Every student** has to wear a uniform. 모든 학생들은 교복을 입어야 한다.
- **Every child** has his or her own room. 모든 아이들은 자신의 방을 가지고 있다.

each : '각각', '각자'라는 의미로, 단독으로 쓰이거나 명사를 수식하며 단수 취급한다.
- **Each country** has its own flag. 각각의 나라들은 국기를 가지고 있다.
- **Each of you** has to make your own choice. 너희들은 각자 자신만의 선택을 해야 한다.

TIPs
every와 of는 함께 쓰지 않는다.
- **Every** of person has the right to vote. (X)
- **Every** person has the right to vote. (O)
모든 사람은 투표할 권리가 있다.

Answers: p.18

Exercise 1 다음 괄호 안에서 알맞은 것을 고르시오.

1 All of us (is / are) hard workers.

2 Both her children (is / are) girls.

3 (All / Each) of them were happy.

4 Both of his parents (is / are) alive.

5 Each country (has / have) its own customs.

6 Both my wife and I (was / were) at home then.

7 All of them (come / comes) home at 9 o'clock.

8 All of the (girl / girls) are middle school students.

9 Each of the boys (has / have) his own computer.

10 I have two brothers. Both of them (is / are) doctors.

11 (All / Each) of the children wants to win first prize.

12 (All / Every) of the students should not be late for class.

13 We ordered two dishes. Both of them (was / were) very good.

14 Every student at our school (has / have) his or her own locker.

15 Each (student / students) has his or her own place in the library.

Exercise 2 다음 밑줄 친 부분을 어법에 맞게 고쳐 쓰시오.

1 All of the <u>student</u> are smart. ⇒ _____

2 Every boy in my school <u>like</u> her. ⇒ _____

3 Every student <u>call</u> him Mr. Puzzler. ⇒ _____

4 All <u>the player</u> have to do their best. ⇒ _____

5 Both of my sisters <u>wants</u> a new pair of shoes. ⇒ _____

6 Each of them <u>have</u> his or her own desk and chair. ⇒ _____

Exercise 3 다음 우리말과 같은 뜻이 되도록 빈칸에 알맞은 말을 쓰시오.

1 그들은 모두 14살이다.
   ⇒ _____ _____ _____ are 14 years old.

2 모든 침실에 개인 욕실이 있다.
   ⇒ _____ _____ has its own private bathroom.

3 우리는 각각 다른 색을 좋아한다.
   ⇒ _____ _____ _____ likes a different color.

4 우리 마을의 모든 차는 검은색이다.
   ⇒ _____ _____ _____ in my town are black.

5 그들 둘 다 회의에 갈 것이다.
   ⇒ _____ _____ _____ are going to the meeting.

Exercise 4 다음 우리말과 같은 뜻이 되도록 주어진 단어를 배열하여 문장을 완성하시오.

1 그녀의 대답은 모두 틀렸다. (were, all, wrong, her answers, of)
   ⇒ _____

2 이 영화의 모든 장면이 아름답다. (in this movie, every, is, scene, beautiful)
   ⇒ _____

3 그 질문들 둘 다 매우 어려웠다. (were, both, of, very difficult, the questions)
   ⇒ _____

4 저 선반에 있는 모든 책들은 과학에 관한 것이다. (on that shelf, all, are, about science, the books)
   ⇒ _____

5 각각의 축구팀에는 열한 명의 선수들이 있다. (there, on, each, eleven, players, soccer team, are)
   ⇒ _____

[01-05] 다음 빈칸에 알맞은 말을 고르시오.

01
You look very tired. Did you finish _____ project last night?

① mine   ② me
③ you   ④ your
⑤ yours

02
This blouse is too big for me. Will you show me _____?

① some   ② others
③ another   ④ the other
⑤ the others

03
I invited five friends to the party. But only Lucy and Tom came. _____ didn't come.

① Some   ② Others
③ Another   ④ The other
⑤ The others

04
She has a blue cap, and I have a yellow _____.

① it   ② that
③ them   ④ one
⑤ another

05
My mother's birthday is coming. I'll give _____ a concert ticket.

① you   ② us
③ her   ④ his
⑤ them

[06-09] 다음 빈칸에 들어갈 말이 바르게 짝지어진 것을 고르시오.

06
I have two uncles. _____ is a farmer, and _____ is a baseball player.

① Other – another   ② One – the other
③ One – other   ④ Other – the other
⑤ Another – other

07
• _____ children need love.
• I went to Greece with my family. _____ was a very beautiful country.

① Each – One   ② Every – It
③ Each – It   ④ All – One
⑤ All – It

08
• Both of us _____ shopping.
• _____ of them takes different classes at school.

① enjoy – All   ② enjoys – Each
③ enjoy – Each   ④ enjoys – All
⑤ enjoy – Both

09
• Anna is a fashion model. _____ clothes are always fashionable.
• _____ like computer games, and others like watching TV.

① Hers – One   ② Her – One
③ Her – Some   ④ Hers – Some
⑤ She – One

10 다음 밑줄 친 부분의 쓰임이 나머지와 다른 것은?

① The glasses on the desk are his.
② Mr. Brown misses his hometown.
③ This is his grandparents' fish farm.
④ He showed his new backpack to Grace.
⑤ His room is full of many different books.

11 다음 밑줄 친 부분을 대체할 수 있는 대명사는?

> Do you know Mike and his brother?

① me　　　　　② it
③ us　　　　　④ them
⑤ him

12 다음 대화의 빈칸에 들어갈 알맞은 말은?

> A Is this your handkerchief?
> B _____ It's my mother's.

① Yes, this is.
② No, that isn't.
③ Yes, it is.
④ No, it isn't.
⑤ No, this isn't.

13 다음 대화의 빈칸에 공통으로 들어갈 알맞은 말은?

> • A Hello, _____ is Emily. May I speak to Ivy, please?
>   B Just a moment, please.
> • A _____ is my nephew, Theo. He is an engineer.
>   B Hi. Nice to meet you.

① She　　　　　② This
③ He　　　　　④ That
⑤ It

14 다음 밑줄 친 this의 쓰임이 〈보기〉와 같은 것은?

> 보기 | This cookie is very delicious.

① This is good for you.
② This is an apple pie.
③ This is my sister, Jessica.
④ Is this your new camera?
⑤ How much is this leather jacket?

[15-17] 다음 중 어법상 바르지 않은 것을 고르시오.

15 ① All the boys are fond of the song.
② Randy always tries to help others.
③ I don't like this hat. Show me one.
④ Every room in the hotel has some towels.
⑤ I have two brothers. One lives in Seoul, and the other lives in Jeju.

16 ① I need both of you.
② Both of you are wrong.
③ Every boy in my class is very tall.
④ Each student have to sign up first.
⑤ All the students must wear name tags.

17 ① Both of them look smart.
② Each animal has different habits.
③ Every scene in the movie is beautiful.
④ Would you like another glass of milk?
⑤ All the guests was happy with the party.

18 다음 밑줄 친 it의 쓰임이 나머지와 다른 것은?

① It is Sunday today.
② It is a very pretty doll.
③ It is December 6th.
④ What day is it today?
⑤ It takes about five minutes.

19 다음 대화의 빈칸에 들어갈 알맞은 말은?

> A Are those pine trees?
> B _____ They are oak trees.

① Yes, it is.　　　　　② Yes, they are.
③ No, it isn't.　　　　④ No, they aren't.
⑤ Yes, those are.

[20-21] 다음 빈칸에 공통으로 들어갈 알맞은 말을 고르시오.

20
> • _____ is a wonderful city.
> • _____ was warm yesterday.

① She   ② This
③ One   ④ It
⑤ That

21
> • There's only one boy among the twenty people. And _____ are all girls.
> • I have eight candies. I will give Jake five candies. Do you want to take _____ ?

① one   ② another
③ the other   ④ the others
⑤ other

22 다음 밑줄 친 that의 쓰임이 〈보기〉와 같은 것은?

> 보기 | That is my purse.

① That blanket is not mine.
② Is that Jessica's new car?
③ Give me that hammer, please.
④ That boy is not my classmate.
⑤ Who is that girl with glasses?

23 다음 대화의 빈칸에 들어갈 말이 바르게 짝지어진 것은?

> A John is quite busy today. _____ has two meetings and an interview.
> B Then, may I leave a message for _____ ?

① He – he   ② Him – his
③ He – his   ④ Him – him
⑤ He – him

[24-25] 다음 중 어법상 바른 것을 고르시오.

24 ① One should respect his or her parents.
② Each of the students are diligent.
③ Those red shirts is very expensive.
④ Every book on the table sell for $10.
⑤ All of them goes to church every Sunday.

25 ① Every classrooms has an air conditioner.
② Those chocolate cupcakes is sweet.
③ Is this her new school uniform?
④ This is Bill. His is my best friend.
⑤ France is famous for it's wine.

26 다음 빈칸에 들어갈 말이 바르게 짝지어진 것은?

> • Don't throw away these boxes. We can use _____ again.
> • This skirt is too short. Do you have a longer _____ ?

① it – it   ② them – one
③ them – it   ④ it – one
⑤ ones – it

27 다음 대화 중 어법상 바르지 않은 것은?

① A What does the man do for a living?
   B He is an engineer.
② A Are those things yours?
   B No, it's not. They are my father's.
③ A What is your brother's hobby?
   B His hobby is reading fantasy novels.
④ A Excuse me, is this notebook yours?
   B Yes, it is. It's mine.
⑤ A How far is it from your house to the bank?
   B It is about two miles.

28 다음 우리말을 영어로 옮긴 것 중 바르지 않은 것은?

① 각각의 그림이 같아 보인다.
  ⇨ Each painting looks the same.
② 그들의 부모님은 매우 엄하시다.
  ⇨ Their parents are very strict.
③ 선반 위에 있는 그 책은 내 것이다.
  ⇨ The book on the shelf is mine.
④ 몇몇은 스테이크를 좋아하고, 다른 몇몇은 피자를 좋아한다.
  ⇨ Some like steak, and the others like pizza.
⑤ 그는 두 명의 여동생이 있다. 여동생 둘 다 학생이다.
  ⇨ He has two sisters. Both of them are students.

[29-33] 다음 우리말과 같은 뜻이 되도록 빈칸에 알맞은 단어를 쓰시오.

29 | 모든 소녀들은 꽃을 좋아한다.

⇒ _____ girl likes flowers.

30 | 학생들은 각자 사물함을 가지고 있다.

⇒ _____ student has a locker.

31 | 그녀는 두 개의 악기를 가지고 있다. 하나는 바이올린이고, 다른 하나는 첼로이다.

⇒ She has two instruments. _____ is a violin, and _____ is a cello.

32 | 가게에 많은 의자가 있다. 일부는 값이 싸고, 일부는 값이 비싸다.

⇒ There are many chairs in the shop. _____ are cheap, and _____ are expensive.

33 | 우리 형은 세 개의 셔츠를 가지고 있다. 하나는 초록색이고, 다른 하나는 검은색이고, 나머지 하나는 파란색이다.

⇒ My brother has three shirts. _____ is green, _____ is black, and _____ is blue.

[34-37] 다음 빈칸에 알맞은 대명사를 쓰시오.

34 | Jack took off _____ coat and sat down.

35 | Jennifer likes this necklace. I will give _____ to her.

36 | I'm going to buy sweet candies. Do you want _____?

37 | A Why do you like the muffler so much?
B Because _____ color is beautiful.

[38-39] 다음 두 문장이 같은 뜻이 되도록 빈칸에 알맞은 말을 쓰시오.

38 | This is a brand-new computer.

⇒ _____ _____ is brand-new.

39 | Those cookies are really delicious.

⇒ _____ _____ really delicious cookies.

[40-43] 다음 밑줄 친 부분을 어법에 맞게 고치시오.

40 | Tom wants to dance with I.

_____

41 | This beautiful flowers smell wonderful.

_____

42 | Both of the sports is difficult for me.

_____

43 | We have fifteen fruits. Some of them are apples, and the other are oranges.

[44-45] 다음 대화의 빈칸에 알맞은 말을 써넣으시오.

44 | A Hello. Who is calling?
B _____ is John. May I speak to Josh?
A _____ is not here. Would you like to leave a message?

45 | A May I help you?
B Yes. I'm looking for a cap.
A OK. How about this black _____?
B Let me see. I don't like that color. Can you show me _____?
A How about this?
B Oh, it's nice. I'll take _____.

Answers: p.20

[1-3] 다음 우리말과 같은 뜻이 되도록 빈칸에 알맞은 말을 쓰시오. 서술형

> 조건 알맞은 부정대명사를 쓸 것

1 그는 두 대의 자동차를 소유하고 있다. 하나는 SUV이고, 나머지 하나는 세단이다.

→ He owns two cars. _____ is an SUV, and _____ is a sedan.

2 공항에는 많은 여행객이 있다. 어떤 사람들은 한국인이고, 어떤 사람들은 미국인이다.

→ There are many passengers at the airport. _____ are Koreans, and _____ are Americans.

3 Julie는 모자 3개를 가지고 있다. 하나는 흰색, 또 다른 하나는 분홍색, 나머지 하나는 노란색이다.

→ Julie has three hats. _____ is white, _____ is pink, and _____ is yellow.

4 다음 글의 밑줄 친 부분 중, 어법상 틀린 것은? 수능 대비형

On Friday, Mr. Davis went for a drive. ① He <u>turned</u> right onto a large street. A sign told him the road would join ② <u>other</u> road very soon. After several miles, the road took ③ <u>him</u> up a mountain. He saw a sign showing the road would be very curvy. He became nervous. After 10 miles, he saw ④ <u>a</u> sign showing bears might ⑤ <u>cross</u> the road. Now he was scared!

* join: ~와 합류하다
** curvy: 구불구불한

Chapter 6

형용사와 부사

6-1 형용사
6-2 부정수량 형용사 I
6-3 부정수량 형용사 II
6-4 수사 – 기수와 서수
6-5 부사
6-6 빈도부사
6-7 주의해야 할 형용사/부사
Review Test
보너스 유형별 문제

6-1 형용사

형용사: 명사나 대명사를 수식하거나 설명하는 말로, (대)명사의 성질, 상태, 크기 등을 나타낸다.

형용사의 역할

❶ 한정적 쓰임: (대)명사를 앞이나 뒤에서 수식한다.
- I want to be a **famous** actor. 나는 유명한 배우가 되기를 원한다.
- That's an **interesting** question. 그것은 흥미로운 질문이다.
- Is there anything **wrong** with him? 그에게 무슨 문제가 있나요?

❷ 서술적 쓰임: 보어로 쓰여 주어나 목적어를 보충 설명한다.
- You look **gorgeous** today. (주격보어) 너는 오늘 멋져 보인다.
- My husband is **tall** and **thin**. (주격보어) 내 남편은 키가 크고 말랐다.
- I found the movie **boring**. (목적격보어) 나는 그 영화가 지루하다고 느꼈다.
- The news made me **sad**. (목적격보어) 그 소식은 나를 슬프게 만들었다.

> **TIPs**
> -thing, -one, -body로 끝나는 대명사는 반드시 뒤에서 수식해야 한다
> - Is there **anything fun** to do?
>
>   뭔가 재미있는 일이 없을까?

Answers: p.21

Exercise 1 다음 밑줄 친 용법과 쓰임이 같은 것을 〈보기〉에서 골라 쓰시오.

🔍 a. This subject is very difficult.   b. She has a beautiful ring.

1 The news made her serious.   ⇨ _____
2 Your briefcase looks very heavy.   ⇨ _____
3 You look great in your new dress.   ⇨ _____
4 We had a wonderful time in London.   ⇨ _____
5 Christine has a special talent for music.   ⇨ _____
6 These chocolate cookies taste delicious.   ⇨ _____
7 He bought a new scooter last week.   ⇨ _____
8 Here's some useful information about traveling in Korea.   ⇨ _____

Exercise 2 다음 밑줄 친 부분을 어법에 맞게 고쳐 쓰시오.

1 She is good a swimmer.   ⇨ _____
2 They help the children poor.   ⇨ _____
3 Rachel's English is perfectly.   ⇨ _____
4 We found this puzzle difficultly.   ⇨ _____
5 There is interesting nothing in this book.   ⇨ _____
6 My grandmother wants to eat sweet something.   ⇨ _____

다음 주어진 형용사를 넣어 밑줄 친 명사를 수식하는 문장을 만드시오.

1 Angela is wearing a <u>hat</u>. (strange)
   ⇨ _____

2 I found an <u>album</u> in the attic. (old)
   ⇨ _____

3 Look at those <u>birds</u> in the tree! (tiny)
   ⇨ _____

4 We want to drink <u>something</u>. (cold)
   ⇨ _____

5 Did your father ask for <u>anything</u>? (special)
   ⇨ _____

6 There are <u>oak trees</u> along the riverside. (big)
   ⇨ _____

Exercise 4 다음 우리말과 같은 뜻이 되도록 주어진 말을 배열하여 문장을 완성하시오.

1 이 커피는 맛이 좋다. (tastes, this, good, coffee)
   ⇨ _____

2 그는 나를 행복하게 만든다. (makes, he, happy, me)
   ⇨ _____

3 그는 문을 열린 채로 두었다. (he, the door, open, left)
   ⇨ _____

4 오늘은 흐리고 바람이 분다. (it, cloudy, and, is, windy, today)
   ⇨ _____

5 그녀는 아름다운 목소리를 가지고 있다. (beautiful, has, a, she, voice)
   ⇨ _____

6 내 리포트에 잘못된 것이 있나요? (with my paper, there, is, wrong, anything)
   ⇨ _____

7 나는 뉴욕에 있는 작은 아파트를 임대했다. (in New York, a, rented, small, I, apartment)
   ⇨ _____

8 Sam과 Ted는 흥미진진한 것을 하기를 원한다. (Sam and Ted, exciting, something, want, to do)
   ⇨ _____

6-2 부정수량 형용사 I

☐ 부정수량 형용사: 정해지지 않은 수나 양을 나타내는 형용사

	셀 수 있는 명사(수)	셀 수 없는 명사(양)	수 또는 양
많은	many	much	a lot of, lots of
약간의, 몇몇의	a few	a little	some, any
거의 없는	few	little	—

· Miranda has **many[a lot of, lots of]** hobbies. Miranda는 취미가 많다.
· There are **many[a lot of, lots of]** magazines in the library. 도서관에 많은 잡지가 있다.

· Kate doesn't drink **much[a lot of, lots of]** water. Kate는 물을 많이 마시지 않는다.
· I don't have **much[a lot of, lots of]** money in my pocket. 나는 주머니에 많은 돈을 가지고 있지 않다.

· I have **a few** friends in this neighborhood. 나는 이 동네에 친구가 몇 명 있다.
· I have **few** friends in this neighborhood. 나는 이 동네에 친구가 거의 없다.

· We had **a little** snow yesterday. 어제 눈이 조금 왔다.
· We had **little** snow last year. 작년에 눈이 거의 오지 않았다.

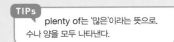
TIPs plenty of는 '많은'이라는 뜻으로, 수나 양을 모두 나타낸다.

· Would you like **some** coffee? 커피 좀 드실래요?
· Do you have **any** brothers? 당신은 형제가 있나요?

Answers: p.21

Exercise 1 다음 괄호 안에서 알맞은 것을 고르시오.

1 We don't have (many / much) water.

2 There are (many / much) jobs in the world.

3 We can see (many / much) stars in the sky.

4 I wrote (a few / a little) e-mails to my friends.

5 (A few / A little) days ago, I had a nightmare.

6 She drank too (many / much) coffee yesterday.

7 Brian has (few / little) information about China.

8 They saw (a few / a little) singers in the concert.

9 Ryan and Becky left (a few / a little) minutes ago.

10 Are there (many / much) tables in the restaurant?

11 Please hurry up. We don't have (many / much) time.

12 There are (many / much) wild animals in the rainforest.

13 He got (a few / a little) pocket money from his parents.

14 There are (few / little) people on the streets late at night.

15 Tom just moved in. He doesn't have (much / a lot of) friends.

Exercise 2 다음 괄호 안에서 알맞은 것을 고르시오.

1 There is a little (food / foods) in the fridge.

2 Colin had little (sleep / sleeps) last night.

3 We had very much (rain / rains) last summer.

4 How much (water / waters) should we drink every day?

5 Lots of (person / people) have smartphones these days.

6 People come to the U.S.A. for many (reason / reasons).

7 There were a lot of (student / students) on the school bus.

8 Do you have a lot of (information / informations) about them?

Exercise 3 다음 밑줄 친 부분을 어법에 맞게 고쳐 쓰시오.

1 There is a few soup in the bowl. ⇨ _____

2 He told me many thing about Jack. ⇨ _____

3 They paid much moneys for that house. ⇨ _____

4 We can see much antique shops in the street. ⇨ _____

5 Our teacher gave us too much homeworks today. ⇨ _____

6 My mother bought a little apples and vegetables. ⇨ _____

Exercise 4 다음 우리말과 같은 뜻이 되도록 주어진 단어를 이용하여 문장을 완성하시오.

1 1월에는 많은 눈이 온다. (snow)
⇨ We have _____ _____ in January.

2 이 마을에는 아이들이 거의 없다. (children)
⇨ There are _____ _____ in this town.

3 Daniel은 시험에서 많은 실수를 했다. (mistake)
⇨ Daniel made _____ _____ on the test.

4 커피에 설탕을 약간 넣어 주세요. (sugar)
⇨ Please add _____ _____ _____ in my coffee.

5 그에게 생각할 시간을 조금 줘라. (time)
⇨ Give him _____ _____ _____ to think about it.

6 장을 보러 가야겠다. 냉장고에 음식이 거의 없다. (food)
⇨ We have to go grocery shopping. There's _____ _____ .

부정수량 형용사 II

some과 any

'약간의'라는 뜻으로, 셀 수 있는 명사와 셀 수 없는 명사 앞에 쓰인다.

some	긍정문, 권유나 부탁을 하는 의문문
any	부정문, 의문문

· I want **some** coffee. 나는 약간의 커피를 원한다.
· Would you like **some** cookies? (권유) 쿠키 좀 드시겠어요?
· I didn't spend **any** money yesterday. 나는 어제 돈을 쓰지 않았다.
· Do you have **any** questions? 질문 있습니까?

> **TIPs**
> some과 any는 명사 없이 단독으로 쓰일 수도 있다.
> · I have some bread. Would you like **some**?
> 나는 빵이 조금 있어. 조금 먹어 볼래?
> · The tomatoes in the store were not good. So I didn't buy **any**.
> 그 가게의 토마토는 상태가 좋지 않았어. 그래서 나는 하나도 사지 않았어.

Answers: p.21

Exercise 1 다음 빈칸에 some이나 any 중 알맞은 것을 쓰시오.

1 Do you have _____ ideas?

2 Would you like _____ orange juice?

3 Steve gave me _____ good books.

4 The girl doesn't want to buy _____ shirts.

5 I need _____ medicine for my headache.

6 We don't have _____ classes on Saturday.

7 Do you have _____ special plans for tonight?

8 I don't have _____ money, but my sister has _____.

Exercise 2 다음 우리말과 같은 뜻이 되도록 주어진 단어와 some이나 any를 사용해 문장을 완성하시오.

1 책상 위에 책이 약간 있다. (book)
⇒ There are _____ on the desk.

2 Monica는 형제자매가 없다. (brothers or sisters)
⇒ Monica doesn't have _____.

3 아이스크림 좀 드시겠어요? (ice cream)
⇒ Would you like to have _____?

4 내 필통에는 연필이 하나도 없다. (pencils)
⇒ There aren't _____ in my pencil case.

5 나는 머핀을 구울 거야. 내게 밀가루를 조금 가져다 줘. (flour)
⇒ I'm going to bake muffins. Get me _____.

6 우리는 그 건물 내에서 어떤 사진도 찍을 수 없었다. (pictures)
⇒ We couldn't take _____ inside the building.

수사 - 기수와 서수

☐ 기수와 서수

기수는 '개수', 서수는 '순서'를 나타내는 말이다. 주로 기수 뒤에 -th를 붙이면 서수가 된다.

기수	서수	기수	서수
one: 1	first: 1st	eleven: 11	eleventh: 11th
two: 2	second: 2nd	twelve: 12	twelfth: 12th
three: 3	third: 3rd	thirteen: 13	thirteenth: 13th
four: 4	fourth: 4th	twenty: 20	twentieth: 20th
five: 5	fifth: 5th	twenty-one: 21	twenty-first: 21st
six: 6	sixth: 6th	twenty-two: 22	twenty-second: 22nd
seven: 7	seventh: 7th	twenty-three: 23	twenty-third: 23rd
eight: 8	eighth: 8th	twenty-four: 24	twenty-fourth: 24th
nine: 9	ninth: 9th	thirty: 30	thirtieth: 30th
ten: 10	tenth: 10th	a[one] hundred: 100	one hundredth: 100th

Answers: p.21

Exercise 1 다음을 서수로 바꿔 쓰시오.

1 one ⇨ _____

2 two ⇨ _____

3 three ⇨ _____

4 five ⇨ _____

5 seven ⇨ _____

6 nine ⇨ _____

7 forty-five ⇨ _____

8 twelve ⇨ _____

9 thirteen ⇨ _____

10 twenty ⇨ _____

11 twenty-two ⇨ _____

12 thirty-three ⇨ _____

Exercise 2 다음 우리말과 같은 뜻이 되도록 빈칸에 알맞은 말을 쓰시오.

1 그의 둘째 아들은 유명한 운동선수다.

⇨ His _____ son is a famous athlete.

2 Amy는 줄에서 다섯 번째에 서 있는 사람이다.

⇨ Amy is the _____ person in line.

3 오늘은 우리 아버지의 마흔한 번째 생신이다.

⇨ Today is my father's _____ birthday.

4 Jerry는 고등학교 3학년이다.

⇨ Jerry is in his _____ year in high school.

5 나는 영어 대회에서 일등을 했다.

⇨ I won _____ prize in the English contest.

6-5 부사

□ **부사**: 문장에서 동사, 형용사, 다른 부사, 또는 문장 전체를 수식한다.

- He can run **fast**. (동사 수식) 그는 빠르게 뛸 수 있다.
- I am **very** busy now. (형용사 수식) 나는 지금 매우 바쁘다.
- He can run **very** fast. (부사 수식) 그는 매우 빨리 달릴 수 있다.
- **Luckily**, I didn't miss the train. (문장 전체 수식) 운 좋게, 나는 기차를 놓치지 않았다.

TIPs 「명사+-ly」 형태의 lovely, friendly는 부사가 아닌 형용사이다.
- What a **lovely** day! 정말 멋진 날이구나!

□ **부사의 형태**

대부분의 형용사	형용사+-ly	quiet → quiet**ly** careful → careful**ly**	slow → slow**ly** regular → regular**ly**
-y로 끝나는 형용사	y → i+-ly	easy → eas**ily** heavy → heav**ily**	happy → happ**ily** lucky → luck**ily**
「자음+le」로 끝나는 형용사	e를 빼고+-y	simple → simp**ly** comfortable → comfortab**ly**	

- Mark works out **regularly**. Mark는 규칙적으로 운동한다.
- It's raining **heavily**. 비가 몹시 내리고 있다.
- Make yourself at home and sit **comfortably**. 어려워하지 말고 편안히 앉으세요.

Answers: p.21

Exercise 1 다음 주어진 형용사를 부사로 바꾸시오.

1	slow	⇨ _____	2	rapid	⇨ _____
3	careful	⇨ _____	4	easy	⇨ _____
5	happy	⇨ _____	6	heavy	⇨ _____
7	fortunate	⇨ _____	8	wonderful	⇨ _____
9	nice	⇨ _____	10	comfortable	⇨ _____
11	regular	⇨ _____	12	bad	⇨ _____
13	main	⇨ _____	14	pretty	⇨ _____
15	clear	⇨ _____	16	soft	⇨ _____
17	different	⇨ _____	18	wise	⇨ _____
19	serious	⇨ _____	20	sudden	⇨ _____
21	kind	⇨ _____	22	new	⇨ _____
23	loud	⇨ _____	24	lucky	⇨ _____
25	special	⇨ _____	26	necessary	⇨ _____
27	quiet	⇨ _____	28	great	⇨ _____
29	simple	⇨ _____	30	important	⇨ _____

Exercise 2   다음 괄호 안에서 알맞은 것을 고르시오.

1   We spent the money (wise / wisely).

2   I understand his idea (clear / clearly).

3   Chris was driving (careful / carefully).

4   The singer sang a song (soft / softly).

5   (Lucky / Luckily), she passed the exam.

6   Jim went out of the room (silent / silently).

7   You should talk (quiet / quietly) in the museum.

8   Jenny (total / totally) forgot about the appointment.

9   The taxi stopped (sudden / suddenly) on the street.

10   Charlie rides his motorbike on the sidewalks (careless / carelessly).

Exercise 3   다음 〈보기〉와 같이 밑줄 친 부사가 수식하는 말을 찾아 표시하시오.

🔍   The birds sings well on the tree.

1   He speaks English fluently.

2   The exam was surprisingly easy.

3   Happily, his injury was not serious.

4   My brother can play the drums very well.

5   Angela dressed beautifully for the prom.

Exercise 4   다음 밑줄 친 부분을 어법에 맞게 고쳐 쓰시오.

1   Bill was very friend to me.   ⇒ _____

2   The movie ended happy.   ⇒ _____

3   Molly solved the science quiz very easy.   ⇒ _____

4   Jeremy closed the door quiet behind him.   ⇒ _____

5   Unfortunate, Emily had to leave the company.   ⇒ _____

6-6 빈도부사

📖 **빈도부사**

어떤 일이 얼마나 자주 일어나는지를 나타내는 부사로, be동사나 조동사 뒤, 일반동사 앞에 위치한다.

| **always** 항상 | **usually** 대개 | **often** 종종 | **sometimes** 가끔 | **never** 절대 ~ 않는 |

· My dad **always** goes to work by bus. 우리 아빠는 항상 버스로 출근하신다.
· I am **usually** at home in the evenings. 나는 저녁 시간에 대개 집에 있다.
· He **often** listens to the radio. 그는 종종 라디오를 듣는다.
· They **sometimes** play basketball after school. 그들은 가끔 방과 후에 농구를 한다.
· We will **never** forget you. 우리는 너를 절대로 잊지 않을 것이다.

TIPs 부사 sometimes는 문장 맨 앞이나 맨 끝에 오기도 한다.
· **Sometimes** he drinks Coke. 그는 때때로 콜라를 마신다.

Answers: p.22

Exercise 1 다음 우리말과 같은 뜻이 되도록 알맞은 빈도부사를 써넣으시오.

1 4월에는 가끔 눈이 온다.
⇨ _____ it snows in April.

2 그들은 대개 여섯 시에 일을 마친다.
⇨ They _____ finish work at six.

3 나는 결코 그 끔찍한 사고를 잊지 않을 것이다.
⇨ I will _____ forget the horrible accident.

4 내 아내와 나는 종종 영화관에 간다.
⇨ My wife and I _____ go to the movies.

5 우리 아버지는 항상 일곱 시에 아침 식사를 한다.
⇨ My father _____ has breakfast at 7 o'clock.

Exercise 2 다음 우리말과 같은 뜻이 되도록 주어진 단어를 배열하여 문장을 완성하시오.

1 나는 아침에 종종 조깅을 한다. (I, jog, in the morning, often)
⇨ _____

2 너는 대개 몇 시에 잠자리에 드니? (go to bed, what time, usually, do, you)
⇨ _____

3 Paul은 다른 사람에게 항상 예의가 바르다. (always, polite, to others, Paul, is)
⇨ _____

4 일부 사람들은 돼지고기를 절대로 먹지 않는다. (never, pork, some people, eat)
⇨ _____

5 우리는 때때로 큰 실수를 할 수도 있다. (we, make, big mistakes, can, sometimes)
⇨ _____

□ 형용사와 부사의 형태가 같은 단어: fast, hard, early, late, high ...

· A **fast** car is coming toward us. (형용사: 빠른) 빠른 차가 우리에게로 다가온다.

· The train runs really **fast**. (부사: 빨리) 그 기차는 아주 빠르게 달린다.

· It is a **hard** job. (형용사: 어려운) 그것은 어려운 일이다.

· All students in my class study **hard**. (부사: 열심히) 우리 반의 모든 학생들은 공부를 열심히 한다.

· I had an **early** lunch. (형용사: 이른) 나는 이른 점심을 먹었다.

· I went to bed **early** last night. (부사: 일찍) 나는 어젯밤에 일찍 잠자리에 들었다.

> **TIPs**
> hardly는 hard와 상관없이 '거의 ~않은', '결코 ~않은'이라는 뜻의 부사다.
> · I could **hardly** believe the news. 나는 그 소식을 거의 믿을 수가 없었다.

□ too와 either

too와 either는 '또한', '역시'라는 뜻으로, too는 긍정문에, either는 부정문에 쓰인다.

· Mary is a teacher. Her father is a teacher, **too**. Mary는 선생님이다. 그녀의 아버지도 선생님이다.

· I don't like coffee. My sister doesn't like coffee, **either**.
나는 커피를 좋아하지 않는다. 내 여동생도 커피를 좋아하지 않는다.

> **TIPs**
> '너무, 매우'의 뜻인 too는 형용사나 부사 앞에 쓰인다.
> · There are **too** many people here. 여기에는 사람들이 너무 많다.

□ good과 well

good은 명사를 수식하거나 보어 역할을 하는 형용사이고, well은 동사를 수식하는 부사이다.

· She is a **good** swimmer. 그녀는 훌륭한 수영 선수이다.

· She swims **well**. 그녀는 수영을 잘한다.

> **TIPs**
> well은 '건강한'이라는 뜻의 형용사로도 쓰인다.
> · How is she doing? Is she **well**? 그녀는 어떠니? 건강하니?

Answers: p.22

Exercise 1 다음 밑줄 친 부분과 쓰임이 같은 것을 〈보기〉에서 골라 쓰시오.

🔍 a. This is a <u>hard</u> question.　　　b. They are working <u>hard</u>.

1 She often drives too <u>fast</u>. ⇨ _____

2 How <u>high</u> is the Eiffel Tower? ⇨ _____

3 Wait for me. It won't take <u>long</u>. ⇨ _____

4 You shouldn't go out. It's too <u>late</u>. ⇨ _____

5 You'll have to make some <u>hard</u> decisions. ⇨ _____

6 My sister and I woke up <u>early</u> this morning. ⇨ _____

Exercise 2 다음 밑줄 친 부분을 어법에 맞게 고쳐 쓰시오.

1 Bobby isn't a <u>well</u> swimmer. ⇨ _____

2 I am thirsty. She is thirsty, <u>either</u>. ⇨ _____

3 All the teams played very <u>good</u> today. ⇨ _____

4 Billy has a dog. Kelly has a dog, <u>either</u>. ⇨ _____

5 Sam isn't from England. Jake isn't from England, <u>too</u>. ⇨ _____

[01-03] 다음 빈칸에 들어갈 알맞은 말을 고르시오.

01

A cricket can jump really _____.

① big   ② high
③ tall   ④ little
⑤ small

02

She had a _____ face.

① lovely   ② greatly
③ happily   ④ sadly
⑤ beautifully

03

Would you like _____ chocolate cookies?

① some   ② any
③ much   ④ a little
⑤ either

04 다음 문장의 밑줄 친 부분과 바꿔 쓸 수 있는 것은?

Was there a lot of traffic on your way home?

① few   ② any
③ little   ④ many
⑤ much

05 다음 빈칸에 공통으로 들어갈 알맞은 말은?

• Do you have _____ pets at home?
• I don't have _____ problems with that.

① some   ② any
③ few   ④ little
⑤ much

[06-08] 다음 대화의 빈칸에 들어갈 알맞은 말을 고르시오.

06

A How _____ erasers do you have?
B I have three.

① much   ② too
③ many   ④ little
⑤ either

07

A I feel thirsty. I need some juice.
B I'm sorry. We don't have _____ now.

① few   ② any
③ a few   ④ some
⑤ many

08

A Hello, Mr. Lee. I'm glad to meet you.
B I'm glad to meet you, _____.

① so   ② either
③ too   ④ well
⑤ also

09 다음 중 빈칸에 들어갈 말이 나머지 넷과 다른 것은?

① Is there _____ coffee left?
② Would you like _____ orange juice?
③ _____ trees lose their leaves in the fall.
④ I need _____ garlic for this recipe.
⑤ Let's watch _____ music videos.

10 다음 빈칸에 들어갈 수 없는 말은?

There are _____ people at the stadium.

① lots of   ② a lot of
③ much   ④ many
⑤ plenty of

11 다음 중 기수와 서수가 바르게 연결된 것은?

① three – threeth
② eight – eighth
③ thirty – thirtyth
④ twelve – twelvth
⑤ twenty-two – twenty-twoth

12 다음 중 짝지어진 단어의 관계가 나머지 넷과 다른 것은?

① love – lovely
② easy – easily
③ quiet – quietly
④ simple – simply
⑤ happy – happily

13 다음 중 빈도부사의 위치가 바르지 못한 것은?

① Jake always is kind and funny.
② Kate usually wears black jeans.
③ He will never discover the truth.
④ My dad sometimes cooks dinner.
⑤ Rachel often works on the weekend.

14 다음 우리말과 같은 뜻이 되도록 빈칸에 들어갈 알맞은 말은?

Noah는 3등으로 경기를 마쳤고, Liam은 네 번째로 들어왔다.
= Noah finished 3rd, and Liam came in
_____.

① four
② fortieth
③ forty
④ fourth
⑤ 4rd

15 다음 대화의 빈칸에 들어갈 수 없는 말은?

A How many _____ does the girl have?
B She has four.

① sheep
② sisters
③ money
④ balloons
⑤ sweaters

[16-18] 다음 중 어법상 바르지 않은 것을 고르시오.

16 ① It hard rains here.
② The man always speaks loudly.
③ Milk is very good for your health.
④ How many letters are there in the box?
⑤ Will you bring some food to the party?

17 ① The princess lived happily with the prince.
② He sometimes plays the drums at night.
③ There are a lot of temples in Korea.
④ Angela has a few water in her bottle.
⑤ We don't know the exact reason.

18 ① Brian is a friendly person.
② He got up lately this morning.
③ We finished the work quickly.
④ This tablet computer is quite expensive.
⑤ I am in seventh grade.

19 다음 우리말을 영어로 바르게 옮긴 것은?

그들은 때때로 호수로 수영하러 간다.

① They go swimming sometimes in the lake.
② They went swimming sometimes in the lake.
③ They go sometimes swimming in the lake.
④ They sometimes went swimming in the lake.
⑤ They sometimes go swimming in the lake.

20 다음 대화의 빈칸에 들어갈 알맞은 말은?

A I don't have any brothers or sisters. How about you?
B I don't have any brothers or sisters,
_____.

① so
② too
③ either
④ well
⑤ also

21 다음 중 밑줄 친 부분의 쓰임이 나머지와 다른 것은?

① It rained heavily yesterday.
② We enjoyed the party greatly.
③ She is missing her mom terribly.
④ Tina is not a very friendly person.
⑤ Christine drives her car carefully.

22 다음 〈보기〉의 밑줄 친 부분과 같은 의미로 쓰인 것은?

> 보기 | The test was hard. How did you pass it?

① It blows hard now.
② Chris hit the wall hard.
③ The man worked hard last week.
④ He studied hard for a good grade.
⑤ Please help me. My homework is too hard.

23 다음 밑줄 친 우리말을 영어로 바르게 옮긴 것은?

> A What are you doing this Christmas?
> B 특별한 일 없어. How about you? Do you have any plans?

① Something special.
② Nothing special.
③ Special nothing.
④ Anything special.
⑤ Special anything.

[24-26] 다음 중 밑줄 친 단어의 쓰임이 나머지 넷과 다른 것을 고르시오.

24 ① That house is pretty big.
② My friend James is pretty tall.
③ Emily is wearing a pretty dress.
④ This computer is pretty fast.
⑤ It's already pretty dark.

25 ① This jacket suits you very well.
② Jane plays the piano very well.
③ The plants are growing well now.
④ You don't look well. Is anything wrong?
⑤ We can't hear you well. It's very noisy here.

26 ① Crabs have a hard shell.
② He is a pretty fast player.
③ How high is the Eiffel Tower?
④ The bus came ten minutes late.
⑤ The flowers bloom in early spring.

27 다음 대화의 빈칸에 들어갈 말로 바르게 짝지어진 것은?

> A What's wrong?
> B I made _____ mistakes on the test.
> A Cheer up! Let's do _____ special today.

① some – nothing
② any – something
③ some – nothing
④ any – anything
⑤ some – something

[28-30] 다음 중 어법상 바른 것을 고르시오.

28 ① Allen eats never breakfast on Sundays.
② She invited many friends to the party.
③ Can you see some cars in the street?
④ Give me a little minutes.
⑤ I won two prize in the contest.

29 ① She doesn't like carrots, too.
② The class is terrible noisy today.
③ They get up early in the morning.
④ She washed the antique plate careful.
⑤ There are fourth kittens in the basket.

30 ① The patient had many sleep last night.
② Ron is the three child in his family.
③ I have to buy a little things at the mall.
④ My little brother loses often his umbrella.
⑤ Could you post some postcards for me?

31 다음 우리말을 영어로 옮긴 것 중 바르지 <u>않은</u> 것은?

① 그 빵을 좋아하는 학생들이 거의 없었다.
 ⇨ Little students liked the bread.
② 기차가 30분 늦게 도착했다.
 ⇨ The train arrived half an hour late.
③ 이번 주말에 무슨 계획이 있나요?
 ⇨ Do you have any plans this weekend?
④ 지구는 태양으로부터 세 번째 행성이다.
 ⇨ The earth is the third planet from the sun.
⑤ 그 기계에 뭔가 문제가 있다.
 ⇨ There is something wrong with the machine.

[32-35] 다음 괄호에서 알맞은 것을 <u>고르시오</u>.

32 Billy left here a few (minute / minutes) ago.

33 My mother looked (happy / happily) on her birthday.

34 Do you really want my (honest / honestly) opinion?

35 Oysters are out of season. We don't have (some / any).

[36-39] 다음 문장을 읽고, 밑줄 친 단어를 알맞게 고쳐 빈칸에 써넣으시오.

36 Ross drives <u>carefully</u>.

 ⇨ Ross is a _____ driver.

37 My little sister reads very <u>slowly</u>.

 ⇨ My little sister is a very _____ reader.

38 The student answered me <u>quickly</u>.

 ⇨ The student gave me a _____ answer.

39 The woman dressed <u>beautifully</u> for the party.

 ⇨ The woman wore a _____ dress for the party.

[40-41] 다음 문장에서 <u>틀린</u> 부분을 찾아 어법에 맞게 고쳐 쓰시오.

40 You will learn new something every day at school.

_____

41 Would you turn down the volume, please? It's too noisily.

_____

[42-43] 다음 우리말과 같은 뜻이 되도록 괄호 안의 말을 배열하여 문장을 완성하시오.

42 Kate는 대개 하루에 다섯 시간 공부한다.
 (a day, Kate, studies, five hours, usually)

 ⇨ _____

43 그녀의 아파트는 12층에 있다.
 (her, twelfth, is, the, floor, on, apartment)

 ⇨ _____

117

Answers: p.24

[1-3] 표를 보고, [보기]와 같이 빈도부사를 이용하여 문장을 완성하시오.

서술형

	Spring	Summer	Fall	Winter
always				cold
usually	warm	hot	cool	
often		rain	windy	
sometimes	rain			
hardly				rain
never		snow		hot

보기　In spring, it ___is usually___ warm, and it ___sometimes rains___ .

1 In summer, it _____, and it _____ .

2 In fall, it _____ windy, and it _____ cool.

3 In winter, it _____ cold, and it _____ .

4 다음 글의 밑줄 친 부분 중, 어법상 틀린 것은?

수능 대비형

In the American South of the 1960s, African-Americans were treated ① differently. They had to use separate water fountains, go to separate schools, and ② ride in the back of buses. To fight the ③ unfair treatment, one black woman protested. She sat at the front of the bus, even though these seats were for whites ④ only. Her actions eventually changed the law, and African-Americans came to be treated more ⑤ equal.

* water fountain: 식수대
** protest: 저항하다

Chapter 7

비교

7-1   비교급과 최상급의 형태 – 규칙 변화형

7-2   비교급과 최상급의 형태 – 불규칙 변화형

7-3   원급을 이용한 비교 표현

7-4   비교급을 이용한 비교 표현

7-5   최상급을 이용한 비교 표현

Review Test

보너스 유형별 문제

◻ 형용사와 부사의 비교급, 최상급의 형태

형용사와 부사의 비교급은 일반적으로 원급에 -er, 최상급은 원급에 -est를 붙인 형태이다.

대부분의 경우	-er / -est	tall – tall**er** – tall**est** old – old**er** – old**est** fast – fast**er** – fast**est**
-e로 끝나는 경우	-r / -st	nice – nice**r** – nice**st** safe – safe**r** – safe**st** large – large**r** – large**st**
「단모음+단자음」으로 끝나는 경우	자음을 한 번 더 쓰고 -er / -est	fat – fa**tter** – fa**ttest** hot – ho**tter** – ho**ttest** big – bi**gger** – bi**ggest**
「자음+-y」로 끝나는 경우	y를 i로 바꾸고 -er / -est	easy – eas**ier** – eas**iest** pretty – pret**tier** – pret**tiest** heavy – heav**ier** – heav**iest**

high　　　**higher**　　　　　　Box A is the **smallest** box.

◻ 형용사나 부사 앞에 more, most를 붙여 비교급과 최상급이 되는 경우도 있다.

-ful, -ing, -ed, -ous 등으로 끝나는 2음절 단어와 3음절 이상의 단어	more ~ / most ~	excited – **more** excited – **most** excited difficult – **more** difficult – **most** difficult beautiful – **more** beautiful – **most** beautiful important – **more** important – **most** important surprising – **more** surprising – **most** surprising expensive – **more** expensive – **most** expensive
「형용사+-ly」의 부사		easily – **more** easily – **most** easily quickly – **more** quickly – **most** quickly

expensive　**more expensive**　　　The **most expensive** one is the cheeseburger.

1   happy _____ _____

2   new _____ _____

3   cheap _____ _____

4   low _____ _____

5   serious _____ _____

6   dirty _____ _____

7   easy _____ _____

8   colorful _____ _____

9   hot _____ _____

10 wet _____ _____

11 curious _____ _____

12 lucky _____ _____

13 simple _____ _____

14 mild _____ _____

15 strong _____ _____

16 amazing _____ _____

17 poor _____ _____

18 loud _____ _____

19 tasty _____ _____

20 thin _____ _____

21 useful _____ _____

22 lovely _____ _____

23 interesting _____ _____

24 shocking _____ _____

25 quickly _____ _____

26 bright _____ _____

27 special _____ _____

28 light _____ _____

29 boring _____ _____

30 famous _____ _____

비교급과 최상급의 형태 - 불규칙 변화형

□ 비교급과 최상급의 형태가 불규칙한 단어

원급		비교급	최상급
good	좋은	better	best
well	건강한		
bad	나쁜	worse	worst
ill	아픈		
many	(수가) 많은	more	most
much	(양이) 많은		
little	(양이) 적은	less	least
late	늦은	later	latest
	나중의, 후자의	latter	last
old	늙은, 낡은	older	oldest
	손위의	elder	eldest
far	먼	farther	farthest
	더욱	further	furthest

Answers: p.24

Exercise 1 다음 형용사와 부사의 비교급과 최상급을 쓰시오.

1   well _____ _____

2   thick _____ _____

3   bad _____ _____

4   much _____ _____

5   good _____ _____

6   far(더욱) _____ _____

7   far(먼) _____ _____

8   little _____ _____

9   old(늙은, 낡은) _____ _____

10 old(손위의) _____ _____

11 many _____ _____

12 ill _____ _____

13 various _____ _____

14 few _____ _____

15 late(늦은) _____ _____

16 late(나중의) _____ _____

원급을 이용한 비교 표현

I'm 55kg.

I'm 55kg.

> **TIPs** 원급 비교에서 「(not) as+원급 +as」 뒤에 오는 「주어+동사」는 목적격으 로도 쓸 수 있다.
> · I am not as tall as **he is.**
>   = I am not as tall as **him.**
>   나는 그만큼 키가 크지는 않다.
> · Steve studies as hard as **Mary does.** = Steve studies as hard as **Mary.**
>   Steve는 Mary만큼 열심히 공부한다.

· Kelly is **as heavy as** Fred. Kelly는 Fred만큼 체중이 나간다.
· Kelly is **not as[so] tall as** Fred. Kelly는 Fred만큼 키가 크지 않다.

「as+형용사/부사의 원급+as」: '~만큼 …한/하게'
· I can jump **as high as** you (can). 나는 너만큼 높이 뛸 수 있다.
· James is **as kind as** Bill (is). James는 Bill만큼 친절하다.

> **TIPs** 비교하는 대상은 문법적으로 동등한 형태가 되어야 한다.
> · My sister's hair is as long as **yours.** (yours=your hair)
>   내 여동생의 머리 길이는 네 머리 길이 만큼 길다.

「not as[so]+형용사/부사의 원급+as」: '~만큼 …하지 않은/하지 않게'
· Amy **is not as[so] clever as** her brother. Amy는 오빠만큼 영리하지 않다.
· He **doesn't work as[so] hard as** you do. 그는 너만큼 열심히 일하지 않는다.

Answers: p.25

Exercise 1 다음 괄호 안에서 알맞은 것을 고르시오.

1 Carol is not as smart (as / than) Nancy.

2 Our car is as (fast / faster) as John's car.

3 This skirt is as (long / longer) as that one.

4 My uncle is as heavy (as / than) my father.

5 His sister is (more beautiful / as beautiful) as Kate.

6 My teacher's voice is (as / very) soft as my mother's.

Exercise 2 다음 그림을 보고, 주어진 단어를 이용하여 빈칸을 채우시오.

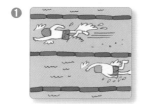   

1 Brian can't swim _____ Bill can. (fast)

2 Mt. Halla isn't _____ Mt. Baekdu. (high)

3 The red box isn't _____ the green one. (big)

4 Mindy's hair isn't _____ Brandy's hair. (long)

Exercise 3 다음 우리말과 같은 뜻이 되도록 〈보기〉에서 알맞은 단어를 골라 문장을 완성하시오.

| 🔍 | tall | fast | fresh | much | long | expensive | heavy |

1 그녀는 나만큼이나 키가 크다.

⇨ She is _____ _____ _____ I am.

2 내 가방은 Jamie의 가방만큼 비싸다.

⇨ My bag is _____ _____ _____ Jamie's bag.

3 은은 금만큼 무겁지 않다.

⇨ Silver is _____ _____ _____ _____ gold.

4 나는 포도만큼 오렌지를 좋아한다.

⇨ I like oranges _____ _____ _____ I like grapes.

5 2월은 3월만큼 길지 않다.

⇨ February is _____ _____ _____ March.

6 내 자동차는 Peter의 자동차만큼 빠르지 않다.

⇨ My car is _____ _____ _____ Peter's car.

7 이 사과들은 냉장고에 있는 사과들만큼 신선하지 않다.

⇨ These apples are _____ _____ _____ the ones in the fridge.

Exercise 4 다음 우리말과 같은 뜻이 되도록 주어진 단어를 배열하여 문장을 완성하시오.

1 나의 조부모님 댁은 우리 집만큼 크다. (big, as, is, as)

⇨ My grandparents' house _____ ours.

2 이번 여름은 지난여름만큼 덥지 않다. (is, hot, not, as, so)

⇨ This summer _____ last summer was.

3 이 영화는 저 소설만큼 지루하지 않다. (as, is, boring, as, not)

⇨ This movie _____ that novel.

4 번지점프는 스카이다이빙만큼 위험하다. (as, is, dangerous, as)

⇨ Bungee jumping _____ skydiving.

5 흡연자는 비흡연자만큼 오래 살지 못한다. (live, long, don't, as, as)

⇨ Smokers _____ non-smokers.

6 Kelly는 나만큼 일찍 일어나지 않았다. (get up, early, as, didn't, as)

⇨ Kelly _____ I did.

비교급을 이용한 비교 표현

📑 비교급을 이용한 비교 표현

- Mark is **taller than** Jennifer. Mark는 Jennifer보다 키가 크다.
- Jennifer is **younger than** Mark. Jennifer는 Mark보다 어리다.

📑 「형용사/부사의 비교급+than+비교 대상」: '~보다 …한/하게'
- He works **harder than** others. 그는 다른 사람들보다 더 열심히 일한다.
- Your bag is **heavier than** mine. 네 가방이 내 것보다 무겁다.
- Kim's English is **better than** mine. Kim의 영어 실력이 나보다 낫다.
- The movie was **more interesting than** I expected. 그 영화는 내가 기대했던 것보다 더 재미있었다.

> **TIPs** 원급 비교의 부정문은 비교급을 이용한 비교 표현으로 바꿔 쓸 수 있다.
> · My room is **not as big as** his.
> 내 방은 그의 것보다 크지 않다.
> = His room is **bigger than** mine.
> 그의 방은 내 것보다 크다.

📑 비교급의 강조: much, even, far, still, a lot 등을 사용하여 강조하고 '훨씬', '더욱'이라고 해석한다.
- His car can run **much** faster than mine. 그의 차는 내 차보다 훨씬 빨리 달릴 수 있다.
- This purse is **far** more expensive than that one. 이 핸드백이 저것보다 훨씬 더 비싸다.
- I could do **even** better than everyone expected. 나는 모두가 생각했던 것보다 훨씬 더 잘할 수 있었다.
- I will work **a lot** harder than anybody else. 나는 다른 누구보다 더욱 열심히 일할 것이다.

📑 「비교급+and+비교급」과 「more and more+원급」: '점점 더 ~한/하게'
- It's growing **darker and darker**. 점점 어두워지고 있다.
- Your English is getting **better and better**. 너의 영어 실력이 점점 좋아지고 있다.
- My job is becoming **more and more difficult**. 내 일이 점점 어려워지고 있다.

> **TIPs** 「비교급+and+비교급」과 「more and more+원급」은 get, become, grow, turn 등과 같이 '~되다'라는 뜻을 가진 동사와 주로 함께 쓰인다.

Answers: p.25

Exercise 1 다음 그림을 보고, 주어진 단어를 이용해 문장을 완성하시오.

①  ②  ③  ④

1 Jack's dog is _____ Amelia's cat. (big)

2 Mt. Everest is _____ Mt. McKinley. (high)

3 The red house is _____ the blue one. (old)

4 The blue skirt is _____ the yellow one. (expensive)

Exercise 2 다음 괄호 안에서 알맞은 것을 고르시오.

1   I drink (less / little) coffee than Andy.

2   My computer is older (as / than) yours.

3   I can run (faster / more faster) than her.

4   Gold is (heavier / more heavier) than silver.

5   This scarf is (cheap / cheaper) than that one.

6   Your feet are (even / more) bigger than mine.

7   Tommy doesn't watch TV (so / still) much as you.

8   Michael looks (much / more) older than Sue does.

9   She wears skirts (so often / more often) than pants.

10 Why don't we go by subway? It's (much / so) faster.

11 My cat is becoming (fatter and fatter / more and more fat).

12 We played (much / very) better than them during the match.

13 Those glasses are (as expensive / more expensive) than these.

14 My little brother is (far / very) more excited about the trip than me.

15 The game is getting (more and more exciting / more exciting and more exciting).

Exercise 3 다음 두 문장이 같은 뜻이 되도록 빈칸을 알맞게 채우시오.

> 🔍 **Kevin is not as brave as Henry.**
>   ⇒ **Henry is** _____ braver than _____ **Kevin.**

1   This shirt is not so large as that one.

⇒ That shirt is _____ this one.

2   The violin is not so big as the cello.

⇒ The cello is _____ the violin.

3   That actor is not as famous as this actress.

⇒ This actress is _____ that actor.

4   Basketball is not as popular as baseball in Korea.

⇒ Baseball is _____ basketball in Korea.

5   These apples are not as sweet as those strawberries.

⇒ Those strawberries are _____ these apples.

Exercise 4 다음 우리말과 같은 뜻이 되도록 주어진 단어를 이용해 문장을 완성하시오.

1 중국은 일본보다 더 넓다. (large)

　⇨ China is _____ Japan.

2 내 기침이 점점 더 심해지고 있다. (bad)

　⇨ My cough is getting _____ .

3 돌고래는 상어보다 더 영리하다. (clever)

　⇨ Dolphins are _____ sharks.

4 내 목소리가 네 목소리보다 더 컸다. (loud)

　⇨ My voice was _____ yours.

5 네 여동생은 내 남동생보다 어리다. (young)

　⇨ Your little sister is _____ my little brother.

6 이메일은 편지보다 더 편리하다. (convenient)

　⇨ E-mails are _____ letters.

7 나는 공연 전에 점점 긴장하고 있었다. (nervous)

　⇨ I was becoming _____ before the performance.

8 너의 스페인어 실력이 점점 좋아지고 있다. (good)

　⇨ Your Spanish is getting _____ .

9 우리 어머니는 요즘 아버지보다 더 바쁘다. (busy)

　⇨ My mother is _____ my father these days.

10 너는 오늘 아침에 나보다 더 일찍 일어났니? (early)

　⇨ Did you get up _____ me this morning?

11 평상시보다 훨씬 더 많은 비가 내리고 있다. (a lot, much)

　⇨ It is raining _____ usual.

12 나는 이 책이 저 책보다 더 재미있다고 생각한다. (interesting)

　⇨ I think this book is _____ that one.

13 Joey는 내가 좋아하는 것보다 훨씬 더 피자를 좋아한다. (even, much)

　⇨ Joey likes pizza _____ I do.

14 한국에서는 미식축구보다 축구가 훨씬 인기가 많다. (much, popular)

　⇨ Soccer is _____ football in Korea.

15 날이 점점 어두워지고 있었다. 그래서 우리는 서둘러 집으로 돌아왔다. (dark)

　⇨ It was getting _____ . So we hurried to return home.

최상급: 최상급은 셋 이상의 것 중에서 '가장 ~하다'라는 뜻으로, 최상급 앞에는 정관사 the가 온다.

> **TIPs** 최상급과 함께 쓰이는 명사는 문맥 상으로 의미가 파악할 수 있는 경우에는 생략할 수 있다.
> · James is **the best (player)** on his team. James는 팀 내 최고의 선수이다.

· The house in the middle is **the biggest** of the three. 중간에 있는 집이 셋 중에서 가장 크다.
· The red house is **the smallest** of the three. 빨간 집이 셋 중에서 가장 작다.

「the+최상급+(명사)」: '가장 ~한'
· Josh is **the smartest boy** in my class. Josh가 우리 반에서 가장 똑똑한 소년이다.
· What is **the highest mountain** in the world? 세계에서 가장 높은 산은 무엇이니?
· Money is not **the most important thing** in life. 돈이 인생에서 가장 중요한 것은 아니다.
· Sam is **the tallest** of us. Sam이 우리들 중에서 키가 제일 크다.

「one of the+최상급+복수명사」: '가장 ~한 … 중 하나'
· He is **one of the most famous actors** in Hollywood. 그는 할리우드에서 가장 유명한 배우 중 한 명이다.
· The church is **one of the biggest buildings** in the city. 그 교회는 도시에서 가장 큰 건물 중 하나이다.

Answers: p.25

Exercise 1 다음 우리말과 같은 뜻이 되도록 주어진 단어를 이용하여 문장을 완성하시오.

1 내 책상이 이 교실에서 가장 오래되었다. (old)
⇨ My desk is _____ in this classroom.

2 나일 강은 세계에서 가장 긴 강이다. (long, river)
⇨ The Nile is _____ in the world.

3 세상에서 가장 부유한 사람은 누구니? (rich, man)
⇨ Who is _____ in the world?

4 뉴욕은 세계에서 가장 큰 도시 중 하나이다. (big, city)
⇨ New York is _____ in the world.

5 겨울은 스키 타기에 가장 좋은 계절이다. (good, season)
⇨ Winter is _____ for skiing.

6 이것이 이 가게에서 가장 비싼 반지이다. (expensive, ring)
⇨ This is _____ in the shop.

7 오늘은 내 인생에서 가장 행복한 날 중 하루다. (happy, day)
⇨ Today is _____ of my life.

8 지구는 우주에서 가장 아름다운 행성 중 하나이다. (beautiful, planet)
⇨ The Earth is _____ in the universe.

Exercise 2 다음 문장에서 틀린 부분을 찾아 어법에 맞게 고쳐 쓰시오.

1 A cheetah is the most fast animal in the world. ⇒ _____

2 What is largest country in the world? ⇒ _____

3 Jack is one of best players on our team. ⇒ _____

4 Today is one of the most hot days of the year. ⇒ _____

5 Nancy is one of the smartest girl in our school. ⇒ _____

6 Lilly is one of the most popular singer in England. ⇒ _____

Exercise 3 다음 괄호 안에서 알맞은 것을 고르시오.

1 I can't run so (fast / faster) as Jenny.

2 Let's go by bus. It's much (cheaper / cheapest).

3 My headache is getting worse and (worse / worst).

4 She was the (more / most) impressive actress in the play.

5 The hotel is far (more expensive / most expensive) than the others.

6 There are three cats. The brown one is the (fatter / fattest) of them.

7 Tom Hanks is one of the most brilliant (actor / actors) in Hollywood.

8 DC movies are not (as interesting / more interesting) as Marvel movies.

Exercise 4 다음 우리말과 같은 뜻이 되도록 주어진 단어를 배열하여 문장을 완성하시오.

1 이곳이 도쿄에서 가장 붐비는 곳이다. (crowded, the, in Tokyo, most, this, place, is)
⇒ _____

2 세계에서 가장 긴 다리는 무엇입니까? (in the world, what, bridge, the, is, longest)
⇒ _____

3 태양에서 가장 먼 행성은 해왕성이다. (from the Sun, the, planet, farthest, Neptune, is)
⇒ _____

4 에디슨은 역사상 가장 위대한 발명가 중 한 명이다. (Edison, one of the, in history, greatest, inventors, is)
⇒ _____

5 Perry 씨는 우리 동네에서 가장 부유한 사람 중 한 명이다. (richest, in my neighborhood, men, one of the, is, Mr. Perry)
⇒ _____

Review Test

[01-05] 다음 중 비교급과 최상급의 형태가 <u>잘못</u> 짝지어진 것을 고르시오.

01 ① old – older – oldest
② large – larger – largest
③ easy – easier – easiest
④ close – closer – closest
⑤ useful – usefuler – usefulest

02 ① far – farer – farest
② good – better – best
③ bad – worse – worst
④ many – much – more
⑤ lovely – lovelier – loveliest

03 ① well – better – best
② early – earlier – earliest
③ hard – harder – hardest
④ little – more little – most little
⑤ often – more often – most often

04 ① much – more – most
② thin – thinner – thinnest
③ small – smaller – smallest
④ quickly – quicklier – quickliest
⑤ boring – more boring – most boring

05 ① hot – hotter – hottest
② long – longer – longest
③ clever – cleverer – cleverest
④ happy – happyer – happyest
⑤ famous – more famous – most famous

[06-09] 다음 빈칸에 들어갈 알맞은 말을 고르시오.

06
| I love dogs _____ than cats. |

① good   ② well
③ better   ④ best
⑤ worst

07
| My sister can cook as _____ as my mother. |

① good   ② well
③ better   ④ best
⑤ bad

08
| *Titanic* is one of the _____ movies in film history. |

① popular   ② more popular
③ most popular   ④ popularer
⑤ popularest

09
| The station is _____ on the weekend than during the week. |

① crowded   ② as crowded
③ crowdeder   ④ more crowded
⑤ the most crowded

10 다음 빈칸에 들어갈 수 <u>없는</u> 말은?
| The new building is _____ higher than the old one. |

① very   ② still
③ far   ④ even
⑤ much

11 다음 중 빈칸에 들어갈 말이 나머지 넷과 <u>다른</u> 것은?
① John is taller _____ his father.
② My brother is older _____ you.
③ Your bag is as heavy _____ mine.
④ Your cell phone is newer _____ mine.
⑤ My mother is stricter _____ your mother.

12 다음 빈칸에 공통으로 들어갈 알맞은 말은?

> • She is stronger _____ me.
> • This dress is more beautiful _____ that one.
> • Reading books is much more interesting _____ watching TV shows.

① better   ② as
③ than   ④ so
⑤ then

13 다음 대화의 빈칸에 공통으로 들어갈 알맞은 말은?

> A Which color do you like _____, white or black?
> B I like white _____.

① better   ② good
③ well   ④ best
⑤ much

14 다음 빈칸에 들어갈 말이 바르게 짝지어진 것은?

> • She is _____ than her sister.
> • My suitcase is not as _____ as yours.

① more diligent – heavy
② most diligent – heavy
③ more diligent – heavier
④ most diligent – heavier
⑤ diligent – heaviest

15 다음 밑줄 친 much의 쓰임이 나머지 넷과 다른 것은?

① He is <u>much</u> faster than you.
② Mary is <u>much</u> taller than Nancy.
③ Iron is <u>much</u> more useful than gold.
④ I like chocolate as <u>much</u> as Julie does.
⑤ Mr. Park is <u>much</u> kinder than Ms. Smith.

[16-18] 다음 중 어법상 바르지 <u>않은</u> 것을 고르시오.

16 ① He is as smart as Mike.
② We arrived latter than usual.
③ I use the dictionary as often as I can.
④ I think Amy is more beautiful than Anne.
⑤ Christine likes summer better than winter.

17 ① Tony is much taller than Jack.
② Your doll is prettier than mine.
③ Are men better at driving than women?
④ This movie is more interesting than any other Hollywood movie.
⑤ Messi is one of the best player in soccer history.

18 ① Today is still colder than yesterday.
② The old man grew sadder and sadder.
③ He is the more famous actor in the world.
④ Thomas is the fastest runner in the 200m race.
⑤ Mr. Norman is one of the kindest teachers in our school.

19 다음 대화의 빈칸에 들어갈 알맞은 말은?

> A I'm looking for a big shirt.
> B Here you are.
> A This looks small. Don't you have a _____ one?

① cheaper   ② smaller
③ bigger   ④ prettier
⑤ thinner

20 다음 우리말을 영어로 바르게 옮긴 것은?

> 돈보다 건강이 훨씬 더 중요하다.

① Health is the most important.
② Money is the least important.
③ Health is as important as money.
④ Health is much more important than money.
⑤ Money is much more important than health.

21 다음 주어진 단어를 이용하여 비교급으로 바꾼 문장이 바르지 못한 것은?

① Sarah is young. (James)
   ⇒ Sarah is younger than James.
② His score is good. (mine)
   ⇒ His score is gooder than mine.
③ She is tall. (much, her sister)
   ⇒ She is much taller than her sister.
④ My vacation is short. (yours)
   ⇒ My vacation is shorter than yours.
⑤ Her car is comfortable. (theirs)
   ⇒ Her car is more comfortable than theirs.

22 다음 주어진 문장과 의미가 같은 것은?

The basket isn't as big as the pot.

① The pot is bigger than the basket.
② The pot isn't as big as the basket.
③ The pot is smaller than the basket.
④ The basket isn't as small as the pot.
⑤ The basket isn't smaller than the pot.

[23-25] 다음 중 어법상 바른 것을 고르시오.

23 ① I like rice best than bread.
② Gold is heavier than copper.
③ He is more happier than before.
④ I speak English fluentlier than Josh.
⑤ Making friends is often more easy than keeping them.

24 ① Sharks are most dangerous than whales.
② My computer is more slower than yours.
③ My father isn't as busier as my mother.
④ He is the worst teacher in the school.
⑤ This pencil is as longer as that one.

25 ① It is the eldest building in the town.
② Your problem is seriouser than mine.
③ She studies the hardest of my friend.
④ August is the hottest month in Korea.
⑤ Which do you like most, chicken or pork?

[26-27] 다음 우리말을 영어로 바르게 옮긴 것을 고르시오.

26 그의 성적은 내 성적만큼이나 좋다.

① His score is as best as mine.
② His score is as good as mine.
③ His score is as better as mine.
④ His score is not as better as mine.
⑤ His score is not as good as mine.

27 야구는 일본에서 가장 인기 있는 스포츠이다.

① Baseball is a popular sport in Japan.
② Baseball is the popularest sport in Japan.
③ Baseball is most popular sport in Japan.
④ Baseball is more popular sport in Japan.
⑤ Baseball is the most popular sport in Japan.

28 다음 문장의 내용과 일치하지 않은 것은?

• Sally is eighteen years old.
• Peter is a year younger than Sally.
• Julie is three years older than Peter.

① Julie isn't as old as Sally.
② Julie is the oldest of the three.
③ Peter is seventeen years old.
④ Peter is the youngest of the three.
⑤ Sally is two years younger than Julie.

29 다음 표를 보고 빈칸에 들어갈 알맞은 말은?

	Jamie	Emily
go to school	7:30 a.m.	8:30 a.m.
go home	4:15 p.m.	5:20 p.m.

> Jamie goes to school earlier than Emily.
> Emily goes home _____ than Jamie.

① faster   ② late
③ later   ④ latter
⑤ earlier

[30-33] 다음 우리말과 같은 뜻이 되도록 주어진 단어를 이용하여 문장을 완성하시오.

30 서울은 부산보다 크다. (big)

⇒ Seoul is _____ _____ Busan.

31 러시아는 세계에서 가장 큰 나라이다. (large)

⇒ Russia is _____ _____
_____ in the world.

32 가을은 등산하기에 가장 좋은 계절이다. (good)

⇒ Autumn is _____ _____
_____ for climbing.

33 그 성은 마을에서 가장 높은 건물 중 하나이다. (tall)

⇒ The castle is _____
_____ _____ _____ in
town.

[34-36] 다음 두 문장을 읽고, 괄호 안의 주어진 단어를 이용하여 빈칸을 채우시오.

34
• The computer is $1,000.
• The camera is $300.

⇒ The camera is _____
_____ _____ the
computer. (expensive)

35
• My cat weighs twelve pounds.
• Your dog weighs twelve pounds.

⇒ My cat is _____
_____ your dog. (heavy)

36
• My brother is taller than my sister.
• My sister is taller than me.

⇒ I am _____ _____ of the
three. (short)

[37-38] 다음 문장을 읽고, 틀린 부분을 찾아 어법에 맞게 고치시오.

37 The KTX trains are fastest trains in Korea.

⇒ _____

38 Henry is one of the smartest boy in town.

⇒ _____

[39-40] 다음 우리말과 같은 뜻이 되도록 주어진 단어를 배열하여 문장을 완성하시오.

39
Jenny는 전보다 더 행복해 보였다.
(than, looked, before, happier, Jenny)

⇒ _____

40
내 남동생은 나만큼 키가 크지 않다.
(as, me, not, tall, as, is, my brother)

⇒ _____

Answers: p.27

[1-3] 다음 표를 보고 괄호에 주어진 말을 이용하여 최상급 문장을 완성하시오.　　　서술형

Name	Height (cm)	Weight (kg)	Age (yrs)
Leo	169	63	14
Elliot	166	69	15
Cyrus	171	73	13

1 (old)

→ _____ is _____ _____ _____ the three boys.

2 (light)

→ _____ is _____ _____ _____ the three boys.

3 (tall)

→ _____ is _____ _____ _____ the three boys.

4 다음 글의 밑줄 친 부분 중, 어법상 틀린 것은?　　　수능 대비형

　　To find out if water quality affects plant growth, we ① planted 6 plants. Half were given clean water ② only. Half were given water containing soap. After one week, the plants with clean water were one inch taller than ③ the other three plants. After two weeks, the plants given clean water were four inches ④ tallest. Based on the experiment, we think pure water is ⑤ better for plants than soapy water.

* quality: 품질, 질
** affect: 영향을 끼치다
*** be given: 주어지다
**** contain: ～이 들어 있다

문장의 구조

8-1　문장의 기본 구성요소

8-2　1형식

8-3　2형식

8-4　3형식

8-5　4형식

8-6　4형식에서 3형식으로의 전환

8-7　5형식

Review Test

보너스 유형별 문제

8-1 문장의 기본 구성요소

📑 **문장의 기본 구성요소**

완전한 문장이 되기 위해 필수적으로 필요한 기본 구성요소에는 주어, 동사, 목적어, 보어가 있다.

❶ **주어(Subject)**: 동작을 행하는 주체로, '~은[는]', '~이[가]'로 해석된다.
- **Shakespeare** wrote *Hamlet*. 셰익스피어는 〈햄릿〉을 썼다.
- **They** are brave. 그들은 용감하다.
- **Elephants** have a long nose. 코끼리는 긴 코를 가지고 있다.

❷ **동사(Verb)**: 주어의 상태나 동작을 나타내는 말로, '~하다', '~이다'로 해석된다.
- He **is** a good man. 그는 좋은 남자다.
- I **dance** well. 나는 춤을 잘 춘다.
- We **keep** a diary every day. 우리는 매일 일기를 쓴다.

❸ **보어(Complement)**: 주어와 목적어를 보충 설명해 주는 말로, 주격보어와 목적격보어가 있다.
- The park is **beautiful**. (주격보어) 그 공원은 아름답다.
- My sister became **a nurse**. (주격보어) 내 여동생은 간호사가 되었다.
- He made me **happy**. (목적격보어) 그는 나를 행복하게 만들었다.

❹ **목적어(Object)**: 주어가 하는 동작의 대상이 되는 말로, '~을[를]'로 해석된다.
- My grandmother wears **glasses**. 우리 할머니는 안경을 쓴다.
- She teaches **English** to us. 그녀는 우리에게 영어를 가르친다.
- They can speak **Spanish**. 그들은 스페인어를 말할 수 있다.

Answers: p.28

Exercise 1 다음 문장의 주어에 밑줄을 그으시오.

1 A cat is on the roof.

2 Alex is a great dentist.

3 He loves chocolate.

4 Jennifer is my classmate.

5 The old lady loves flowers.

6 The machine doesn't work.

7 My little sister plays the piano.

8 Jack and I are best friends.

9 The man in the store looks young.

10 My favorite subject is English.

Exercise 2 다음 문장의 동사에 밑줄을 그으시오.

1 We made a mistake.

2 I believe her story.

3 The sun rises in the east.

4 He was in the classroom.

5 The nurse is very kind to everyone.

6 They want Christmas gifts.

7 My grandfather looked healthy.

8 George lives in Washington D.C.

9 The woman with red hair is my aunt.

10 Tom and David play tennis every day.

Exercise 3 다음 문장의 보어에 밑줄을 그으시오.

1 Christine felt cold.

2 We smelled sweet.

3 She is Mrs. Green.

4 I became a lawyer.

5 They call the boy Nick.

6 The book is interesting.

7 The food made me sick.

8 We found the movie fun.

9 The curry tastes delicious.

10 She heard the baby cry.

Exercise 4 다음 문장의 목적어에 밑줄을 그으시오.

1 They don't know her.

2 He wants some water.

3 We enjoyed our holiday.

4 Everyone likes Michael.

5 I want to buy a smartwatch.

6 She bought a diamond ring.

7 The monkey is eating bananas.

8 We play baseball after school.

9 My mother was making dinner.

10 She planted some flowers in the garden.

Exercise 5 다음 우리말과 같은 뜻이 되도록 주어진 단어를 배열하여 문장을 완성하시오.

1 그 소녀는 귀엽다. (pretty, the girl, is)
⇨ _____

2 그 우유는 상한 냄새가 난다. (bad, the milk, smells)
⇨ _____

3 그들은 좋은 차를 가지고 있다. (a nice car, they, have)
⇨ _____

4 Rachel은 여름을 사랑한다. (summer, Rachel, loves)
⇨ _____

5 그 동화책은 재미있다. (is, the fairy tale book, interesting)
⇨ _____

6 우리는 역에서 그를 만났다. (at the station, him, met, we)
⇨ _____

7 Mickey는 나를 화나게 만든다. (me, makes, angry, Mickey)
⇨ _____

8 그녀의 부모님은 파리에서 살고 있다. (live, in Paris, her parents)
⇨ _____

8-2　1형식

1형식

1형식은 「주어(S)+동사(V)」로 이루어진 문장이다. 1형식 문장은 수식어(구)와 함께 쓰이는 경우가 많다.

- Dogs bark. 개들이 짖는다.
  　S　 V

- My mom is cooking. 우리 엄마는 요리하고 있다.
  　S　　 V

- The baby sleeps well. 아기는 잠을 잘 잔다.
  　 S　　 V

- The children are playing on the slide. 아이들은 미끄럼틀에서 놀고 있다.
  　　S　　　 V

> **TIPs** 'There is/are ~ (~이 있다)'로 시작하는 문장도 1형식이다.
> - There is a watermelon in the fridge. 냉장고에 수박이 있다.
> - There are some books on the shelf. 선반 위에 몇 권의 책이 있다.

Answers: p.28

Exercise 1 다음 〈보기〉와 같이 주어와 동사를 찾아 밑줄을 긋고 S(주어), V(동사)로 표시하시오.

> 🔍　The painting is on the wall.
> 　　　　 S　　 V

1　Rachel walks quickly.

2　The Earth goes around the Sun.

3　My classmates are at the library.

4　The class will begin in five minutes.

5　The birds in the trees are singing loudly.

6　The supermarket is across from the post office.

Exercise 2 다음 우리말과 같은 뜻이 되도록 주어진 단어를 배열하여 문장을 완성하시오.

1　나는 많이 먹는다. (a lot, eat, I)

　⇒ _____

2　우리 엄마는 매일 운동을 한다. (every day, exercises, my mom)

　⇒ _____

3　내 가방에 연필이 두 자루 있다. (in my bag, there, two pencils, are)

　⇒ _____

4　Miranda와 Jake는 운동장에서 달리고 있다. (in the playground, Miranda and Jake, are running)

　⇒ _____

2형식

❶ 2형식은 「주어(S)+동사(V)+보어(C)」로 이루어진 문장이다. 이때 보어는 주어를 보충 설명해 준다.

- I feel lonely. 나는 외로움을 느낀다.
  S V C
- She became President. 그녀는 대통령이 되었다.
  S V C
- His sunglasses are new. 그의 선글라스는 새것이다.
  S V C

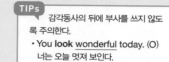

> **TIPs** 감각동사의 뒤에 부사를 쓰지 않도록 주의한다.
> - You **look** wonderful today. (O)
>   너는 오늘 멋져 보인다.
> - You **look** wonderfully today. (X)

❷ look, feel, smell, sound, taste 등의 감각동사 뒤에는 보어로 형용사가 온다.

- That **sounds** interesting. 흥미롭게 들리네요.
- The wool **looks** soft. 양털은 부드러워 보인다.

Answers: p.28

Exercise 1 다음 괄호 안에서 알맞은 것을 고르시오.

1 That's too (easy / easily).

2 He seems (tired / tiredly).

3 The kids keep (silent / silently).

4 He became (famous / famously).

5 My voice was very (sharp / sharply).

6 The story sounds (strange / strangely).

7 I have a cold. I feel (terrible / terribly) today.

8 The Beatles' songs sound (wonderful / wonderfully) to me.

Exercise 2 다음 우리말과 같은 뜻이 되도록 주어진 단어를 배열하여 문장을 완성하시오.

1 너의 아이디어는 훌륭하다. (is, great, your idea)

   ⇨ _____

2 그것은 지독한 냄새가 난다. (It, terrible, smells)

   ⇨ _____

3 그녀의 이름은 Natalie이다. (Natalie, her name, is)

   ⇨ _____

4 나는 유명한 가수가 될 것이다. (will be, a famous singer, I)

   ⇨ _____

5 그 소년은 식사를 한 후에 행복해 보였다. (the boy, happy, after his meal, looked)

   ⇨ _____

3형식

3형식

3형식은 「주어(S)+동사(V)+목적어(O)」로 이루어진 문장이다. 목적어는 주어가 하는 동작의 대상이 된다.

- <u>We</u> <u>need</u> <u>a break</u>. 우리는 휴식이 필요하다.
  S   V   O
- <u>I</u> <u>had</u> <u>a very strange dream</u>. 나는 매우 이상한 꿈을 꾸었다.
  S   V   O
- <u>She</u> <u>studies</u> <u>history</u> very hard. 그녀는 역사를 매우 열심히 공부한다.
  S   V   O
- <u>Alex</u> <u>married</u> <u>Christine</u> two years ago. Alex는 2년 전에 Christine과 결혼했다.
  S   V   O

Answers: p.28

Exercise 1 다음 〈보기〉와 같이 문장의 구성요소에 밑줄을 긋고, S(주어), V(동사), O(목적어)로 표시하시오.

🔍 <u>She</u> <u>loves</u> <u>her granddad</u> so much.
   S   V   O

1 He missed the last train.

2 Isabella got good grades.

3 He likes the model airplane.

4 I had a nightmare last night.

5 We ate some oranges this morning.

Exercise 2 다음 우리말과 같은 뜻이 되도록 주어진 단어를 배열하여 문장을 완성하시오.

1 나는 돈을 다 썼다. (I, all my money, spent)
⇨ _____

2 우리는 언제든지 너를 도와줄 것이다. (will help, we, anytime, you)
⇨ _____

3 그녀는 어제 새 지갑을 샀다. (bought, a new purse, she, yesterday)
⇨ _____

4 남동생은 빨간 모자를 가지고 있다. (a red cap, my little brother, has)
⇨ _____

5 나는 며칠 전에 Daniel을 만났다. (met, a few days ago, I, Daniel)
⇨ _____

4형식

4형식은 「주어(S)+수여동사(V)+간접목적어(IO)+직접목적어(DO)」로 이루어진 문장이다. 4형식에 사용되는 수여동사는 의미상 '~에게(간접목적어)'와 '~을(직접목적어)'에 해당하는 두 개의 목적어를 갖는 동사이다.

- My father made us a kite. 아버지는 우리에게 연을 만들어 주었다.
  S   V   IO DO

- He gave me some flowers. 그는 내게 꽃을 주었다.
  S V IO   DO

- We will send you some brochures. 당신에게 안내 책자를 좀 보내 드릴게요.
  S   V   IO   DO

- I will buy my nephew a sweater. 나는 조카에게 스웨터를 사줄 것이다.
  S   V   IO   DO

> **TIPs**
> 수여동사의 종류
> give, buy, show, send, make, ask ...

Answers: p.29

Exercise 1 다음 〈보기〉와 같이 문장의 구성요소에 밑줄을 긋고, S(주어), V(동사), IO(간접목적어), DO(직접목적어)로 표시하시오.

🔍 I gave him a backpack for his birthday present.
   S V   IO   DO

1 My cousin sent me a postcard.

2 Mrs. Baker told us funny stories.

3 Ryan teaches adult learners English.

4 The server brought me a glass of water.

5 Joshua made me a beautiful dress for my wedding.

Exercise 2 다음 우리말과 같은 뜻이 되도록 주어진 단어를 배열하여 문장을 완성하시오.

1 나는 그에게 그의 이름을 물어보았다. (asked, him, I, his name)

⇨ _____

2 그는 항상 내게 선물을 사준다. (he, me, presents, always, buys)

⇨ _____

3 그녀는 그에게 자신의 그림을 보여 주었다. (she, him, her paintings, showed)

⇨ _____

4 Chris는 아들에게 장난감 자동차를 만들어 주었다. (made, his son, Chris, a toy car)

⇨ _____

8-6 4형식에서 3형식으로의 전환

4형식에서 3형식으로의 전환

목적어가 두 개인 4형식은 3형식으로 바꿀 수 있다. 이때 간접목적어와 직접목적어의 위치를 바꾸고, 간접목적어 앞에
전치사(to, for, of)를 쓴다.

> 4형식: 주어+수여동사+간접목적어+직접목적어
>
> ⇨ 3형식: 주어+수여동사+직접목적어+전치사(to, for, of)+간접목적어

❶ to를 쓰는 동사: give, tell, show, send, teach, write, pass, lend, bring ...

· He didn't tell me the truth. (4형식) 그는 내게 사실을 말하지 않았다.
　S　V　IO　DO

⇨ He didn't tell the truth **to** me. (3형식)
　S　V　O

❷ for를 쓰는 동사: buy, make, find, get, cook, order, build ...

· My father bought me a computer. (4형식) 우리 아버지가 내게 컴퓨터를 사주었다.
　S　V　IO　DO

⇨ My father bought a computer **for** me. (3형식)
　S　V　O

❸ of를 쓰는 동사: ask ...

· My teacher asked me some questions. (4형식) 우리 선생님이 내게 몇 가지 질문을 했다.
　S　V　IO　DO

⇨ My teacher asked some questions **of** me. (3형식)
　S　V　O

Answers: p.29

Exercise 1　다음 문장의 빈칸에 전치사 to, for, of 중 하나를 써넣으시오.

1　Would you find my purse _____ me?

2　She asked a silly question _____ me.

3　Bill's friend lent some money _____ him.

4　The kid brought a bowl of rice _____ me.

5　Can you give a glass of water _____ me?

6　I bought a cheese cake _____ my brother.

7　Charlie is building a nest _____ the birds.

8　She often writes e-mails _____ her parents.

9　She didn't show her notebook _____ anyone.

10　My mom cooked Japanese food _____ the guests.

11　We ordered beef steak and chicken salad _____ you.

Exercise 2 다음 〈보기〉와 같이 알맞은 전치사를 사용하여 4형식에서 3형식으로 바꿔 쓰시오.

> 🔍 **Joan lent us her truck for the weekend.**
> ⇒ _____ Joan lent her truck to us for the weekend. _____

1 My uncle got me musical tickets.

   ⇒ _____

2 He often asks me personal questions.

   ⇒ _____

3 He will make his grandmother an armchair.

   ⇒ _____

4 A kind man showed us the way to the hotel.

   ⇒ _____

5 My father bought my younger sister a chick.

   ⇒ _____

6 My best friend sent me a Christmas gift last week.

   ⇒ _____

Exercise 3 다음 우리말과 같은 뜻이 되도록 주어진 단어를 배열하여 문장을 완성하시오.

1 부탁을 드려도 될까요? (a favor, I, ask, of, may, you)

   ⇒ _____

2 제게 당신의 운동화를 빌려 주세요. (your running shoes, please, me, lend)

   ⇒ _____

3 그녀는 네게 비밀을 말해 주지 않을 것이다. (you, won't, tell, she, her secret, to)

   ⇒ _____

4 그가 모든 학생들에게 아이스크림을 사주었다. (all the students, ice cream, bought, he, for)

   ⇒ _____

5 기자는 그 여배우에게 수많은 질문을 했다. (the actress, asked, a lot of, the reporter, questions)

   ⇒ _____

6 Emily는 파리에서 자신의 친구에게 엽서를 보냈다. (from Paris, her friend, sent, Emily, a postcard)

   ⇒ _____

5형식

5형식은 「주어(S)+동사(V)+목적어(O)+목적격보어(OC)」로 이루어진 문장이다. 목적격보어는 목적어의 성질이나 상태를 보충 설명해 주는 말로, 명사(구), 형용사(구), to부정사, 동사원형을 쓴다.

❶ 명사(구)나 형용사(구)를 목적격보어로 취하는 동사: find, call, turn, keep, make ...

· We call him a walking dictionary. (him=a walking dictionary) 우리는 그를 걸어 다니는 사전이라 부른다.
  S   V   O   OC

· I found the book difficult. (the book=difficult) 나는 그 책이 어렵다고 느꼈다.
  S   V   O   OC

❷ to부정사를 목적격보어로 취하는 동사: want, ask, tell, get, expect, order ...

· He wants you to come to his party. 그는 네가 파티에 오기를 원한다.
  S   V   O   OC

· We didn't expect him to stay so long. 우리는 그가 그렇게 오랫동안 머무는 것을 기대하지 않았다.
  S   V   O   OC

❸ 동사원형을 목적격보어로 취하는 동사

| 사역동사(let, make, have)+목적어+동사원형: ~가 ...하도록 시키다 |
| 지각동사(see, hear, feel...)+목적어+동사원형: ~가 ...하는 것을 보다[듣다, 느끼다] |

> **TIPs** 지각동사의 목적격보어로 현재분사(-ing)를 쓰면 동작이 진행 중임을 강조한다.
> · I saw her **drawing** a picture. 나는 그녀가 그림을 그리고 있는 것을 보았다.

· **Let** your body **relax**. 몸의 긴장을 푸세요.
· He **made** me **laugh**. 그가 나를 웃게 했다.
· I **saw** him **drive** a car. 나는 그가 운전하는 것을 보았다.
· I **heard** Thomas **go** out. 나는 Thomas가 나가는 소리를 들었다.

Answers: p.29

Exercise ① 다음 〈보기〉와 같이 문장의 구성요소에 밑줄을 긋고, S(주어), V(동사), O(목적어), OC(목적격보어)로 표시하시오.

> 🔍 The song made the movie famous.
>   S   V   O   OC

1 We call this flower a lily.

2 His jokes make me laugh.

3 I saw a boy jumping a rope.

4 My mom kept the soup warm for me.

5 His father made him a famous swimmer.

6 The boss asked his secretary to bring a newspaper.

Exercise 2 다음 괄호 안에서 알맞은 것을 고르시오.

1 I saw Tom (steal / to steal) your wallet.

2 This coat will keep you (warm / warmly).

3 The teacher had all students (be / to be) quiet.

4 My father wants us (read / to read) these books.

5 Alice's mom won't let her (come / to come) with us.

6 My mother asked me (take / to take) care of my younger brother.

Exercise 3 다음 괄호 안의 주어진 동사를 이용하여 문장을 완성하시오.

1 They expect me _____ the exam. (pass)

2 He asked my father _____ smoking. (stop)

3 My father didn't let me _____ his car. (drive)

4 I want you _____ to my birthday party. (come)

5 We heard Tina _____ in her room all night. (sing)

6 She watched the boys _____ football at the park. (play)

Exercise 4 다음 그림과 같은 내용이 되도록 괄호 안의 단어를 알맞게 배열하시오.

1 My father _____ .

   (a couch potato, me, called)

2 We _____ .

   (singing, three birds, heard, in the tree)

3 My mother _____ .

   (tells, get up, to, early, me)

4 She _____ .

   (a famous singer, wants, to, be, me)

[01-06] 다음 빈칸에 들어갈 알맞은 말을 고르시오.

01
My big brother gave some bread _____ me a few minutes ago.

① of
② for
③ with
④ to
⑤ in

02
Can you buy a doll _____ me, Mom?

① of
② for
③ with
④ to
⑤ in

03
We usually call _____ Indians.

① their
② themself
③ they
④ them
⑤ themselves

04
The groom _____ the bride a wedding ring.

① gave
② let
③ helped
④ wanted
⑤ called

05
She had them _____ the room.

① to clean
② clean
③ to cleaning
④ cleaned
⑤ be cleaning

06
The doctor advised me _____ in bed for a week.

① stay
② stayed
③ to stay
④ staying
⑤ to staying

[07-09] 다음 빈칸에 들어갈 수 없는 말을 고르시오.

07
This vegetable soup _____ good!

① tastes
② looks
③ smells
④ is
⑤ cooks

08
She _____ him to respect other people.

① told
② advised
③ wanted
④ made
⑤ expected

09
This movie made Kate _____.

① sad
② to cry
③ laugh
④ a famous star
⑤ happy

[10-11] 다음 빈칸에 들어갈 말이 바르게 짝지어진 것을 고르시오.

10
• My parents let me _____ on a trip.
• I asked Susan _____ to the party with me.

① go – going
② to go – going
③ go – to go
④ to go – went
⑤ went – to go

11
• Jason's new suit looks _____.
• Black coffee usually tastes _____.
• The project sounds _____.

① cooly – bitterly – impossible
② cooly – bitter – impossible
③ cool – bitter – impossible
④ cool – bitter – impossibly
⑤ cool – bitterly – impossibly

12 다음 밑줄 친 부분이 어법상 바르지 않은 것은?

They will let you knowing the truth.
　　　①　②　③　　④　　　⑤

13 다음 빈칸에 들어갈 알맞은 말은?

A You _____ upset today. What's up?
B I lost my cell phone.

① see　　　　　② have
③ look　　　　　④ do
⑤ get

14 다음 빈칸에 들어갈 말이 나머지 넷과 다른 하나는?

① He gave 100 roses _____ me.
② My mom made a cake _____ us.
③ He lent $100 _____ his father.
④ I will send this card _____ my teacher.
⑤ He told a secret _____ his best friend.

[15-16] 다음 〈보기〉의 문장과 형식이 같은 것을 고르시오.

15 보기 | This strawberry tastes sweet.

① I didn't win the race.
② Your idea sounds strange.
③ We couldn't hear his voice.
④ He misses his hometown.
⑤ My dad made this beautiful garden.

16 보기 | Were there many people at the gym?

① The song made me sad.
② We called her Snow White.
③ Some people are lying on the lawn.
④ They expect her to become a lawyer.
⑤ My mom let me go to the movies last night.

17 다음 중 빈칸에 to를 쓸 수 있는 것은?

① Our teacher let us _____ go home.
② I saw Christine _____ crying yesterday.
③ He told me _____ answer the phone.
④ I watched a man _____ walking down the street.
⑤ My mom made me _____ do the dishes.

[18-21] 다음 중 형식이 나머지 넷과 다른 하나를 고르시오.

18 ① Can a rabbit jump high?
② My brother and I are students.
③ The boy in the picture is Gary.
④ She became a famous scientist.
⑤ Your trip sounds really exciting.

19 ① Brian reads the newspaper every morning.
② My boss wanted me to finish the work.
③ I heard someone knock on the door.
④ They want his son to be a doctor.
⑤ I saw an airplane flying in the sky.

20 ① Wind is blowing from the east.
② His sister is a flight attendant.
③ Tom and Ron were standing at the door.
④ The sun was shining in the sky.
⑤ We walked along the beach.

21 ① There are many apples on the table.
② You didn't tell me the truth at that time.
③ She will get you cold water soon.
④ Please show me a cheaper one.
⑤ He made his son a model car.

[22-23] 다음 빈칸에 들어갈 알맞은 말을 고르시오.

22
- I didn't _____ breakfast today.
- My parents _____ me read a book every day.

① expect   ② have
③ let   ④ get
⑤ want

23
- How do you _____ today?
- I often _____ the ground shaking.

① hear   ② feel
③ make   ④ touch
⑤ have

[24-27] 다음 중 어법상 바르지 않은 것을 고르시오.

24 ① Please give your hand for me.
② The gentleman told a story to me.
③ He teaches Taekwondo to the foreigners.
④ My mom makes some cookies for me.
⑤ He cooked the noodles for us.

25 ① They sent an invitation to me.
② We didn't see you enter the building.
③ My mom told me to do my homework first.
④ She got a free concert ticket to me.
⑤ The drama will make you famous.

26 ① I heard a dog barking.
② Everyone finds it interesting.
③ We expected him to be honest.
④ The men called her a witch.
⑤ My mom had them to paint our room.

27 ① I don't feel happy now.
② These boxes are too heavy.
③ His story sounds strangely to us.
④ The roller coaster didn't look safe.
⑤ He became blind after the accident.

[28-30] 다음 우리말을 영어로 바르게 옮긴 것을 고르시오.

28
텔레비전은 우리에게 많은 정보를 준다.

① TV gives a lot of information for us.
② TV gives a lot of information us.
③ TV gives us a lot of information.
④ TV gives a lot of information of us.
⑤ TV gives us to a lot of information.

29
John이 어제 내게 부탁을 했다.

① John asked a favor of me yesterday.
② John asked me of a favor yesterday.
③ John asked me to a favor yesterday.
④ John asked a favor for me yesterday.
⑤ John asked to a favor of me yesterday.

30
나는 두 마리의 새가 창문에 앉아 있는 것을 보았다.

① I saw two birds sitting by the window.
② I saw two birds sat by the window.
③ I saw two birds to sit by the window.
④ I saw two birds and sat by the window.
⑤ I saw two birds is sitting by the window.

31 다음 대화의 빈칸에 들어갈 알맞은 말은?

A Would you like to leave a message, sir?
B Yes. Please _____.

① ask call me back
② ask her to call me back
③ ask her called me back
④ ask her calling me back
⑤ ask her call me back

32 다음 중 밑줄 친 make[made]의 쓰임이 나머지 넷과 다른 것은?

① Bill didn't <u>make</u> a kite for me.
② The designer will <u>make</u> me a dress.
③ The baker <u>made</u> us a delicious cake.
④ He sometimes <u>made</u> me clean his room.
⑤ My mom <u>made</u> a teddy bear for my sister.

33 다음 중 문장의 전환이 바르지 <u>않은</u> 것은?

① Please get me some water.

⇒ Please get some water for me.

② I bought my nephew a pair of shoes.

⇒ I bought a pair of shoes for my nephew.

③ Please show me your passport, sir.

⇒ Please show your passport to me, sir.

④ She writes him a letter every week.

⇒ She writes a letter for him every week.

⑤ Harrison asked us a very difficult question.

⇒ Harrison asked a very difficult question of us.

34 다음 문장과 같은 뜻이 되도록 빈칸에 알맞은 말을 쓰시오.

> She is our music teacher.
>
> ⇒ She _____ us music.

[35-37] 다음 두 문장이 같은 뜻이 되도록 빈칸에 알맞은 말을 쓰시오.

35

> He is going to teach science to us this year.
>
> ⇒ He is going to _____ _____ _____ this year.

36

> She told me to send her the box.
>
> ⇒ She told me to _____ _____ _____ _____ _____ .

37

> The police wanted to ask us a few questions.
>
> ⇒ The police wanted to _____ _____ _____ _____ .

[38-40] 다음 문장에서 <u>틀린</u> 부분을 찾아 어법에 맞게 고쳐 쓰시오.

38

> The soup doesn't smell deliciously.

39

> Our teacher had me to sweep the floor.

40

> Did you hear me to sing that song yesterday?

[41-43] 다음 우리말과 같은 뜻이 되도록 괄호 안의 말을 배열하여 문장을 완성하시오.

41

> 우리 엄마는 내가 컴퓨터 게임을 하는 것을 허락하지 않는다.
> (play, doesn't, let, computer games, me, my mom)
>
> ⇒ _____

42

> 나는 그 수업이 꽤 흥미롭다는 것을 알게 되었다.
> (the class, found, I, interesting, quite)
>
> ⇒ _____

43

> Larry는 우리에게 호박 스프를 요리해 주었다.
> (Larry, pumpkin soup, us, for, cooked)
>
> ⇒ _____

[44-45] 다음 우리말과 같은 뜻이 되도록 주어진 단어를 이용하여 영작하시오.

44

> 그들은 나에게 일자리를 제공했다. (offer, job)
>
> ⇒ _____

45

> 그녀는 자신의 아이들에게 맛있는 케이크를 만들어 주었다.
> (make, delicious)
>
> ⇒ _____

Answers: p.31

[1-2] 편지를 읽고, 물음에 답하시오.

서술형

Hi, Hazel.

Here are some pictures from my birthday. My class and I went to a Japanese restaurant and had a great time. The lady in the picture is our teacher. ① <u>She teaches us Japanese every Tuesday and Thursday.</u> The man behind me is the chef of the restaurant. ② <u>그가 우리에게 맛있는 음식을 만들어 주었어.</u> They look yummy, don't they?

1 전치사를 이용하여 밑줄 친 ①과 같은 의미가 되도록 문장을 완성하시오.

→ _____ every Tuesday and Thursday.

2 주어진 단어를 이용하여 밑줄 친 ②를 영작하시오.

→ He _____. (make, delicious dishes)

3 다음 글의 밑줄 친 부분 중, 어법상 틀린 것은?

수능 대비형

Take 1 tablet every 5 to 6 ① <u>hours</u> while symptoms continue. If your pain ② <u>doesn't</u> respond to 1 tablet, 2 tablets may be used, but do not take ③ <u>more</u> than 8 tablets within 24 hours. Do not give this product ④ <u>of</u> children under 13 except under the advice of a doctor. Store at room temperature and ⑤ <u>avoid</u> too much heat.

* tablet: (약의) 정제
** symptom: 증상

Chapter 9

to부정사와 동명사

9-1   to부정사의 명사적 쓰임

9-2   to부정사의 형용사적 쓰임

9-3   to부정사의 부사적 쓰임

9-4   동명사

9-5   to부정사와 동명사

9-6   to부정사와 동명사의 관용 표현

Review Test

보너스 유형별 문제

9-1 to부정사의 명사적 쓰임

☐ **to부정사**

to부정사는 「to+동사원형」의 형태로, 동사의 의미와 성질을 가지면서 동시에 명사, 형용사, 부사 역할을 한다.

· **To see** is **to believe**. (명사 역할) 보는 것이 믿는 것이다.
· I bought some books **to read**. (형용사 역할) 나는 읽을 책 몇 권을 샀다.
· Sam visited his grandmother **to help** her. (부사 역할) Sam은 할머니를 도와드리려고 할머니 댁을 방문했다.

☐ **to부정사의 명사적 쓰임: '～하기', '～하는 것'으로 해석하며, 문장에서 주어, 목적어, 보어 역할을 한다.**

❶ 주어 역할: to부정사가 주어 역할을 하는 경우, 주어 자리에 가주어 it을 쓰고 to부정사를 뒤로 보낼 수 있다.

· **To take** a walk is good for your health. 산책하는 것은 건강에 좋다.
  = **It** is good for your health **to take** a walk.

· **To swim** in the sea can be dangerous. 바다에서 수영하는 것은 위험할 수 있다.
  = **It** can be dangerous **to swim** in the sea.

> **TIPs**
> to부정사가 문장에서 주어 역할을
> 할 때는 단수 취급을 한다.
> · **To make** friends is fun.
>   친구를 사귀는 것은 재미있다.

❷ 목적어 역할

· I want **to take** a break for a few days. 나는 며칠 동안 쉬고 싶다.
· My grandmother likes **to read** novels. 우리 할머니는 소설 읽는 것을 좋아하신다.
· Bella hopes **to be** a famous actress. Bella는 유명한 여배우가 되기를 바란다.

❸ 보어 역할

· My plan is **to lose** five pounds this month. 내 계획은 이번 달에 5파운드를 감량하는 것이다.
· Her goal is **to win** first prize in the contest. 그녀의 목표는 대회에서 1등을 하는 것이다.

Answers: p.31

Exercise 1 다음 밑줄 친 to부정사가 문장에서 주어, 목적어, 보어 중 어떤 역할을 하는지 쓰시오.

1 To collect stamps is my hobby. ⇨ _____

2 To surf the Internet is not difficult. ⇨ _____

3 I hope to stay here until tomorrow. ⇨ _____

4 We decided to have a party tonight. ⇨ _____

5 Jennifer loves to learn new languages. ⇨ _____

6 It is dangerous to cross the street here. ⇨ _____

7 My mom wants me to study much harder. ⇨ _____

8 My sister's dream is to sing on the stage. ⇨ _____

9 Her dream is to go to the moon in the future. ⇨ _____

10 To get up early in the morning is a good habit. ⇨ _____

11 My goal is to get a perfect score on the final. ⇨ _____

12 She is on a diet. Her goal is to lose ten pounds. ⇨ _____

Exercise 2 다음 우리말과 같은 뜻이 되도록 문장을 완성하시오.

1 나는 새 자전거를 사고 싶다.

⇒ I want _____ a new bicycle.

2 Mary는 무서운 영화 보는 것을 좋아한다.

⇒ Mary likes _____ horror movies.

3 우리 아버지는 자신의 자동차를 팔기로 결심했다.

⇒ My father decided _____ his car.

4 나의 계획은 일주일 동안 뉴욕에 머무는 것이다.

⇒ My plan is _____ in New York for a week.

5 우리의 목표는 소비자들에게 최고의 제품을 제공하는 것이다.

⇒ Our goal is _____ the best products for consumers.

6 그녀는 크리스마스 휴가를 가족과 함께 보내기를 희망한다.

⇒ She hopes _____ the Christmas holidays with her family.

Exercise 3 다음 우리말과 같은 뜻이 되도록 주어진 말을 배열하여 문장을 완성하시오.

1 나는 예술가가 되기를 원한다. (I, an artist, to, become, want)

⇒ _____

2 너는 런던 방문을 계획하고 있니? (London, are, planning, to, you, visit)

⇒ _____

3 그의 꿈은 용감한 군인이 되는 것이었다. (a brave soldier, was, be, to, his dream)

⇒ _____

4 당신의 진솔한 감정을 드러내는 것은 많은 용기가 필요합니다. (takes, show, a lot of, feelings, to, courage, true, your)

⇒ _____

5 수업 시간에 떠드는 것은 나쁜 행동이다. (in class, it, to, bad behavior, make noise, is)

⇒ _____

6 우리는 친구들과 함께 캠핑을 가기로 결정했다. (with our friends, go camping, to, decided, we)

⇒ _____

7 그들의 계획은 어제까지 그 일을 끝내는 것이었다. (by yesterday, the work, to, was, finish)

⇒ _____

to부정사의 형용사적 쓰임

📑 **to부정사의 형용사적 쓰임**

❶ '~할', '~하는'으로 해석하며, (대)명사를 뒤에서 수식하는 형용사 역할을 한다.

· Jenny has enough money **to buy** a car. Jenny는 차 한 대를 살 충분한 돈이 있다.

· I need a magazine **to read** during the flight. 나는 비행하는 동안 읽을 잡지가 필요하다.

❷ 「-thing, -body, -one으로 끝나는 대명사+(형용사)+to부정사」의 어순에 주의한다.

· I have something **to eat**. 나에게 먹을 것이 있다.

· She wants something cold **to drink**. 그녀는 차가운 마실 것을 원한다.

· We have nothing new **to say**. 우리는 새로운 말할 것이 아무것도 없다.

Answers: p.31

Exercise ① 다음 밑줄 친 부분을 〈보기〉처럼 해석하시오.

🔍 We have a lot of <u>homework to do</u>.	⇨ _____ 해야 할 숙제 _____

1 I bought some <u>bread to eat</u>. ⇨ _____

2 I need a new <u>coat to wear</u> in winter. ⇨ _____

3 It's <u>time to get back</u> to the classroom. ⇨ _____

4 Do you have <u>anything to do</u> this afternoon? ⇨ _____

5 They are looking for <u>a room to stay</u> for a night. ⇨ _____

6 I'm thirsty. Could you get me <u>something to drink</u>? ⇨ _____

Exercise ② 다음 우리말과 같은 뜻이 되도록 주어진 말을 배열하여 문장을 완성하시오.

1 그는 살 중고차를 찾고 있다. (to, a used car, is looking for, buy, he)
⇨ _____

2 그는 그를 도와줄 많은 친구가 있다. (he, lots of friends, has, to, him, help)
⇨ _____

3 제게 차가운 마실 것을 주세요. (to, cold, drink, please, give, something, me)
⇨ _____

4 나는 겨울에 입을 새로운 코트가 필요하다. (in winter, to, a new coat, I, need, wear)
⇨ _____

5 Emily는 새로운 가방을 살 돈이 없다. (Emily, a new bag, to, doesn't have, buy, money)
⇨ _____

6 도쿄에는 가볼 만한 재미있는 곳이 많다. (in Tokyo, to, many interesting places, visit, are, there)
⇨ _____

9-3 to부정사의 부사적 쓰임

☐ **to부정사의 부사적 쓰임: 동사, 형용사, 부사를 수식한다.**

❶ 형용사 수식: '~하기에'
- This book is hard **to understand**. 이 책은 이해하기 어렵다.
- These boxes were heavy **to lift** alone. 이 상자들은 혼자 들기에 무거웠다.

❷ 목적: '~하기 위해'
- I went to the market **to buy** some oranges. 나는 오렌지 몇 개를 사기 위해 시장에 갔다.
- Ashley came **to see** me early in the morning. Ashley는 나를 보기 위해 아침에 일찍 왔다.

❸ 감정의 원인: '~하니', '~하게 되어'
- I'm glad **to hear** that. 나는 그것을 듣게 되어 기쁘다.
- We are so happy **to win** the game. 우리는 게임에 이겨서 매우 행복하다.

❹ 결과: '~해서 결국 …하다'
- Jack grew up **to be** a famous singer. Jack은 커서 유명한 가수가 되었다.
- My grandmother lived **to be** ninety years old. 우리 할머니는 아흔 살까지 사셨다.

Answers: p.32

Exercise 1 다음 두 문장을 한 문장으로 만들 때 빈칸에 알맞은 말을 쓰시오.

1 Hazel is a grown-up now. She is a professor.

⇨ Hazel grew up _____ _____ a professor.

2 The kids are happy. They have new toy robots.

⇨ The kids are happy _____ _____ new toy robots.

3 I went to the department store. I needed to buy a new jacket.

⇨ I went to the department store _____ _____ a new jacket.

4 I'm surprised. I heard that Sophie is going to marry him.

⇨ I'm surprised _____ _____ that Sophie is going to marry him.

Exercise 2 다음 문장을 밑줄 친 부분에 유의해서 우리말로 해석하시오.

1 She was happy to see him again.

⇨ _____

2 I stayed up late to finish the work.

⇨ _____

3 Alice grew up to be a good teacher.

⇨ _____

4 She turned on the TV to watch the show.

⇨ _____

Exercise 3 다음 우리말과 같은 뜻이 되도록 괄호 안의 말을 이용해 문장을 완성하시오.

1 나는 아침에 운동을 하기 위해 일찍 일어났다. (exercise, morning)

　⇨ I woke up early _____.

2 우리 할아버지는 여든까지 사셨다. (be, eighty)

　⇨ My grandfather lived _____.

3 그녀는 자라서 영화배우가 되었다. (be, movie star)

　⇨ She grew up _____.

4 그 수학 문제를 풀다니 그녀는 매우 똑똑하다. (solve, math question)

　⇨ She is very smart _____.

5 Jerry는 자신의 이메일을 체크하기 위해 컴퓨터를 켰다. (check, email)

　⇨ Jerry turned on the computer _____.

6 William은 자신의 운전시험을 통과하기 위해 여러 번 연습을 했다. (pass, driving test)

　⇨ William practiced many times _____.

7 저는 이 편지를 항공편으로 부치기 위해 왔습니다. (send)

　⇨ I'm here _____ by air.

8 Anne은 자신의 옛 친구를 만나기 위해 보스턴에 왔다. (see, old)

　⇨ Anne came to Boston _____.

Exercise 4 다음 밑줄 친 to부정사의 쓰임을 〈보기〉에서 골라 그 기호를 쓰시오.

🔍 　　a. 명사적 쓰임	b. 형용사적 쓰임	c. 부사적 쓰임

1 It's time to go to bed. _____

2 I like to swim in the lake. _____

3 He grew up to be a lawyer. _____

4 To take pictures is a lot of fun. _____

5 I have something important to do. _____

6 Would you like something to drink? _____

7 It is very interesting to learn English. _____

8 We were surprised to hear of his failure. _____

9 She went to Italy to visit her grandparents. _____

10 My plan for this holiday is to visit New Zealand. _____

동명사

동명사

「동사원형+-ing」의 형태로, 동사의 의미나 성질을 가지면서 문장에서 주어, 목적어, 보어의 역할을 하며,
'〜하는 것', '〜하기'로 해석한다.

TIPs
동사의 진행형은 「be동사+-ing」의 형태로 '〜하는 중이다'라고 해석하며, 문장에서 동사 역할을 한다.
· **I am living** in New York.
(진행형) 나는 뉴욕에 살고 있다.
· **Living** in New York is my dream.
(동명사) 뉴욕에 사는 것은 내 꿈이다.

❶ 주어 역할
· **Swimming** is very fun. 수영하는 것은 아주 재미있다.
· **Speaking** French is not easy. 프랑스어를 하는 것은 쉽지 않다.
· **Running** after Rachel was difficult. Rachel을 뒤쫓는 것은 어려웠다.

❷ 보어 역할
· My hobby is **collecting** dolls. 내 취미는 인형 모으기이다.
· Our dream is **making** a better world. 우리의 꿈은 더 좋은 세상을 만드는 것이다.
· Your job is **babysitting**, not **chatting** on the phone. 너의 임무는 애기를 돌보는 것이지 전화로 잡담하는 게 아니라고.

❸ 동사의 목적어 역할
· Please stop **bothering** me. 제발 나를 귀찮게 하지 마.
· Henry enjoys **talking** with his friends. Henry는 친구들과 이야기하는 것을 즐긴다.
· Most kids really like **having** fast food. 대부분의 아이들은 패스트푸드를 먹는 것을 정말 좋아한다.

❹ 전치사의 목적어 역할
· Thank you for **inviting** me. 나를 초대해 주셔서 고마워.
· James is good at **fixing** things. James는 물건을 잘 고친다.
· It rained for two days without **stopping**. 비가 그치지 않고 이틀 동안 내렸다.

Answers: p.32

Exercise 1 다음 밑줄 친 동명사의 쓰임과 같은 것을 〈보기〉에서 골라 쓰시오.

🔍 a. I am afraid of being alone.
b. Raising a child is not an easy job.
c. My worst habit is shaking my legs.
d. I love talking on the phone with my friends.

1 His job is selling cars. _____

2 I'm sorry for being late. _____

3 We enjoy playing tennis. _____

4 Are you good at taking pictures? _____

5 Having a good friend is a true blessing. _____

6 Reading books helps us learn new things. _____

7 Her new hobby is cooking Japanese food. _____

8 After the class, they began cleaning the classroom. _____

Exercise 2 다음 괄호 안의 주어진 동사를 동명사로 바꿔 문장을 완성하시오.

1 _____ a truck is not easy. (drive)

2 I'm interested in _____ the poor. (help)

3 _____ in front of people makes me nervous. (dance)

4 Thank you for _____ to my party. (come)

5 _____ a car is not as simple as fixing a bike. (fix)

Exercise 3 다음 〈보기〉에서 알맞은 동사를 골라 동명사의 형태로 바꿔 문장을 완성하시오.

🔍 write	solve	collect	bite	watch	swim

1 Her bad habit is _____ her nails.

2 Tom's hobby is _____ old coins.

3 Sam enjoys _____ football games.

4 _____ in deep water is dangerous.

5 Mr. Jefferson is good at _____ puzzles.

6 I should finish _____ the report by tomorrow.

Exercise 4 다음 우리말과 같은 뜻이 되도록 주어진 말을 배열하여 문장을 완성하시오.

1 나는 공 던지기를 잘한다. (a ball, throwing, am, at, good, I)

　⇨ _____

2 Chuck은 밤에 별 보는 것을 즐긴다. (stars, enjoys, watching, at night, Chuck)

　⇨ _____

3 영어 공부하는 것은 나를 행복하게 만든다. (studying, English, me, makes, happy)

　⇨ _____

4 내 직업은 외국인에게 한국어를 가르치는 것이다. (to foreigners, teaching, my job, Korean, is)

　⇨ _____

5 수업 시간에 휴대폰을 쓰는 것은 좋은 생각이 아니다. (your cell phone, using, in class, a good idea, not, is)

　⇨ _____

9-5 to부정사와 동명사

☐ to부정사를 목적어로 취하는 동사: want, decide, hope, wish, promise, expect, plan ...
- I want **to know** what happened. 나는 무슨 일이 일어났는지 알고 싶다.
- Lucy decided **to go** abroad next month. Lucy는 다음 달에 해외에 가기로 결심했다.

☐ 동명사를 목적어로 취하는 동사: enjoy, finish, mind, keep, avoid, give up, consider ...
- We kept **walking** along the street. 우리는 그 길을 따라 계속 걸었다.
- Do you mind **closing** the door? 문을 닫아도 괜찮습니까?

☐ to부정사와 동명사를 모두 목적어로 취하는 동사: like, love, hate, begin, start ...
- Ben started **to jump** with joy. Ben은 기뻐서 날뛰기 시작했다.
  = Ben started **jumping** with joy.
- My brother hates **to get** wet. 내 남동생은 젖는 것을 싫어한다.
  = My brother hates **getting** wet.

☐ to부정사와 동명사를 모두 목적어로 취하지만, 의미가 달라지는 동사: stop, remember, forget, try ...

stop+to부정사: ~하기 위해 멈추다 stop+-ing: ~하던 것을 멈추다	remember+to부정사: ~할 것을 기억하다 remember+-ing: ~했던 것을 기억하다
forget+to부정사: ~할 것을 잊다 forget+-ing: ~했던 것을 잊다	try+to부정사: ~을 하려고 노력하다 try+-ing: ~을 (시험삼아) 해 보다

- She stopped **to pick** strawberries. 그녀는 딸기를 따기 위해서 멈췄다. (to부정사의 부사적 쓰임)
- She stopped **picking** strawberries. 그녀는 딸기 따는 것을 멈췄다.

- I forgot **to buy** tickets. 나는 표를 사야 한다는 것을 잊었다.
- I forgot **buying** a ticket and bought another ticket again. 나는 표를 산 것을 잊고서 또 다시 표를 구입했다.

- John tried **to solve** the math puzzle. John은 그 수학 퍼즐을 풀려고 노력했다.
- John tried **solving** the math puzzle. John은 그 수학 퍼즐을 시험 삼아 풀어 보았다.

Answers: p.32

Exercise 1 다음 괄호 안에서 알맞은 것을 <u>모두</u> 고르시오.

1 Stop (to talk / talking) and listen to me.

2 I like (to take / taking) a walk after dinner.

3 They finished (to paint / painting) the fence.

4 They agreed (to accept / accepting) our idea.

5 Suddenly, the man began (to laugh / laughing) loudly.

6 Don and I want (to travel / traveling) around the world.

7 My father enjoys (to play / playing) golf on weekends.

8 Do you mind (to open / opening) the window? It's a little hot here.

Exercise 2 다음 〈보기〉에서 알맞은 동사를 골라 to부정사나 동명사로 바꿔 문장을 완성하시오.

🔍	travel	smoke	sell	master	have	see

1 We hope _____ you in London.

2 Jamie enjoys _____ around the world.

3 We decided _____ a party this Saturday.

4 I don't expect _____ French in a short time.

5 She wants her father to give up _____ cigarettes.

6 Tim wants _____ his old car. He needs a new one.

Exercise 3 다음 밑줄 친 부분을 어법상 바르게 고쳐 쓰시오.

1 We're almost there. Keep to walk. ⇨ _____

2 She didn't give up to study English. ⇨ _____

3 I promised keeping the secret for her. ⇨ _____

4 Everyone wants looking nice these days. ⇨ _____

5 Do you mind to turn off the air-conditioning? ⇨ _____

Exercise 4 다음 우리말과 같은 뜻이 되도록 주어진 동사를 이용하여 문장을 완성하시오.

1 나는 그와 춤추기를 꺼리지 않는다. (dance)

   ⇨ I don't _____ with him.

2 Nick은 좋은 아들이 되기로 결심했다. (become)

   ⇨ Nick _____ a good son.

3 Michael은 전화를 받으려고 멈췄다. (answer)

   ⇨ Michael _____ the phone.

4 그에게 이 열쇠를 전해 주는 것을 잊지 마. (give)

   ⇨ Don't _____ him this key.

5 우리 모두는 더 나은 성적을 얻기를 원한다. (get)

   ⇨ We all _____ better grades.

6 그녀는 런던에 있는 조부모님을 방문하려고 계획했다. (visit)

   ⇨ She _____ her grandparents in London.

to부정사와 동명사의 관용 표현

to부정사와 동명사의 관용 표현

too+형용사+to부정사 (너무 ~해서 …할 수가 없다)	· The monitor is **too expensive to buy**. 그 모니터는 너무 비싸서 살 수가 없다. · Your bag is **too heavy to carry**. 네 가방은 너무 무거워서 들 수 없다.
형용사+enough+to부정사 (~할 만큼 충분히 …하다)	· He is **rich enough to buy** the coat. 그는 그 코트를 살 만큼 충분히 부유하다. · Bill is **tall enough to touch** the ceiling. Bill은 천장에 닿을 만큼 충분히 키가 크다.
go+-ing (~하러 가다)	· I **go jogging** every morning. 나는 매일 아침 조깅하러 간다. · We **went skiing** last winter. 우리는 지난겨울에 스키 타러 갔다.
How[What] about+-ing (~하는 것이 어때?)	· **How[What] about eating** out tonight? 오늘 밤 외식하는 게 어때? · **How[What] about asking** him for help? 그에게 도움을 구하는 게 어때?
be busy+-ing (~하느라 바쁘다)	· My brother **is busy washing** his car. 우리 형은 세차하느라 바쁘다. · I **was busy working** two jobs. 나는 두 가지 일을 하느라 바빴다.
spend+시간+-ing (~하느라 시간을 보내다)	· They **spent two hours playing** hide-and-seek. 그들은 숨바꼭질하느라 두 시간을 보냈다.
feel like+-ing (~하고 싶다)	· I **feel like having** a cup of coffee. 나는 커피를 한 잔 마시고 싶다.

Answers: p.32

Exercise 1　다음 괄호에서 알맞은 것을 고르시오.

1 How about (to go / going) camping this weekend?

2 I don't feel like (to go / going) to the movies today.

3 We spent so many hours (to play / playing) games.

4 My little sister is too young (to read / reading) books yet.

5 We were so busy (to do / doing) my homework for hours.

6 The theory is easy enough (to understand / understanding).

Exercise 2　다음 우리말과 같은 뜻이 되도록 주어진 단어를 이용하여 문장을 완성하시오.

1 나는 중국 음식이 먹고 싶다. (eat)
⇨ I _____ Chinese food.

2 우리는 시험 공부하느라 바빴다. (study)
⇨ We _____ for the test.

3 방과 후에 도서관에 가는 것이 어때? (go, the library)
⇨ _____ after school?

4 그는 너무 어려서 혼자 밖에 나갈 수 없다. (go out)
⇨ He is _____ alone.

5 그 소년들은 야구를 하느라 너무 많은 시간을 보냈다. (too much time, play baseball)
⇨ The boys _____ .

[01-05] 다음 빈칸에 들어갈 알맞은 말을 고르시오.

01
_____ in the street is dangerous.

① Play
② Plays
③ Played
④ To playing
⑤ Playing

02
Tom left without _____ his dinner.

① finish
② to finish
③ finishes
④ finishing
⑤ finished

03
We all stopped _____ and looked at Principal Monroe.

① talk
② to talk
③ talking
④ talks
⑤ talked

04
We are planning _____ our grandparents this winter.

① visit
② visited
③ visiting
④ to visit
⑤ to visiting

05
Instead of _____ an umbrella, I will put on a raincoat.

① take
② took
③ taking
④ to take
⑤ to taking

[06-07] 다음 빈칸에 공통으로 들어갈 알맞은 말을 고르시오.

06
• My plan for this weekend is _____ swimming.
• You promised _____ to the party with me.

① go
② went
③ to go
④ going
⑤ to going

07
• He keeps _____ fun of me.
• _____ paper planes is her hobby.

① make
② made
③ to make
④ making
⑤ to making

08 다음 두 문장이 같은 뜻이 되도록 빈칸에 들어갈 알맞은 말은?

We were glad because we saw him again.
= We were glad _____ him again.

① see
② saw
③ seen
④ seeing
⑤ to see

09 다음 빈칸에 들어갈 말이 알맞지 않은 것은?

James _____ talking with his friends.

① kept
② liked
③ enjoyed
④ wanted
⑤ finished

10 다음 우리말과 같은 뜻이 되도록 빈칸에 들어갈 알맞은 말은?

나는 수프를 먹어봤는데, 맛이 좋았다.
= I tried _____ the soup and it tasted good.

① eat
② ate
③ eating
④ to eat
⑤ to eating

[11-12] 다음 빈칸에 들어갈 말이 바르게 짝지어진 것을 고르시오.

11
· I decided _____ the friend in need.
· Don't forget _____ the meeting next Friday.

① to help – to attend
② to help – attending
③ helping – to attend
④ helping – attending
⑤ to helping – to attending

12
· This application is easy _____.
· I finally persuaded him to give up _____.

① to use – to smoke
② using – to smoke
③ to use – smoking
④ using – smoking
⑤ to using – smoking

13 다음 우리말과 같은 뜻이 되도록 빈칸에 들어갈 알맞은 말은?

그 강아지들은 너무 어려서 고기를 먹을 수 없다.
= The puppies are _____ meat.

① to young to eat
② too young to eat
③ too young eating
④ enough young to eat
⑤ young enough to eat

[14-15] 다음 중 어법상 바르지 않은 것을 고르시오.

14 ① I want to be a brave police officer.
② She was very happy to get the letter.
③ Daniel studied hard to pass the exam.
④ I don't have special anything to do today.
⑤ He used the Internet to do his homework.

15 ① Teaching English is my job.
② Emma hopes to study medicine in college.
③ We enjoy watching sports on TV.
④ Would you mind to carry this bag?
⑤ Thank you for giving me these flowers.

[16-17] 다음 대화의 빈칸에 들어갈 말이 바르게 짝지어진 것을 고르시오.

16
A I have to go now. I had a lot of fun here.
B I'm happy _____ that. Thank you for _____ to my party.

① hearing – coming   ② hearing – to come
③ to hear – coming   ④ to hear – come
⑤ to hear – to come

17
A Let's go _____.
B I'm sorry. I'm so tired. I feel like _____ home all day long.

① to shop – staying   ② to shop – to staying
③ to shop – to stay   ④ shopping – staying
⑤ shopping – to stay

[18-19] 다음 〈보기〉의 밑줄 친 부분과 쓰임이 다른 것을 고르시오.

18
보기 | I went to his house to fix the computer.

① I'm here to reserve a table.
② He exercised hard to run fast.
③ He loves to ride a motorcycle.
④ I called him to make an appointment.
⑤ I cleaned the house to please my mother.

19
보기 | I still have some work to do.

① I don't have any money to buy a watch.
② Please get me some water to drink.
③ I have nothing to wear to the party.
④ I went to the market to buy some fruit.
⑤ There are many places to visit in Korea.

[20-22] 다음 밑줄 친 부분의 to부정사의 쓰임이 나머지 넷과 다른 하나를 고르시오.

20 ① I want to have a car.
② She likes to play the piano.
③ He comes here to meet me.
④ We started to sing the song.
⑤ Jacob began to study French.

21 ① I have a lot of blue jeans to wear.
② It is difficult to lose ten kilograms.
③ Mr. Baker needs a place to live in.
④ We need some delicious cookies to eat.
⑤ She has an important exam to take today.

22 ① I want to buy something to wear in summer.
② She bought a brush to paint her room.
③ I went to the bakery to buy some bread.
④ The old man went out to take a walk.
⑤ He worked hard to succeed in life.

23 다음 밑줄 친 단어의 쓰임이 나머지 넷과 다른 것은?
① My hobby is writing poems.
② Peter hates cleaning up his room.
③ Please stop running in the hallway.
④ Sue and I are leaving Seoul this week.
⑤ Listening to classical music helps me relax.

24 다음 중 어법상 바르지 않은 것은?
① Let's go skiing this Sunday.
② I feel like drinking something cold.
③ The film was too boring to watch.
④ Ralph was so busy helping his mother.
⑤ We spent too much time to play card games.

25 다음 대화의 밑줄 친 부분 중 어법상 바르지 않은 것은?

> A Do you have anything ① to do this weekend?
> B Well, my sister and I planned ② visiting our uncle this weekend. But we canceled.
> A Then, how about ③ going to the beach with me? I feel like ④ swimming in the sea.
> B Sounds great! Oh, I need a new bathing suit. Let's go ⑤ shopping.

26 다음 두 문장의 뜻이 서로 다른 것은?
① What about watching a movie tonight?
⇒ How about watching a movie tonight?
② My dream is to win an Olympic gold medal.
⇒ I have a dream of winning an Olympic gold medal.
③ Jason is kind enough to help the children.
⇒ Jason is too kind to help the children.
④ She got up and started running again.
⇒ She got up and started to run again.
⑤ I like to go shopping with my friends.
⇒ I like going shopping with my friends.

27 다음 우리말을 영어로 옮긴 것 중 바르지 않은 것은?
① 그들은 수수께끼를 푸는 것에 관심이 있다.
⇒ They are interested in to solve riddles.
② 나는 그 선물을 받고 기뻤다.
⇒ I was happy to receive the present.
③ Rachel은 시험 공부하느라 바쁘다.
⇒ Rachel is busy studying for her exams.
④ 다른 욕실을 사용해 주시겠어요?
⇒ Do you mind using the other bathroom?
⑤ 그는 너무 어려서 운전할 수 없다.
⇒ He is too young to drive a car.

28 다음 두 문장을 하나로 연결할 때 빈칸에 알맞은 말을 쓰시오.

- Ron went to the bookstore.
- Ron wanted to buy a book.
  ⇒ Ron went to the bookstore _____ a book.

29 다음 문장과 같은 뜻이 되도록 빈칸에 알맞은 말을 쓰시오.

We should finish a lot of things by noon.
⇒ We have a lot of things _____ by noon.

30 다음 괄호 안에서 알맞은 것을 모두 고르시오.

- The doctor decided (to take / taking) X-rays.
- She didn't give up (to study / studying) Chinese.
- Do you love (to make / making) model planes?

[31-34] 다음 밑줄 친 부분을 알맞은 형태로 고쳐 쓰시오.

31
A What did you do last weekend?
B We all went camp in the mountain.

_____

32
A How about to take a rest for a few minutes?
B Sounds great.

_____

33
A The boxes are too heavy carry by myself.
B I'll help you.

_____

34
A I am interested in join the reading club.
B Me, too. I like reading books very much.

_____

[35-38] 다음 우리말과 같은 뜻이 되도록 주어진 단어를 이용하여 문장을 완성하시오.

35 나는 의사가 되고 싶다. (be)

⇒ I want _____ a doctor.

36 너는 너의 방 청소하는 것을 끝냈니? (clean)

⇒ Did you finish _____ up your room?

37 그들은 그곳에서 며칠 머물기로 결정했다. (stay)

⇒ They decided _____ there for a few days.

38 그녀는 매일 아침으로 빵을 먹는 것을 지겨워한다. (have)

⇒ She is tired of _____ bread for breakfast every day.

[39-40] 다음 주어진 단어를 이용하여 영작하시오.

39 그는 TV에 나오길 원하지 않았다. (wish, appear, on TV)

⇒ _____

40 나는 뭔가 달콤한 먹을 것이 필요하다. (sweet)

⇒ _____

Answers: p.34

[1-4] 다음 괄호에 주어진 말을 이용하여 대화를 완성하시오.

서술형

1

A Do you want to be a vet?

B Yes, I do. I like _____ animals. (take care of)

2

A Why did you stay up so late last night?

B I stayed up late _____ my science project. (finish)

3

A I watched the new Spider-Man movie. It was really great.

B Really? I _____ it soon. (hope, watch)

4

A What were Liam and Daniel doing at lunch?

B They were working. They _____ phone calls. (busy, make)

5 다음 글의 밑줄 친 부분 중, 어법상 틀린 것은?

수능 대비형

According to a recent survey, Korean students ① spend 11 hours a day on necessary activities such as ② sleeping and eating. They spend 9 hours studying and commuting, and 4 hours ③ do leisure activities. Common leisure activities include ④ spending time on social media, talking with friends, and playing ⑤ an instrument.

* survey: (설문) 조사
** commute: 통근하다
*** instrument: 악기, 도구

Chapter 10

전치사

10-1 장소를 나타내는 전치사 I
10-2 장소를 나타내는 전치사 II
10-3 방향을 나타내는 전치사 I
10-4 방향을 나타내는 전치사 II
10-5 시간을 나타내는 전치사 I
10-6 시간을 나타내는 전치사 II
10-7 시간을 나타내는 전치사 III
10-8 기타 주요 전치사
Review Test
보너스 유형별 문제

장소를 나타내는 전치사 I

◻ 전치사: 명사나 대명사 앞에 쓰여 장소, 방향, 시간 등을 나타내는 말이다.

◻ 장소를 나타내는 전치사 in, at, on

in the box

at the desk

on the table

in	~ 안에	– 비교적 넓은 장소(도시, 국가 등) – 공간 내부(탈것, 건물 등)	**in** Korea, **in** Seoul, **in** the building, **in** the world, **in** the pocket, **in** the box ...
at	~에	– 비교적 좁은 장소 – 하나의 지점	**at** the corner, **at** the door, **at** school, **at** the bus stop, **at** the airport, **at** the desk ...
on	~ 위에	– 표면상에 닿은 상태(벽, 바닥 등)	**on** the wall, **on** the ground, **on** the table ...

· I live **in** Seoul. 나는 서울에 산다.
· The ball is **in** the basket. 공이 바구니 안에 있다.
· Let's meet **at** the library. 도서관에서 만나자.
· They were **at** home last night. 그들은 어젯밤에 집에 있었다.
· There is a book **on** the desk. 책상 위에 책이 한 권 있다.

> **TIPs**
> 전치사는 목적어(명사, 대명사, 명사의 기능을 하는 어구)를 반드시 동반한다.
> · A cat is sitting **on** the sofa.
> 고양이 한 마리가 소파 위에 앉아 있다.

Answers: p.35

Exercise 1 다음 그림을 보고, 빈칸에 알맞은 전치사를 쓰시오.

①  ②  ③   ④

1 The books are _____ my backpack.

2 I met a cute boy _____ the bus stop.

3 He put the ball _____ the table.

4 My grandparents live _____ China.

Exercise 2 다음 문장의 빈칸에 알맞은 전치사를 쓰시오.

1 Turn right _____ the corner.

2 The clock is _____ the wall.

3 There was water _____ the floor.

4 Will the children be _____ home tonight?

5 There is a little puppy _____ the box.

6 My brother is staying _____ England.

📖 장소를 나타내는 전치사 under, over

under the table

over the roof

under	~ 아래에(표면에서 떨어진 상태)	· The dog is hiding **under** the table. 그 개는 탁자 아래에 숨어 있다.
over	~ 위에(표면에서 떨어진 상태)	· Two little birds are flying **over** the roof. 두 마리의 작은 새가 지붕 위로 날아가고 있다.

📖 장소를 나타내는 전치사 in front of, behind, next to, between

in front of	~ 앞에	· There is a car **in front of** your house. 너희 집 앞에 차가 한 대 있다.
behind	~ 뒤에	· There is an old tree **behind** the building. 그 건물 뒤에 오래된 나무가 한 그루 있다.
next to (= by, beside)	~ 옆에	· He was standing **next to[by, beside]** the door. 그는 문 옆에 서 있었다.
between	~ 사이에	· The post office is **between** the two buildings. 우체국은 그 두 건물 사이에 있다. · Joseph is sitting **between** his mother **and** father. Joseph은 그의 어머니와 아버지 사이에 앉아 있다.

Answers: p.35

Exercise 1 다음 그림을 보고, 빈칸에 알맞은 전치사를 〈보기〉에서 골라 쓰시오.

🔍	over	under	in front of	next to

1   A cat is sleeping _____ the chair.

2   A student is standing _____ the bus stop.

3   There are two bridges _____ the river.

4   There is a postbox _____ the building.

Exercise 2 다음 우리말과 같은 뜻이 되도록 빈칸에 알맞은 전치사를 쓰시오.

1 저 피아노 뒤에 있는 소녀는 누구니?
⇨ Who's the girl _____ the piano?

2 벽 옆에 이상한 차 한 대가 있다.
⇨ There is a strange car _____ the wall.

3 저 두 집 사이에 울타리가 있다.
⇨ There is a fence _____ those two houses.

4 나는 Sam의 머리 위로 부메랑을 던졌다.
⇨ I threw the boomerang _____ Sam's head.

5 내 생각에 네 휴대 전화는 침대 밑에 있는 것 같아.
⇨ I think that your cell phone is _____ the bed.

6 큰 나무 아래에 몇몇의 노인들이 쉬고 있다.
⇨ Some elderly men are resting _____ the big tree.

7 오래된 나무 책상이 창문 앞에 있었어.
⇨ There was an old wooden desk _____ the window.

8 그 종합병원은 Jefferson가(街)와 7번가(街)의 교차점에 있다.
⇨ The general hospital is _____ Jefferson St and 7th Ave.

Exercise 3 다음 우리말과 같은 뜻이 되도록 주어진 단어를 배열하여 문장을 완성하시오.

1 컴퓨터는 책상 옆에 있다. (the desk, next to, the computer, is)
⇨ _____

2 의자 아래에 공이 하나 있다. (the chair, is, a ball, there, under)
⇨ _____

3 산 위로 짙은 구름이 있다. (over, there, heavy clouds, the mountain, are)
⇨ _____

4 나는 덤불 뒤에서 너의 고양이를 찾았다. (your cat, found, behind, I, the bush)
⇨ _____

5 한 예쁜 소녀가 내 앞에 앉아 있었다. (in front of, a pretty girl, me, was sitting)
⇨ _____

6 그 가게는 은행과 빵집 사이에 있다. (the bank, the bakery, between, the shop, is, and)
⇨ _____

장소를 나타내는 전치사 up, down

	up	~ 위로	· Amy is going **up** the stairs. Amy는 계단을 올라가고 있다.
	down	~ 아래로	· Jack is going **down** the stairs. Jack은 계단을 내려가고 있다.

장소를 나타내는 전치사 into, out of

	into	~ 안으로	· Tim is going **into** the building. Tim은 건물 안으로 들어가고 있다.
	out of	~ 밖으로	· Wendy is coming **out of** the building. Wendy는 건물 밖으로 나오고 있다.

Answers: p.35

Exercise 1 다음 그림을 보고, 빈칸에 알맞은 전치사를 쓰시오.

❶    ❷    ❸    ❹

1 The bird flew _____ the cage.

2 She is walking _____ the steps.

3 The boys ran _____ the classroom.

4 Jake and Mindy are hiking _____ the mountain.

Exercise 2 다음 우리말과 같은 뜻이 되도록 빈칸에 알맞은 전치사를 쓰시오.

1 Jim과 Sam은 언덕을 달려 올라갔다.
   ⇨ Jim and Sam ran _____ the hill.

2 Emily는 사다리를 내려오는 중이다.
   ⇨ Emily is climbing _____ the ladder.

3 군인들이 그 성 밖으로 행진해 나왔다.
   ⇨ The soldiers marched _____ the castle.

4 그 소년들과 소녀들은 박물관으로 걸어 들어간다.
   ⇨ The boys and girls are walking _____ the museum.

10-4 방향을 나타내는 전치사 II

방향을 나타내는 전치사 along, across, around, through

along the road **across** the road **around** the Earth **through** the window

along	~을 따라	· He ran **along** the riverside. 그는 강변을 따라서 달렸다.
across	~을 가로질러	· She passed **across** the road. 그녀는 길을 가로질러 지나갔다.
around	~ 주위로	· The bus goes **around** the city. 그 버스는 도시를 순환한다.
through	~ 통하여	· The train is passing **through** a tunnel. 기차가 터널을 통과하고 있다.

방향을 나타내는 전치사 from, to

from	~로부터, ~에서 (출발 지점)	· John came **from** New York. John은 뉴욕에서 왔다.
to	~로, ~에 (도착 지점)	· Bill went **to** the station. Bill은 역으로 갔다.

Answers: p.35

Exercise 1 다음 우리말과 같은 뜻이 되도록 빈칸에 알맞은 전치사를 쓰시오.

1 우리는 차를 몰고 마을을 통해서 지나갔다.
⇨ We drove _____ the village.

2 지구는 태양 주위를 돈다.
⇨ The Earth travels _____ the Sun.

3 버스정류장은 길 바로 건너편에 있다
⇨ The bus stop is just _____ the street.

4 많은 영어 단어는 라틴어에서 비롯되었다.
⇨ Many English words come _____ Latin.

5 Randy는 그 넓은 강을 수영해 건너가고 있다.
⇨ Randy is swimming _____ the wide river.

6 너는 기차역으로 가는 길을 아니?
⇨ Do you know the way _____ the station?

7 많은 사람들이 해변을 따라 걷고 있다.
⇨ Many people are walking _____ the beach.

8 Jay는 자전거를 타고 숲을 통과했다.
⇨ Jay got on his bicycle and passed _____ the forest.

10-5 시간을 나타내는 전치사 I

📖 **시간을 나타내는 전치사 in, at, on**

in	비교적 긴 시간(세기, 계절, 연도, 월 등), 하루의 때	in the 21st century, in April, in summer, in 2023, in the morning ...
at	구체적인 시각, 특정 시점	at 7 o'clock, at noon, at night, at midnight, at the end of this year, at lunchtime ...
on	요일, 날짜, 특정한 날	on Monday, on January 1st, on Thanksgiving Day, on my birthday, on Sunday morning ...

· I get up early **in** the morning. 나는 아침 일찍 일어난다.
· My father bought the car **in** 2022. 우리 아버지는 그 차를 2022년에 샀다.
· The shop closes **at** 9:30. 그 가게는 9시 30분에 문을 닫는다.
· Come to my office **at** noon. 정오에 내 사무실로 와.
· They don't work **on** Sundays. 그들은 일요일에는 일하지 않는다.
· I first met Jason **on** December 18th, 2020. 나는 2020년 12월 18일에 Jason을 처음 만났다.

> **TIPs**
> 아침, 점심, 저녁은 in the morning/afternoon/evening으로 표현하지만, 특정 요일의 아침, 점심, 저녁은 전치사 on을 이용해 나타낸다.
> on Sunday morning
> on Saturday evening
> on Monday afternoon

Answers: p.35

Exercise 1 다음 괄호 안에서 알맞은 것을 고르시오.

1   I always eat lunch (at / on / in) noon.

2   It rains a lot (at / on / in) June and July in Korea.

3   We have four lessons (at / on / in) the afternoon.

4   World War II broke out (at / on / in) 1939.

5   I usually leave home for school (at / on / in) 8 o'clock.

6   Americans and Canadians eat turkey (at / on / in) Thanksgiving Day.

Exercise 2 다음 밑줄 친 부분을 어법에 맞게 고쳐 쓰시오.

1   We go to church <u>in</u> Sundays. ⇒ _____

2   Let's meet <u>in</u> Friday evening. ⇒ _____

3   I heard a scream <u>on</u> midnight. ⇒ _____

4   I love the colorful leaves <u>on</u> Fall. ⇒ _____

5   My little sister goes to bed <u>in</u> 10. ⇒ _____

6   He often gets up late <u>at</u> the morning. ⇒ _____

7   I graduated from high school <u>at</u> 2020. ⇒ _____

8   People give and receive presents <u>at</u> Christmas Day. ⇒ _____

Exercise 3 다음 문장의 빈칸에 알맞은 전치사를 쓰시오.

1 The train leaves _____ 7:30.

2 He plays soccer _____ night.

3 We have a lot of snow _____ winter.

4 They don't go fishing _____ January.

5 Kate gets up early _____ the morning.

6 What did you do _____ February 17th?

7 I spend time with my family _____ Sundays.

8 My mother usually gets up _____ 6 o'clock.

9 The shopping mall opened _____ 2022.

10 My grandmother usually takes a walk _____ the afternoon.

Exercise 4 다음 우리말과 같은 뜻이 되도록 문장을 완성하시오.

1 점심시간은 매일 정오에 시작한다.

⇨ Lunchtime starts _____ _____ every day.

2 우리 모두는 일요일 아침에 하이킹을 간다.

⇨ We all go on a hike _____ _____ _____ .

3 그녀의 정원은 봄이면 아름다운 꽃으로 가득하다.

⇨ Her garden is full of beautiful flowers _____ _____ .

4 나는 12월에 친구들과 뉴욕을 여행할 것이다.

⇨ I'll travel to New York with my friends _____ _____ .

5 Jamie는 3월 2일에 새로운 일을 시작한다.

⇨ Jamie is starting his new job _____ _____ _____ .

6 우리 학교는 아침 9시에 시작한다.

⇨ Our school begins _____ _____ _____ in the morning.

7 그는 저녁에 주로 컴퓨터 게임을 한다.

⇨ He usually plays computer games _____ _____ _____ .

8 Jake와 나는 내 생일에 영화를 보러 갈 것이다.

⇨ Jake and I are going to the movies _____ _____ _____ .

10-6 시간을 나타내는 전치사 Ⅱ

시간을 나타내는 전치사 for, during

for	구체적 숫자 앞에 쓴다	· I stayed in Paris **for** three months. 나는 3개월 동안 파리에 머물렀다. · He was standing in the rain **for** two hours. 그는 빗속에서 두 시간 동안 서 있었다.
during	특정 기간을 나타내는 명사 앞에 쓴다.	· We visited my uncle's **during** summer vacation. 우리는 여름 방학 동안 삼촌 댁을 방문했다. · The children looked bored **during** the ceremony. 아이들은 그 행사가 진행되는 동안 지루해 보였다.

시간을 나타내는 전치사 before, after

before	~ 전에	· Don't eat ice cream **before** dinner. 저녁 식사 전에 아이스크림을 먹지 마라. · I was very nervous **before** the exam. 나는 시험 전에 매우 긴장했다.
after	~ 후에	· **After** a few minutes, she fell asleep. 몇 분이 지난 후에 그녀는 잠이 들었다. · They went out for coffee **after** the meeting. 그들은 회의 후에 커피를 마시러 나갔다.

Answers: p.35

Exercise 1 다음 괄호 안에서 알맞은 것을 고르시오.

1 They stayed in Venice (for / during) five days.

2 He didn't say a word (for / during) the meal.

3 Anne watched TV (for / during) four hours last night.

4 He was eating a lot of popcorn (for / during) the movie.

Exercise 2 다음 우리말과 같은 뜻이 되도록 괄호 안의 단어를 이용해 문장을 완성하시오.

1 나는 1시간 후에 도서관에 갔다. (hour)

⇨ I went to the library _____.

2 우리는 마감 전에 그 프로젝트를 끝냈다. (the deadline)

⇨ We finished the project _____.

3 여름 동안 Hanson 씨의 가족은 어디에 있었니? (the summer)

⇨ Where were the Hansons _____?

4 Josh는 매일 퇴근 후에 운동하러 간다. (work)

⇨ Josh goes to gym _____ every day.

5 너는 점심 전에 집으로 돌아와야 한다. (lunch)

⇨ You should come back home _____.

시간을 나타내는 전치사 III

□ 시간을 나타내는 전치사 around, from

around	'~ 무렵에'라는 의미로, 대략적인 시점을 나타낸다.
from	'~부터'라는 의미로, 시작 시점을 나타낸다.

· We have breakfast **around** seven. 우리는 7시경에 아침을 먹는다.
· I will work hard **from** now on. 나는 지금부터 열심히 일할 것이다.

□ 시간을 나타내는 전치사 until, by

until	~까지	일정 기간 계속된 동작이 끝나는 시점
by		일회성 동작이나 상태가 끝나는 시점

TIPs
「from ~ to[until] …」은 '~부터 …까지'라는 의미이다.
· We are at school **from** 9 **to[until]** 4. 우리는 9시부터 4시까지 학교에 있다.

· Angela lived in Germany **until** last year. Angela는 작년까지 독일에 살았다.
· The concert ticket is valid **until** December. 콘서트표는 12월까지 유효하다.
· The project needs to be ready **by** this Friday. 그 프로젝트는 이번 주 금요일까지 준비되어야 한다.
· We should be back to school **by** noon. 우리는 정오까지 학교로 돌아가야 한다.

Answers: p.36

Exercise 1 다음 괄호 안에서 알맞은 것을 고르시오.

1 Steve was up (until / by) 12 last night.

2 Please visit my office (from / around) 7.

3 The grocery store is open from 10 (until / by) 5.

4 They lived in China (from / until) 2020 to 2022.

5 My father leaves home for work (from / around) 7:30.

6 You should finish your homework (until / by) tomorrow.

Exercise 2 다음 우리말과 같은 뜻이 되도록 문장을 완성하시오.

1 Jackson 씨 가족은 2021년까지 일본에 살았다.
   ⇨ The Jacksons lived in Japan _____ _____ .

2 오후 4시경에 여기서 다시 만나자.
   ⇨ Let's meet again here _____ _____ in the afternoon.

3 숙제를 2시까지 끝낼 수 있겠니?
   ⇨ Can you finish your homework _____ _____ ?

4 그 학생들은 월요일부터 토요일까지 학교에 간다.
   ⇨ Students go to school _____ _____ _____ _____ .

5 그 음악회의 표는 다음 주까지 할인 판매한다.
   ⇨ Tickets for the concert are on sale _____ _____ _____ .

기타 주요 전치사 with, without, about, like, by

with	~와 함께 ~를 가지고(도구)	· Can I come **with** you? 내가 너와 함께 가도 될까? · I cut the meat **with** a knife. 나는 칼로 고기를 썰었다.
without	~ 없이	· I cannot see anything **without** my glasses. 나는 안경 없이는 아무것도 볼 수 없다.
about	~에 대해	· Do you know anything **about** skydiving? 스카이다이빙에 관해 아는 것이 있으세요?
like	~와 같이, ~처럼	· He wants to fly high **like** a bird. 그는 새처럼 하늘 높이 날고 싶어 한다.
by	~로, ~을 타고 (교통수단)	· My mom goes to work **by** subway. 우리 엄마는 지하철을 타고 출근하신다.

Answers: p.36

Exercise 1   다음 괄호 안에서 알맞은 것을 고르시오.

1   People can't live (by / without) air.

2   They were talking (until / about) me.

3   My children go to school (by / with) bus.

4   You are so much (about / like) your father.

5   I saw the car accident (with / about) my own eyes.

Exercise 2   다음 우리말과 같은 뜻이 되도록 주어진 말을 이용하여 문장을 완성하시오.

1   그는 우유가 들어가지 않은 커피를 원한다. (milk)
⇒ He wants his coffee _____ _____.

2   대부분의 아이들은 동물에 대한 호기심이 많다. (animals)
⇒ Most children are curious _____ _____.

3   그는 포크로 국수를 먹고 있다. (fork)
⇒ He is eating noodles _____ _____ _____.

4   많은 사람들이 기차로 여행하는 것을 좋아한다. (train)
⇒ A lot of people enjoy traveling _____ _____.

5   Julie는 나에게 매우 친절했다. 그녀는 천사 같았다. (angel)
⇒ Julie was so nice to me. She was _____ _____ _____.

6   나의 단짝 친구와 태국으로 짧은 여행을 다녀왔다. (best friend)
⇒ I took a short trip to Thailand _____ _____ _____.

[01-04] 다음 빈칸에 들어갈 알맞은 말을 고르시오.

01
Summer vacation starts _____ July.

① in   ② on
③ at   ④ by
⑤ of

02
Normally, bats do not sleep _____ night.

① with   ② over
③ for   ④ at
⑤ about

03
Jessy took a nap for an hour _____ lunch.

① in   ② on
③ after   ④ for
⑤ by

04
Mr. Bacon lived in London _____ eleven years.

① in   ② during
③ under   ④ from
⑤ for

05 다음 빈칸에 공통으로 들어갈 알맞은 말은?

• They are going to meet at the same place _____ April 11th.
• The photos _____ the wall are not mine. They are my sister's.

① in   ② on
③ to   ④ for
⑤ at

06 다음 빈칸에 들어갈 말이 바르게 짝지어진 것은?

This plane is flying _____ New York _____ Boston.

① between – to   ② from – to
③ from – until   ④ into – for
⑤ into – to

[07-08] 다음 빈칸에 들어갈 수 <u>없는</u> 말을 고르시오.

07
There is an old tree _____ the school.

① by   ② behind
③ in front of   ④ between
⑤ next to

08
Who are the boys _____ the tree?

① in   ② by
③ around   ④ until
⑤ under

[09-10] 다음 우리말과 같은 뜻이 되도록 빈칸에 들어갈 알맞은 말을 고르시오.

09
우리 오전 10시쯤에 만나는 거 어떠니?
= Why don't we get together _____ 10 in the morning?

① to   ② from
③ over   ④ around
⑤ into

10
Monica는 요리 수업을 5년 동안 들었다. 그녀는 지금 훌륭한 요리사이다.
= Monica took a cooking class _____ five years. She is now a good cook.

① during   ② for
③ at   ④ in
⑤ on

[11-13] 다음 빈칸에 들어갈 말이 바르게 짝지어진 것을 고르시오.

11
I waited for him _____ two hours. But he didn't show up _____ 4 p.m.

① for – during ② during – by
③ during – until ④ for – until
⑤ at – at

12
She worked at a bank _____ the bicycle accident last year. _____ the accident, she quit her job.

① before – During ② until – After
③ for – From ④ for – Until
⑤ during – By

13
The player kicked the ball, and it flew _____ the net. The ball was too fast to catch. The goalkeeper was just standing _____ the net.

① in – over ② in – up
③ out of – next to ④ into – for
⑤ into – in front of

[14-16] 다음 대화의 빈칸에 들어갈 알맞은 말을 고르시오.

14
A How do you go to school?
B I usually go to school _____ bus.

① for ② with
③ by ④ to
⑤ in

15
A What just happened?
B A rabbit just ran _____ the hole.

① on ② with
③ at ④ into
⑤ between

16
A Where is the restroom?
B Just go _____ the hallway and turn left. Then you will see it.

① on ② with
③ at ④ from
⑤ along

[17-20] 다음 빈칸에 들어갈 말이 나머지 넷과 <u>다른</u> 것을 고르시오.

17 ① I hung the picture _____ the wall.
② My brother put all his toys _____ the bag.
③ Adrian found a needle _____ the floor.
④ The result will come out _____ April 23rd.
⑤ I'll play tennis with Andrew _____ Sunday.

18 ① The Statue of Liberty is _____ New York.
② Many people are gathering _____ the yard.
③ The final match starts _____ 1 p.m.
④ She will go on a trip to Paris _____ March.
⑤ He takes a tennis lesson _____ the morning.

19 ① May I stay here _____ tomorrow?
② I saw her standing _____ the window.
③ I have to send this package _____ Friday.
④ He'll be back _____ the end of this week.
⑤ Young children must be in bed _____ 9 p.m.

20 ① I waited for you _____ an hour.
② My mother kept silent _____ the meal.
③ _____ the summer season, all the hotels are full.
④ I studied math _____ this week after school.
⑤ We went to Hawaii _____ the summer vacation.

21 다음 빈칸에 공통으로 들어갈 알맞은 말은?

> The Ace Department Store will have a sale _____ 10 a.m until 8 p.m. It is far _____ my house. I'm going there by bus.

① on ② by
③ from ④ with
⑤ until

22 다음 밑줄 친 like의 쓰임이 나머지 넷과 다른 하나는?

① She is singing <u>like</u> a singer.
② Put your hands up <u>like</u> this.
③ How would you <u>like</u> your coffee?
④ The man cried out <u>like</u> an animal.
⑤ Your mom has beautiful eyes just <u>like</u> yours.

[23-25] 다음 중 어법상 바르지 않은 것을 고르시오.

23 ① Sign here by this pen.
② I often feel sleepy in spring.
③ Bill can't see without his glasses.
④ I bought a book about traveling tips.
⑤ Every amusement park is full of people on Children's Day.

24 ① A lamp was hanging over the table.
② His family is living under the bridge.
③ You should come back before dinner.
④ He went out and shut the door behind him.
⑤ Laura often goes swimming with her friends at summer.

25 ① The plane is flying on the mountain.
② The movie is about a man and his dog.
③ Jack was climbing the tree then.
④ He is now standing in front of my house.
⑤ The railway runs through a tunnel.

26 다음 대화의 빈칸에 들어갈 말이 바르게 짝지어진 것은?

> A How about going to the movies tonight?
> B That sounds great.
> A Then, let's meet _____ the bus stop _____ 6:30.

① at – in ② in – on
③ for – in ④ on – at
⑤ at – at

27 다음 우리말을 영어로 바르게 옮긴 것은?

> 너는 내일까지 리포트를 제출해야 한다.

① You must hand in the report until tomorrow.
② You must hand in the report by tomorrow.
③ You must hand in the report in tomorrow.
④ You must hand in the report on tomorrow.
⑤ You must hand in the report for tomorrow.

28 다음 그림과 일치하지 않는 것은?

① A man is walking his dog.
② The bookstore is beside the restaurant.
③ There is a crosswalk in front of the library.
④ Some people are walking across the road.
⑤ The bank is between the bookstore and the library.

29 다음 두 문장이 같은 뜻이 되도록 빈칸에 알맞은 말을 쓰시오.

I washed the dishes after dinner.
⇒ I had dinner _____ washing the dishes.

30 다음 빈칸에 공통으로 들어갈 알맞은 말을 쓰시오.

• My uncle will come here _____ August.
• There are many spoons and chopsticks _____ the cupboard.

31 다음 빈칸에 들어갈 알맞은 말을 쓰시오.

• When I heard the rumor _____ me, I felt _____ crying.
• Two thieves came into the house _____ the chimney.

[32-35] 다음 우리말과 같은 뜻이 되도록 빈칸에 알맞은 말을 쓰시오.

32 그 일본 식당은 아침 10시부터 자정까지 문을 연다.

⇒ The Japanese restaurant is open _____ 10 a.m. _____ midnight.

33 나는 주차를 한 후에 건물 밖으로 나왔다.

⇒ After I parked the car, I came _____ the building.

34 그 회사는 에펠탑 옆에 큰 호텔을 짓고 있다.

⇒ The company is building a big hotel _____ the Eiffel Tower.

35 그 강아지는 테이블 아래에 개집에서 잠을 자고 있었다.

⇒ The puppy was sleeping _____ the doghouse _____ the table.

[36-38] 다음 빈칸에 들어갈 알맞은 말을 〈보기〉에서 골라 쓰시오.

보기 | like   on   about
      in   over   under

36 I sometimes have a talk with my friends _____ Charlie. We all think that he behaves _____ a child.

37 Why don't we go to the movies _____ Christmas Day? There is a new cinema _____ the shopping mall.

38 I was lying _____ the tree. I saw a kite _____ the tree. My friend, Sean, was flying the kite.

[39-40] 다음 우리말과 같은 뜻이 되도록 빈칸에 알맞은 말을 쓰시오.

39 우리 집 앞에 큰 우체통이 하나 있다.
(a, in front of, big mailbox, my house, there, is)

⇒ _____

40 내 생각과 너의 생각에는 약간의 차이가 있다.
(between, yours, is, a little, difference, my idea, there)

⇒ _____

41 다음 글의 빈칸에 알맞은 말을 〈보기〉에서 골라 쓰시오.

보기 | with   by   in   at

Jimmy gets up _____ 6 o'clock _____ the morning and gets ready for school. Then he has some bread and milk for breakfast. He leaves for school _____ his brother around 7:45. They usually go to school _____ subway.

Answers: p.37

[1-2] 다음 일기를 읽고, 물음에 답하시오.　　　　　　　　　　　　　　　　　　　　 서술형

September 9th, Saturday

It was a terrible day. I had to visit the National Museum ___ⓐ___ my school project. I called Liam, my project partner, and told him to meet me ___ⓑ___ 2 ___ⓒ___ the afternoon. I was waiting for him ___ⓓ___ the museum, but he didn't come. (A) 나는 한 시간 동안 그를 기다렸지만 그는 세 시까지 나타나지 않았다. It wasn't the first time that he was late. He is always late!

1 [보기]에서 빈칸 ⓐ~ⓓ에 알맞은 전치사를 고르시오.

> 보기　　in front of　　　at　　　in　　　for

ⓐ _____　　　　　ⓑ _____

ⓒ _____　　　　　ⓓ _____

2 밑줄 친 (A)를 주어진 단어를 이용하여 영작하시오.

→ I waited for him _____, but he didn't show up _____. (an hour, 3 pm)

3 다음 글의 밑줄 친 부분 중, 어법상 틀린 것은?　　　　　　　　　　　　　 수능 대비형

　　Matthew ① started his history project the night before it was due. He started ② at 8 p.m. and stayed up ③ by 2 in the morning. He was tired the next day and his project had several errors. His teacher noticed right away and told him, "I know you can do ④ better." For future projects, Matthew made sure to start at least two weeks ⑤ before the deadline.

* due: ~하기로 예정된, 마감인
** deadline: 마감일

Chapter 11

접속사

11-1 등위접속사 I

11-2 등위접속사 II

11-3 종속접속사 I

11-4 종속접속사 II

11-5 종속접속사 III

11-6 종속접속사 IV

Review Test

보너스 유형별 문제

⃞ 등위접속사

문법적으로 대등한 역할을 하는 단어, 구, 절 등을 연결하는 말로, and, or, but, so 등이 있다.

· Cats are fast **and** quick. (단어와 단어) 고양이는 빠르고 날렵하다.
· It was not on the desk **but** under the table. (구와 구) 그것은 책상 위가 아니라 탁자 아래에 있었다.
· Do your best, **or** you will be regretful. (절과 절) 최선을 다해라. 그렇지 않으면 후회할 것이다.

⃞ and: '~와', '그리고', '그래서'라는 뜻으로, 둘 이상의 서로 비슷한 것을 연결한다.

· <u>Brie</u> **and** <u>Sam</u> are my best friends. (단어와 단어)
  Brie와 Sam은 나의 단짝 친구들이다.
· She likes <u>drawing a picture</u> **and** <u>singing a song</u>. (구와 구)
  그녀는 그림 그리는 것과 노래 부르는 것을 좋아한다.
· <u>I am doing the dishes</u>, **and** <u>my mom is watering the plants</u>. (절과 절)
  나는 설거지를 하고 있고, 엄마는 화분에 물을 주고 있다.

TIPs 등위접속사가 연결하는 대상이 셋 이상인 경우, 쉼표(,)로 연결하고 마지막 것의 앞에만 접속사를 쓴다.
· I bought a blouse, a skirt, **and** a coat. 나는 블라우스, 치마, 코트를 샀다.

⃞ or: '또는', '혹은'이라는 뜻으로, 여러 대상 중 하나를 선택하는 경우에 쓴다.

· Are you <u>American</u> **or** <u>British</u>? (단어와 단어)
  당신은 미국인입니까, 아니면 영국인입니까?
· I will <u>stay at a hotel</u> **or** <u>at my friend's house</u>. (구와 구)
  나는 호텔에 묵거나 친구 집에서 지낼 것이다.
· <u>Did you go to the movies</u>, **or** <u>were you at the office</u>? (절과 절)
  너는 영화를 보러 갔었니, 아니면 회사에 있었니?

TIPs 「Both A and B」는 'A와 B 둘 다'라는 의미이다.
· **Both** you **and** I are good students. 너와 나 둘 다 좋은 학생이다.

TIPs 「either A or B」는 'A나 B 중 하나'라는 의미이다.
· **Either** you **or** I should go there. 너랑 나 중 한 명이 그곳에 가야 한다.

⃞ 명령문, and / or ~

명령문, and ~ (…해라, 그러면 ~할 것이다)	· Hurry up, **and** you'll get to school in time. 서둘러라. 그러면 학교에 시간 안에 도착할 수 있을 것이다. · Call me, **and** I'll tell you the truth. 전화해라. 그러면 나는 네게 사실을 말할 것이다.
명령문, or ~ (…해라, 그렇지 않으면 ~할 것이다)	· Hurry up, **or** you'll be late for school. 서둘러라. 그렇지 않으면 학교에 늦을 것이다. · Wear your coat, **or** you'll catch a cold. 코트를 입어라. 그렇지 않으면 감기에 걸릴 것이다.

Answers: p.38

Exercise 1 다음 괄호 안에서 알맞은 것을 고르시오.

1 Amy (and / or) I took a walk to the park.

2 Is today Wednesday (and / or) Thursday?

3 Take a taxi, (and / or) you will be late for work.

4 He must be either a teacher (and / or) a professor.

5 Which do you like better, apples (and / or) pears?

6 Visit the website, (and / or) you'll get a discount coupon.

Exercise 2   다음 문장을 읽고, and 또는 or 중 알맞은 것을 쓰시오.

1   그것은 그림이니, 아니면 사진이니?
   ⇨ Is it a painting _____ a photograph?

2   나는 의사나 변호사가 되고 싶다.
   ⇨ I want to be a doctor _____ a lawyer.

3   강당으로 가보아라. 그러면 너는 그를 만날 수 있을 것이다.
   ⇨ Go to the auditorium, _____ you will see him.

4   Amy는 언니 한 명과 남동생 두 명이 있다.
   ⇨ Amy has a big sister _____ two little brothers.

5   너는 텔레비전을 보고 싶니? 아니면 나가서 놀고 싶니?
   ⇨ Do you want to watch TV _____ play outside?

6   나는 친구들을 만나 그들과 함께 야구를 할 것이다.
   ⇨ I'm going to meet my friends _____ play baseball with them.

7   내게 돈을 좀 빌려 줘. 그러면 내일 너에게 돌려줄게.
   ⇨ Lend me some money, _____ I'll give it back to you tomorrow.

Exercise 3   다음 우리말과 같은 뜻이 되도록 〈보기〉에서 알맞은 것을 골라 문장을 완성하시오.

both Jim and Jack	or you will miss the train
both Chinese and German	or you will get wet
either a knife or scissors	and his brother was dancing

1   나에게 칼이나 가위를 갖다 줘.
   ⇨ Get me _____.

2   지금 출발해라, 그렇지 않으면 너는 기차를 놓칠 것이다.
   ⇨ Start now, _____.

3   Billy는 중국어와 독일어를 둘 다 할 수 있다.
   ⇨ Billy can speak _____.

4   우산을 가지고 가라. 그렇지 않으면 너는 비를 맞을 것이다.
   ⇨ Take an umbrella, _____.

5   Nick은 노래를 부르고 있었고, 그의 남동생은 춤추고 있었다.
   ⇨ Nick was singing, _____.

6   나는 Jim과 Jack 둘 다에게 나쁜 행동에 대한 벌을 주었다.
   ⇨ I punished _____ for their bad behavior.

□ **but**: '그러나', '하지만'이라는 뜻으로, 서로 대조되거나 반대되는 것을 연결한다.
- My little brother is bright **but** lazy. (단어와 단어)
  내 남동생은 영리하지만, 게으르다.
- These clothes are a little expensive **but** very nice. (구와 구)
  이 옷들은 조금 비싸지만, 매우 좋다.
- Christine has two sisters, **but** she doesn't have any brothers. (절과 절)
  Christine은 여동생이 두 명 있지만, 남동생은 없다.

□ **so**: '그래서', '그 결과'라는 뜻으로, 원인에 따른 결과를 나타낼 때 쓰인다.
- I overslept this morning, **so** I was late for the meeting.
  원인   결과
  나는 오늘 아침 늦잠을 자서 회의에 늦었다.
- Ken is selfish, **so** everyone doesn't want to be with him.
  원인   결과
  Ken은 이기적이어서 모두가 그와 같이 지내기를 꺼린다.
- The office was very cold, **so** I turned on the heater.
  원인   결과
  사무실이 매우 추워서 나는 히터를 켰다.

> **TIPs**
> 「not A but B」는 'A가 아니라 B'라는 뜻이다.
> - My wallet is **not** red **but** blue.
>   내 지갑은 빨간색이 아니라 파란색이다.

> **TIPs**
> 등위접속사 so는 and, or, but과 달리 절과 절을 연결하는 데만 쓰인다.

Answers: p.38

Exercise 1 다음 우리말과 같은 뜻이 되도록 빈칸에 알맞은 말을 쓰시오.

1 너는 머리가 나쁜 것이 아니라 게으른 것이다.
   ⇒ You are _____ stupid _____ lazy.

2 나는 음악을 좋아해서 음악가가 되고 싶다.
   ⇒ I love music, _____ I want to be a musician.

3 밖이 어두워서 나는 밤이라 생각했다.
   ⇒ It was dark outside, _____ I thought that it was night.

4 Sam은 사과를 좋아하지만, 애플파이는 먹지 않는다.
   ⇒ Sam likes apples, _____ he doesn't eat apple pie.

Exercise 2 다음 우리말과 같은 뜻이 되도록 주어진 말을 이용하여 문장을 완성하시오.

1 그 가방은 아주 괜찮지만, 조금 비싸다. (expensive)
   ⇒ The bag is very nice _____.

2 Cathy는 여권을 잃어버려서 비행기를 탈 수 없었다. (get on, the plane)
   ⇒ Cathy lost her passport, _____.

3 침대가 충분하지 않아서 나는 바닥에서 자야 했다. (sleep on the floor)
   ⇒ There weren't enough beds, _____.

4 Jake의 할아버지는 여든 살이 넘었지만, 여전히 골프를 친다. (play golf)
   ⇒ Jake's grandfather is over 80, _____.

종속접속사

종속접속사는 주절과 종속절을 연결하는 접속사로, 주절의 내용을 보충하는 역할을 한다. 종속접속사가 이끄는 절은 주절의 앞이나 뒤에 올 수 있다.

· He says **that** he is right. 그는 자신이 옳다고 말한다.
　　주절　　　　종속절

· Call me **when** you get this message. 이 메시지를 받으면 내게 연락해.
　　주절　　　　종속절

· **After** I finish all my work for today, I will go shopping.
　　　　종속절　　　　　　　　　　　　　주절

= I will go shopping **after** I finish all my work for today.
　　주절　　　　　　　종속절
나는 오늘 할 일을 다 끝낸 후에 쇼핑을 갈 것이다.

TIPs
종속절이 주절의 앞에 오는 경우, 종속절의 끝에 콤마(,)를 넣어 주절과 구분한다.
· **When** I stepped out of the door, it was raining. 내가 문 밖으로 나왔을 때 비가 내리고 있었다.

Answers: p.38

Exercise 1　다음 문장에서 주절과 종속절을 찾으시오.

1　He showed up after you left.

2　I think that she is right this time.

3　Feel free to call me if you need a hand.

4　After I finished my homework, I had dinner.

5　You should be careful when you cross the road.

6　Before you go to bed, don't forget to turn off the computer.

Exercise 2　다음 우리말과 같은 뜻이 되도록 주어진 단어를 배열하여 문장을 완성하시오.

1　외출하기 전에 창문을 닫는 것을 잊지 마라. (before, go out, you)
⇨ Don't forget to close the window _____.

2　그는 누군가에게 전화한 후에 급히 나갔다. (after, someone, called, he)
⇨ _____, he rushed out.

3　우리가 서로 돕는다면 그 일을 빨리 끝낼 수 있을 것이다. (if, work, we, together)
⇨ _____, we'll finish the project quickly.

4　미팅에 늦어서 Kate는 택시를 타야 했다. (for the meeting, because, was, she, late)
⇨ Kate had to take a taxi _____.

5　Maria는 내 생일 파티에 올 거라고 말했다. (my birthday party, she, that, would, come to)
⇨ Maria said _____.

6　아침에 화창해서 나는 우산을 가져오지 않았다. (it, in the morning, because, was, sunny)
⇨ _____, I didn't bring an umbrella.

11-4 종속접속사 II

시간을 나타내는 절을 이끄는 접속사 when, after, before

❶ when: '~할 때'

· **When** I was young, I had many dreams.
나는 어렸을 때 많은 꿈을 가지고 있었다.

· They were playing video games **when** I entered the room.
내가 방에 들어갔을 때, 그들은 비디오 게임을 하고 있었다.

· She always wears a hat **when** she works in the garden.
그녀는 정원에서 일할 때 항상 모자를 쓴다.

> **TIPs**
> 의문사 when은 '언제'라는 뜻이다.
> · When did you wash the dishes?
> (의문사) 너는 언제 설거지 했니?
> · When I was doing the dishes, the doorbell rang. (접속사) 내가 설거지할 때 초인종이 울렸다.

❷ after: '~한 후에'

· I went to bed **after** I finished my homework. 나는 숙제를 끝마치고 난 후에 잠자리에 들었다.

· **After** Jackie graduated, she became a teacher. Jackie는 졸업을 한 후에 선생님이 되었다.

· Come to the dining table **after** you wash your hands. 손을 먼저 씻고 난 후에 식탁으로 와라.

❸ before: '~하기 전에'

· I did the dishes **before** I went out. 나는 외출하기 전에 설거지를 했다.

· **Before** you go shopping, make a shopping list.
쇼핑을 가기 전에 쇼핑목록을 만들어라.

· We bought some drinks **before** the movie started.
우리는 영화가 시작하기 전에 음료를 샀다.

> **TIPs**
> after와 before는 접속사나 전치사로 모두 쓸 수 있다. after, before 뒤에 명사(구)가 오면 전치사로 쓰인다.

Answers: p.38

Exercise 1 다음 우리말과 같은 뜻이 되도록 빈칸에 알맞은 접속사를 쓰시오.

1 내가 집을 떠날 때 밖은 어두웠다.

⇨ It was dark outside _____ I left my house.

2 나는 출근하기 전에 항상 아침을 먹는다.

⇨ _____ I go to work, I always have breakfast.

3 시험을 보기 전에 심호흡을 해라.

⇨ Take a deep breath _____ you take the test.

4 우리는 점심으로 피자를 먹은 후, 커피를 마셨다.

⇨ _____ we ate pizza for lunch, we had coffee.

5 기차가 떠나기 전에 서둘러 역으로 가자.

⇨ Let's hurry to the station _____ the train leaves.

6 Jonathan은 프랑스에 있을 때 배우였다.

⇨ _____ Jonathan was in France, he was an actor.

7 나는 견학에서 돌아왔을 때 매우 피곤했다.

⇨ I was very tired _____ I returned from the field trip.

8 숙제를 끝내고 난 후 쉬는 게 어떠니?

⇨ Why don't you rest _____ you finish the homework?

Exercise 2 다음 〈보기〉와 같이 두 문장을 주어진 접속사를 이용해 한 문장으로 만드시오.

> 🔍 **I went to the zoo. I saw kangaroos. (when)**
> ⇒ I saw kangaroos _____ when I went to the zoo _____.

1 I felt much better. I took a nap. (after)
   ⇒ _____, I felt much better.

2 You leave for London. Don't forget the camera. (before)
   ⇒ _____, don't forget the camera.

3 My mom first met my dad. She was 25 years old. (when)
   ⇒ My mom first met my dad _____.

4 I met David. I decided to become a soccer player. (after)
   ⇒ I decided to become a soccer player _____.

5 They watched TV for a long time. They went out for dinner. (before)
   ⇒ They watched TV for a long time _____.

6 Samantha was studying. Her father opened the door. (when)
   ⇒ Samantha was studying _____.

Exercise 3 다음 우리말과 같은 뜻이 되도록 주어진 단어를 배열하여 문장을 완성하시오.

1 시간이 날 때 나와 만날 수 있니? (you, when, free, are)
   ⇒ Can you see me _____?

2 어두워지기 전에 우리는 집에 가야 한다. (it, dark, gets, before)
   ⇒ We must go home _____.

3 내가 그에게 전화했을 때 그는 집에 없었다. (I, him, called, when)
   ⇒ _____, he wasn't at home.

4 엄마가 어지럽힌 것을 보기 전에 정돈해라. (before, sees, your mom, it)
   ⇒ Clean up the mess _____.

5 내가 인도에 있을 때 나는 가족들이 무척 보고 싶었다. (when, in India, I, was)
   ⇒ _____, I missed my family so much.

6 우리는 농장에서 소젖을 짠 후에 그 우유를 마실 것이다. (on the farm, milk the cow, we, after)
   ⇒ _____, we'll drink the milk.

종속접속사 III

□ 이유나 원인을 나타내는 절을 이끄는 접속사 because : '~이기 때문에'
- I am so happy **because** I got a present from him. 나는 그에게서 선물을 받아 매우 기쁘다.
- Jim closed the window **because** it was too cold. Jim은 너무 추워서 창문을 닫았다.
- **Because** it was rainy during the vacation, we didn't enjoy ourselves.
  휴가 기간 동안 비가 와서 우리는 휴가를 즐기지 못했다.

□ 조건을 나타내는 절을 이끄는 접속사 if : '만약 ~이라면'
- I will visit you **if** you need help. 네가 도움이 필요하면 내가 너에게 갈게.
- Ask your teacher **if** you have any questions about that.
  그것에 관해 질문이 있으면 선생님께 물어봐라.
- **If** it rains tomorrow, we have to cancel our camping trip.
  만약 내일 비가 온다면 우리는 캠핑을 취소해야 한다.

> **TIPs** 시간과 조건을 나타내는 부사절에서는 현재시제가 미래의 의미를 대신한다.
> - If he **calls** you tonight, ask him what happened.
>   그가 오늘 밤 네게 전화하면 무슨 일이 있었는지 그에게 물어봐.

Answers: p.39

Exercise 1 다음 우리말과 같은 뜻이 되도록 빈칸에 알맞은 접속사를 쓰시오.

1 Kelly는 매우 친절하기 때문에 나는 그녀를 좋아한다.
⇨ I like Kelly _____ she is very kind.

2 비가 오면 그들은 현장 학습을 취소할 것이다.
⇨ _____ it rains, they will cancel the field trip.

3 네가 지금 출발하면 기차를 놓치지 않을 것이다.
⇨ You won't miss the train _____ you leave now.

4 네가 돈이 없다면 내가 조금 빌려 줄게.
⇨ _____ you don't have any money, I'll lend you some.

5 그녀는 매우 바빠서 댄스파티에 갈 수가 없었다.
⇨ She couldn't go to the dance party _____ she was very busy.

Exercise 2 다음 우리말과 같은 뜻이 되도록 주어진 말을 배열하여 문장을 완성하시오.

1 원한다면 그것을 가져도 좋다. (want, if, you)
⇨ You can have it _____.

2 내일 눈이 온다면 나는 집에 있을 것이다. (snows, if, tomorrow, it)
⇨ _____, I will stay home.

3 Chris는 안경을 잃어버려서 아무것도 볼 수 없었다. (his glasses, lost, because, he)
⇨ Chris couldn't see anything _____.

4 나는 오늘 몸이 좋지 않아서 학교를 조퇴했다. (well, I, because, feeling, wasn't)
⇨ I left school early today _____.

명사절을 이끄는 종속접속사 that

종속접속사 that은 '~하는 것'이라는 의미로, 명사절(주어절, 보어절, 목적어절)을 이끈다. 이때 목적어절을 이끄는 that은 생략이 가능하다. 주어로 사용되는 that절은 「It(가주어) ~ that(진주어)」 구문으로 주로 쓴다.

· **That** Max comes from Africa is true. (주어)

= **It** is true **that Max comes from Africa.**
Max가 아프리카에서 왔다는 것은 사실이다.

· The fact is **that** he is honest. (보어) 사실은 그가 정직하다는 것이다.

· I know **(that)** she is right. (목적어) 나는 그녀가 옳다는 것을 안다.

· Did you hear **(that)** Jessy will be leaving soon? (목적어)
너는 Jessy가 곧 떠날 거라는 것을 들었니?

> **TIPs** that의 여러 가지 쓰임
> · Look at **that** girl by the door.
>   (한정사) 문 옆에 있는 저 소녀 좀 봐.
> · **That's** a cool cell phone. (대명사)
>   저것은 멋진 휴대 전화군요.
> · He said **that** the story was not
>   true. (접속사) 그는 그 이야기가 사실이
>   아니라고 말했다.

Answers: p.39

Exercise 1 다음 〈보기〉와 같이 명사절을 이끄는 접속사 that의 자리를 찾아 표시하시오.

🔍 People believe✓Steve is rich.

1 I know he is innocent.

2 Everyone knows Tim is a good runner.

3 I hoped you could do well on your test.

4 She knows we will stay there for five days.

5 Some people think Bella is very polite.

Exercise 2 다음 우리말과 같은 뜻이 되도록 주어진 말을 배열하여 문장을 완성하시오.

1 나는 Jim이 좋은 사람이라고 생각한다. (Jim, good, that, is, a, man)

⇨ I think _____.

2 나는 그 영화가 나쁘다고 생각하지 않는다. (that, is, movie, the, bad)

⇨ I don't think _____.

3 너는 그녀가 외과의사인 것을 알았니? (that, a, is, she, surgeon)

⇨ Did you know _____?

4 우리가 서로 존중해야 한다는 것을 명심해라. (each, respect, should, we, other, that)

⇨ Remember _____.

5 좋은 소식은 우리가 그 대회에서 우승했다는 것이다. (the, we, competition, won, that)

⇨ The good news is _____.

[01-04] 다음 빈칸에 들어갈 알맞은 말을 고르시오.

01
The good news is _____ we can go to the rock concert tonight!

① when   ② after
③ since   ④ because
⑤ that

02
_____ she entered the room, she saw the red carpet.

① If   ② That
③ When   ④ Because
⑤ But

03
We were sleepy _____ the movie was really boring.

① that   ② after
③ but   ④ so
⑤ because

04
Get up early, _____ you will catch the first train.

① but   ② or
③ and   ④ so
⑤ that

05 다음 빈칸에 들어갈 알맞은 말은?

_____ you do not hurry up, you will miss the plane.

① If   ② After
③ When   ④ That
⑤ Because

[06-08] 다음 빈칸에 들어갈 말이 바르게 짝지어진 것을 고르시오.

06
• You can sing well. I want to sing well like you, _____ I can't.
• You can either watch TV _____ listen to music.

① but – and   ② but – or
③ and – or   ④ and – but
⑤ so – or

07
• It was raining heavily, _____ we did not go outside.
• _____ I brush my teeth, I go to bed.

① so – After   ② so – Before
③ but – After   ④ but – Before
⑤ because – When

08
• _____ you drive a car, you should be careful.
• _____ you are late for school again, I will punish you.

① If – That   ② That – If
③ When – Before   ④ When – If
⑤ So – After

09 다음 밑줄 친 so의 쓰임이 어색한 것은?

① The boy likes the dog, <u>so</u> it is cute.
② She is kind, <u>so</u> everybody likes her.
③ I don't have any money, <u>so</u> I can't buy it.
④ Jack got up late, <u>so</u> he was late for school.
⑤ My brother is very young, <u>so</u> he can't go to school.

[10-12] 다음 빈칸에 공통으로 들어갈 알맞은 말을 고르시오.

10
- Everyone thinks _____ Fred is one of the smartest students.
- The truth is _____ I broke my father's favorite vase.

① if ② when
③ that ④ and
⑤ after

11
- _____ he finished the project, he went to London to see his family.
- Why don't we go shopping _____ class?

① if ② that
③ when ④ after
⑤ and

12
- I hurt my leg, _____ I went to see a doctor.
- He lied to me several times, _____ I don't trust him.

① but ② that
③ so ④ because
⑤ if

13 다음 중 밑줄 친 that을 생략할 수 없는 것은?
① We didn't know that he came to the party.
② I hope that everything goes well.
③ I can't believe that he's only 16.
④ This is my sister, and that is my brother.
⑤ Sarah said that she couldn't find her watch.

14 다음 중 어법상 바르지 않은 것은?
① We lost the game, but we did our best.
② Because the traffic was bad, she was late.
③ When I was a child, I liked playing outside.
④ Tim went to an Italian restaurant and having spaghetti.
⑤ Help me clean the bathroom before you go out.

[15-16] 다음 두 문장을 한 문장으로 만들 때 빈칸에 들어갈 알맞은 말을 고르시오.

15
- I can't do my homework.
- My brother is making too much noise.
⇒ I can't do my homework _____ my brother is making too much noise.

① when ② because
③ that ④ after
⑤ before

16
- I heard the news on the radio.
- I was making sandwiches.
⇒ _____ I heard the news on the radio, I was making sandwiches.

① When ② Because
③ That ④ After
⑤ Before

17 다음 빈칸에 공통으로 들어갈 알맞은 말은?
- My grandmother is very kind _____ nice.
- Start now, _____ you will be able to finish your project today.

① but ② and
③ or ④ so
⑤ too

18 다음 문장과 의미가 같은 것은?

> He finished the work and then went to bed.

① If he finishes the work, he will go to bed.
② After he finished the work, he went to bed.
③ Before he finished the work, he went to bed.
④ He didn't finish the work, but he went to bed.
⑤ Because he finished the work, he will go to bed.

[19-20] 다음 대화의 빈칸에 들어갈 말이 바르게 짝지어진 것을 고르시오.

19
> A I can't believe _____ Tom is already twenty years old!
> B Yeah. He's a grown-up now.
> A Time flies. He was a kindergartener _____ I first saw him.

① that – if   ② that – when
③ when – that   ④ it – after
⑤ when – when

20
> A You look tired today. You should take a rest.
> B I'd like to, _____ I can't.
> A Why?
> B _____ I have to practice ballet for a contest.

① but – When   ② so – Because
③ because – If   ④ so – If
⑤ but – Because

21 다음 밑줄 친 부분이 어법상 바르지 <u>않은</u> 것은?

① Let's play soccer <u>after</u> we have lunch.
② Read these books, <u>and</u> you'll learn a lot.
③ Which do you want, a sweater <u>or</u> a coat?
④ I can't see well <u>so</u> it's too dark in here.
⑤ I waited for her for an hour, <u>but</u> she didn't show up.

[22-23] 다음 대화의 밑줄 친 부분과 쓰임이 <u>다른</u> 하나를 고르시오.

22
> A Why didn't you answer my call?
> B Because I was sleeping <u>when</u> you called me.

① <u>When</u> did you have lunch?
② Were you happy <u>when</u> you were a child?
③ Do you listen to music <u>when</u> you exercise?
④ What do you want to be <u>when</u> you grow up?
⑤ <u>When</u> it rains, he stays home and reads books.

23
> A It is true <u>that</u> I failed the exam.
> B I'm sorry to hear that.

① I hope <u>that</u> you will forgive me.
② It is not true <u>that</u> Mr. Jones hurt his leg.
③ I saw <u>that</u> boy yesterday at the airport.
④ Are you sure <u>that</u> Eric lives in New York?
⑤ Some people believe <u>that</u> UFOs are real.

[24-25] 다음 우리말을 영어로 바르게 옮긴 것을 고르시오.

24
> 내 일을 끝마친 후 너를 도와줄게.

① I'll help you before I finish my work.
② I'll finish my work after I'll help you.
③ When I help you, I finish my work.
④ I'll help you because I finished my work.
⑤ I'll help you after I finish my work.

25
> 서둘러라, 그렇지 않으면 통학 버스를 놓칠 것이다.

① Hurry up, or you'll miss the school bus.
② Hurry up, but you'll miss the school bus.
③ Hurry up, and you'll miss the school bus.
④ If you hurry up, you'll miss the school bus.
⑤ If you don't hurry up, and you'll miss the school bus.

26 다음 두 문장이 같은 뜻이 되도록 빈칸에 알맞은 말을 쓰시오.

> Jeremy was ill, so he stayed home.
> = Jeremy stayed home _____ he was ill.

[27-29] 다음 우리말과 같은 뜻이 되도록 빈칸에 알맞은 접속사를 넣어 문장을 완성하시오.

27 저녁 식사를 하기 전에 손을 씻어라.

⇒ Wash your hands _____ you have dinner.

28 나는 열심히 공부했지만, 시험에 불합격했다.

⇒ I studied hard, _____ I failed the exam.

29 Chris와 너 둘 중 하나가 회의에 참석해야 한다.

⇒ _____ Chris _____ you should attend the meeting.

[30-32] 다음 우리말과 같은 뜻이 되도록 주어진 단어를 배열하여 문장을 완성하시오.

30 나는 손을 씻은 후에 항상 핸드크림을 바른다.
(after, wash, I, hands, my)

⇒ I always put on hand cream

_____.

31 집세를 내지 않으면 곤란해질 거야.
(the rent, pay, if, you, don't)

⇒ _____,
you will be in trouble.

32 나는 네 아버지가 곧 나으실 거라고 믿는다.
(get better, soon, your father, will, that)

⇒ I believe _____.

[33-36] 다음 우리말과 같은 뜻이 되도록 〈보기〉에서 알맞은 말을 골라 문장을 완성하시오.

> 보기 | If you have problems with this printer
> When I was in New York
> or you won't be able to meet her
> That she is falling in love with him

33 내가 뉴욕에 있었을 때 우연히 친구 한 명을 만났다.

⇒ _____,
I met a friend of mine by chance.

34 이 프린터에 문제가 있다면, Johnson 씨가 너를 도와줄 것이다.

⇒ _____,
Mr. Johnson will help you.

35 여기서 기다려라. 그렇지 않으면 너는 그녀를 만날 수 없을 것이다.

⇒ Wait here, _____.

36 그녀가 그와 사랑에 빠졌다는 것은 사실이다.

⇒ _____
is true.

[37-38] 다음 대화의 빈칸에 들어갈 알맞은 접속사를 쓰시오.

37 A Can you lend me your camera?
B Sure. Why do you need it?
A _____ I am going to a concert on Saturday evening.

38 A _____ will they come to the party?
B Maybe they will be late. They have to clean the gym _____ they come to the party.

Answers: p.41

[1-2] 다음 글을 읽고, 물음에 답하시오.　　　　　　　　　　　　　　　　　　　　　서술형

Alice is my best friend. Her family lived next door to me until they moved to New York City two years ago. She was always like a big sister to me, and I missed her so much. ① I'm so thrilled. She is coming to see me today. ② When I'll see her, I'll give her a big hug.

1 밑줄 친 ①의 두 문장을 because를 이용하여 한 문장으로 다시 쓰시오.

→ _____

2 밑줄 친 ②에서 어법상 어색한 부분을 찾아 바르게 고쳐 쓰시오.

→ _____

3 다음 글의 밑줄 친 부분 중, 어법상 틀린 것은?　　　　　　　　　　　　　　수능 대비형

① After Sunday's 16th Annual Youth Spelling Bee, Seattle has a new champion. 11-year-old Rebecca Davidson won the event by correctly ② spelling the word "camaraderie." Rebecca set a city record by winning the competition in just one hour ③ and forty-three minutes. She beat out more than 100 ④ other students to win $500 for college textbooks. Rebecca said ⑤ what she studied for nine months to prepare for the spelling bee.

* Spelling Bee: 철자법 대회
** camaraderie: 동지애

★ NEW EDITION ★

GRAMMAR BRIDGE

Level

1

Workbook

Answers: p.42

A be동사를 이용하여 부정문을 완성하시오. (단, 축약형으로 쓸 것)

1 The library is near here. It _____ far.

2 The apples _____ fresh. They are rotten.

3 The classroom _____ quiet. It is very noisy.

4 Pizzas are fast food. They _____ good for us.

5 The restaurant was open yesterday, but it _____ open today.

6 You _____ a high school student. You're a middle school student.

B 다음 주어진 단어와 be동사를 이용하여 의문문을 완성하시오.

1 **A** _____ late? (I)
B No, you aren't. You're on time.

2 **A** _____ Tony's friend? (you)
B No, I'm not. I'm Tom's friend.

3 **A** _____ a vegetable? (a potato)
B Yes, it is.

4 **A** _____ your mother? (she)
B No, she isn't. She is my aunt.

5 **A** _____ on the table? (your bag)
B No, it isn't. It is on the sofa.

6 **A** _____ in the living room? (your parents)
B No, they aren't. They are in the kitchen.

C 다음 괄호 안의 주어진 동사를 이용하여 현재 시제의 부정문을 완성하시오. (단, 축약형으로 쓸 것)

1 Greg _____ meat. (eat)

2 They _____ glasses. (wear)

3 Ella _____ at all. (exercise)

4 I _____ Netflix at night. (watch)

5 Jack _____ sugar in his coffee. (put)

6 My parents _____ in an apartment building. (live)

D 다음 문장을 의문문으로 고쳐 쓰시오.

1 We have enough time.

⇒ _____

2 I go to the gym every day.

⇒ _____

3 The movie starts at 5:00.

⇒ _____

4 He enjoys mountain biking.

⇒ _____

5 Mike spends a lot of money on food.

⇒ _____

E 다음 빈칸에 알맞은 의문사를 써넣으시오.

1 네 교과서는 어디에 있니?　　　　　　　　⇒ _____ is your textbook?

2 너의 전화번호는 뭐니?　　　　　　　　　⇒ _____ is your phone number?

3 누구랑 통화하고 싶으세요?　　　　　　　⇒ _____ do you want to speak to?

4 그들은 어떻게 그렇게 일찍 일어나지?　　⇒ _____ do they get up so early?

5 너희 어머니께서는 왜 그렇게 생각하시니?　⇒ _____ does your mother think so?

F 다음 대화의 빈칸에 알맞은 말을 써넣으시오.

1 A Don't you like ice cream?

   B _____ I have sensitive teeth.

2 A Aren't you Janet's brother?

   B _____ Janet is my younger sister.

3 A Doesn't he enjoy cooking?

   B _____ He is really good at cooking.

4 A Isn't she your science teacher?

   B _____ She is my French teacher.

5 A Are your sisters good students?

   B _____ They never do their homework.

G 다음 문장을 괄호 안의 지시대로 고쳐 쓰시오.

1 You call me after lunch. (긍정명령문으로)

⇒ _____

2 You make noise in public places. (부정명령문으로)

⇒ _____

3 You park in the driveway. (부정명령문으로)

⇒ _____

H 다음 우리말과 같은 뜻이 되도록 주어진 단어를 이용해 문장을 완성하시오.

1 휴식을 취하자. (take)

⇒ _____

2 기회를 놓치지 말자. (miss the chance)

⇒ _____

3 신선한 공기를 마시자. (fresh air)

⇒ _____

I 다음 빈칸에 알맞은 부가의문문을 쓰시오.

1 These mangoes are sweet, _____?

2 You don't know her phone number, _____?

3 These shoes are on sale, _____?

J 다음 우리말과 같은 뜻이 되도록 주어진 단어를 배열하여 문장을 완성하시오.

1 그는 재미있구나! (how, the, funny, is, man)

⇒ _____

2 Susan은 좋은 목소리를 가졌구나! (has, a, good, what, voice, Susan)

⇒ _____

3 너의 고양이들은 정말 귀엽구나! (your, kittens, are, how, cute)

⇒ _____

4 너는 아름다운 귀걸이를 갖고 있구나! (beautiful, you, earrings, have, what)

⇒ _____

Answers: p.42

A 다음 빈칸에 알맞은 be동사의 과거형을 써넣으시오.

1 The final tests _____ difficult.

2 I _____ at home all day yesterday.

3 They _____ at school an hour ago.

4 It _____ cloudy in Seoul yesterday.

B 다음 밑줄 친 부분을 과거 시제로 어법에 맞게 고쳐 쓰시오.

1 Kelly knowed my email address.   ⇒ _____

2 I growed up in a small town.   ⇒ _____

3 Ella visitted Canada last month.   ⇒ _____

4 She seed him at the airport last Friday. ⇒ _____

5 I meeted an old friend on my way to work. ⇒ _____

C 다음 괄호 안의 동사를 과거형으로 바꿔 빈칸을 채우시오.

1 Jack _____ his car key last night. (lose)

2 The phone _____ five minutes ago. (ring)

3 He _____ his hairstyle yesterday. (change)

4 I _____ a friend of mine to the party last night. (bring)

5 I _____ to the movies with my parents last night. (go)

D 다음 문장을 부정문으로 바꾸시오. (단, 축약형으로 쓸 것)

1 They were too early for the meeting.

   ⇒ They _____ too early for the meeting.

2 The restaurant was open this morning.

   ⇒ The restaurant _____ open this morning.

3 Theo washed his hair this morning.

   ⇒ Theo _____ his hair this morning.

4 They got on the plane yesterday.

   ⇒ They _____ on the plane yesterday.

5 Your basketball team won the game last Friday.

   ⇒ Your basketball team _____ the game last Friday.

E 다음 문장을 의문문으로 바꾸시오.

1 Mozart was a great musician.

⇨ _____

2 The recycling boxes were empty.

⇨ _____

3 I ordered a large pizza.

⇨ _____

4 They passed the exam.

⇨ _____

5 He fell asleep during the class?

⇨ _____

F 다음 괄호 안의 주어진 동사를 진행형으로 바꿔 빈칸에 써넣으시오.

1 Gary _____ the flute now. (play)

2 People _____ at the park now. (jog)

3 My father _____ the drawer now. (repair)

4 My kids _____ me everywhere. (follow)

G 다음 우리말과 같은 뜻이 되도록 주어진 단어를 이용하여 문장을 완성하시오.

1 아이들이 침대 위에서 뛰고 있었다. (jump)

⇨ The kids _____ on the bed.

2 학생들은 박물관을 방문하고 있었다. (visit)

⇨ The students _____ the museum.

3 아기는 그때 낮잠을 자고 있었다. (take a nap)

⇨ The baby _____ then.

4 그들은 해변에서 조개를 줍고 있었다. (collect)

⇨ They _____ shells at the beach.

5 내 친구 몇몇은 그 얇은 얼음 위에서 스케이트를 타고 있었다. (skate)

⇨ Some of my friends _____ on that thin ice.

6 그 조종사는 잘못된 방향으로 비행하고 있었다. (fly)

⇨ The pilot _____ in the wrong direction.

H 다음 문장을 괄호 안의 지시대로 고쳐 쓰시오. (가능한 경우 축약형으로 쓸 것)

1 They were listening to him then. (의문문으로)

⇒ _____

2 I was drinking coffee at that time. (부정문으로)

⇒ _____

3 We were enjoying the warm sunshine and gentle breeze. (부정문으로)

⇒ _____

4 I'm playing a mobile game. (부정문으로)

⇒ _____

5 She was watching a weather report on TV at that time. (의문문으로)

⇒ _____

6 The firefighters are putting out the fire in the barn. (부정문으로)

⇒ _____

7 The scientist is working on an important research project. (의문문으로)

⇒ _____

I 다음 주어진 동사를 알맞은 진행형으로 바꿔 대화를 완성하시오.

1 A What are you doing, Sarah?

B I _____ _____ an essay. (write)

2 A What were you doing then?

B I _____ _____ a newspaper. (read)

3 A _____ she _____ the flowers now? (water)

B Yes, she is. She is in the garden.

4 A _____ he _____ your computer? (fix)

B Yes, he is. He knows computers well.

5 A _____ you _____ me the truth? (tell)

B Yes, I am. Why would I lie to you?

6 A Why _____ your mom _____ you in the head? (hit)

B She said there was a mosquito sitting on my head.

7 A _____ the engineers _____ the new products? (test)

B Yes, they were. And they found a few problems.

A 다음 밑줄 친 부분을 바르게 고쳐 쓰시오.

1　She <u>must is</u> angry.　　　　　　　⇨ _____

2　You <u>can using</u> my phone.　　　　⇨ _____

3　Peter <u>can running</u> very fast　　　⇨ _____

4　She <u>shoulds go</u> home and get some rest.　⇨ _____

5　Students <u>must followed</u> school rules.　　⇨ _____

B 다음 문장을 주어진 조동사를 이용하여 다시 쓰시오.

1　Nick plays tennis. (can)

⇨ _____

2　You borrow my pencil. (can)

⇨ _____

3　He remembers my name. (may)

⇨ _____

4　She sees a doctor. (should)

⇨ _____

5　I finish this project in time. (must)

⇨ _____

C 다음 문장을 be able to를 이용하여 바꿔 쓰시오. (단, 축약형으로 쓰지 말 것)

1　I can't drive a car.

⇨ I _____ a car.

2　Can she speak French?

⇨ _____ she _____ French?

3　My brother can fix the computer.

⇨ My brother _____ the computer.

4　Henry could skate on the frozen lake last winter.

⇨ Henry _____ on the frozen lake last winter.

5　The customers couldn't speak to the manager.

⇨ The customers _____ to the manager.

D 다음 괄호 안에서 알맞은 것을 고르시오.

1 (Are / Will) you turn off the light?

2 Ted (isn't / won't) going to sell his car.

3 (Are / Will) they going to attend the party?

4 They will (visit / visiting) the amusement park.

5 The weather is going to (be / was) better soon.

E 다음 우리말과 같은 뜻이 되도록 괄호 안에서 알맞은 것을 고르시오.

1 이제 질문을 하셔도 좋습니다.

⇒ You (may / must) ask questions now.

2 그 답이 틀린 게 틀림없어.

⇒ The answer (must / may) be wrong.

3 보행자는 빨간불에 길을 건너면 안 된다.

⇒ Pedestrians (must not / don't have to) cross the street at a red light.

4 Jacob은 계속 하품을 한다. 그는 졸린 게 틀림없어.

⇒ Jacob keeps yawning. He (must / can't) be sleepy.

5 우리는 이 수업에서 영어로 대화하여야 한다.

⇒ We (must / must not) speak in English in this class.

6 너는 그 숲에 혼자 들어가면 안 된다.

⇒ You (must not / don't have to) go into the woods alone.

F 다음 주어진 문장을 의문문으로 바꿔 쓰시오.

1 He can read Spanish.

⇒ _____

2 He must go there alone.

⇒ _____

3 I may cross the road here.

⇒ _____

4 We should buy this book for the class.

⇒ _____

5 You could be more careful with my luggage.

⇒ _____

G 다음 주어진 문장을 부정문으로 바꿔 쓰시오.

1 You may come in.

⇨ _____

2 This movie may be fun.

⇨ _____

3 You must drive this way.

⇨ _____

4 His family may have more problems.

⇨ _____

5 My father can cook very well.

⇨ _____

6 Alex may arrive at the class on time.

⇨ _____

7 You can download an MP3 file to your computer.

⇨ _____

H 다음 우리말과 같은 뜻이 되도록 주어진 단어를 배열하시오.

1 제가 이 책을 사야 하나요? (I, this book, should, buy)

⇨ _____

2 당신의 전화번호를 얻을 수 있을까요? (number, may, have, I, your)

⇨ _____

3 제가 당신에게 무언가 물어봐도 될까요? (you, I, can, something, ask)

⇨ _____

4 우리는 물을 낭비하면 안 된다. (we, waste, should, water, not)

⇨ _____

5 칼을 사용할 때는 조심해야 한다. (with a knife, should, you, be careful)

⇨ _____

6 당신은 나에게 어떤 질문이라도 할 수 있어요. (me, any, ask, questions, can, you)

⇨ _____

7 우리는 우리의 약속을 어겨서는 안 된다. (break, must, we, our promise, not)

⇨ _____

8 그 동물원에는 코알라가 없을지도 몰라. (may, in the zoo, there, koala bears, any, be, not)

⇨ _____

Chapter 4 명사와 관사

A 다음 문장을 읽고, 명사에 밑줄을 그으시오.

1 Evelyn was crying with joy.

2 A cat jumped up on the sofa.

3 Emily studies fashion in Paris.

4 Children are playing on the beach.

5 Sarah had coffee and two donuts for lunch.

6 The box is filled with books and small toys.

7 The boys are looking up at the stars in the sky.

8 What kind of animal does Rebecca have at home?

B 다음 주어진 단어를 알맞은 형태로 고쳐 쓰시오.

1 Cats eat _____. (mouse)

2 The two _____ shook hands. (man)

3 She has two older _____. (brother)

4 Roger wants to help many poor _____. (child)

5 He washed many _____ after dinner. (dish)

C 다음 우리말과 같은 뜻이 되도록 〈보기〉에서 알맞은 단어를 골라 어법에 맞게 문장을 완성하시오.

🔍 tooth	hobby	tomato	knife

1 그녀는 하얀 이를 가지고 있다.
   ⇨ She has white _____.

2 그 요리사는 칼 3개가 필요하다.
   ⇨ The chef needs three _____.

3 그는 바구니에 토마토가 두 개를 담았다.
   ⇨ He put two _____ in the basket.

4 나의 취미는 요가와 필라테스이다.
   ⇨ My _____ are yoga and pilates.

D 다음 〈보기〉에서 알맞은 말을 고르고, 주어진 표현을 이용하여 문장을 완성하시오.

[1-3]

🔍	glass	piece	bowl	

1 We need _____. (five, paper)

2 The kid drank _____. (two, milk)

3 He was very hungry and had _____. (three, soup)

[4-6]

🔍	slice	bottle	cup	

4 The woman drank _____. (two, tea)

5 My brother and I ate _____. (six, pizza)

6 She bought _____ at the store. (three, water)

E 다음 우리말과 같은 뜻이 되도록 주어진 단어를 배열하시오.

1 그는 내게 충고 한 마디를 했다. (gave, advice, he, a, of, piece)

⇒ _____ to me.

2 그녀는 항상 물 한 병을 가지고 다닌다. (always, a, she, of, carries, water, bottle)

⇒ _____

3 Anne은 빵 두 장에 사과 잼을 발랐다. (apple jam, bread, spread, two, of, slices)

⇒ Anne _____ on _____.

4 우리는 매일 여덟 잔의 물을 마셔야 한다. (should, eight, water, of, drink, we, glasses)

⇒ _____ every day.

5 Leo는 아침으로 시리얼 한 그릇을 먹었다. (a, Leo, cereal, had, bowl, of)

⇒ _____ for breakfast.

F 빈칸에 a나 an 중 알맞은 것을 써넣으시오. (아무 것도 필요 없는 경우 X를 쓸 것)

1 They are _____ famous actors.

2 She has a yoga class twice _____ week.

3 He took a nap for _____ hour yesterday.

4 I'll have an egg sandwich for _____ breakfast.

5 My younger sister is _____ elementary school student.

G 다음 우리말과 같은 뜻이 되도록 주어진 단어를 이용하여 문장을 완성하시오.

1 그녀는 햇볕이 너무 강해서 모자를 썼다. (hat)

⇨ The sunlight was too strong, so she put on _____.

2 그는 중학교 과학 선생님이다. (science teacher)

⇨ He is _____ at a middle school.

3 우리 형은 매일 기타를 친다. (play, guitar)

⇨ My brother _____ every day.

4 그녀는 어젯밤 10시에 잠자리에 들었다. (go to, bed)

⇨ She _____ at ten o'clock last night.

5 우리 아버지께서는 가수이시고 어머니께서는 배우이시다. (singer, actress)

⇨ My dad is _____, and my mom is _____.

6 나는 일주일에 두 번 방과 후에 친구들과 축구를 한다. (play, soccer)

⇨ I _____ with my friends twice a week after school.

7 나의 가족은 어제 한식당에서 점심식사를 했다. (lunch)

⇨ My family had _____ at a Korean restaurant yesterday.

H 다음 우리말과 같은 뜻이 되도록 주어진 단어를 배열하시오.

1 여름에는 해가 일찍 뜬다. (early, comes up, the sun)

⇨ _____ in summer.

2 언덕에는 낡은 집 한 채가 있다. (is, old, there, house, an)

⇨ _____ on the hill.

3 우리는 주말에 테니스 치는 것을 즐긴다. (enjoy, playing, we, tennis)

⇨ _____ on the weekend.

4 우리는 일주일에 한 번 저녁식사로 외식을 한다. (week, once, for, a, dinner, go out)

⇨ We _____.

5 나는 어느 식당에 갔다. 그 식당은 정말 근사했다. (was, the, very nice, restaurant)

⇨ I went to a restaurant. _____

6 그는 자전거를 타고 전국을 여행했다. (traveled, bike, around the country, he, by)

⇨ _____

7 우리 삼촌은 예술가이고, 우리 이모는 작가이다. (my aunt, an, is, my uncle, artist, author, is, an, and)

⇨ _____

Chapter 5 대명사

A 다음 밑줄 친 부분을 참고하여 빈칸에 알맞은 대명사를 쓰시오.

1 I bought a new scarf. I like _____ color.

2 Look at these puppies. _____ are so cute!

3 Ms. Jones is our teacher. Every student likes _____.

4 Steven is new here. I don't know much about _____.

5 Joan and I are late for school. So _____ are running.

6 I should call your parents. _____ may be worried.

B 다음 밑줄 친 부분을 주어진 대명사로 바꿔 문장을 다시 쓰시오.

1 You are not in the classroom. (we)

⇒ _____

2 I showed him some of my photos. (they)

⇒ _____

3 Amy is looking for you. She needs your help. (they)

⇒ _____

4 I am excited about my new school life. (she)

⇒ _____

5 They are very generous. Everybody respects them. (he)

⇒ _____

C 다음 〈보기〉에서 밑줄 친 it의 쓰임을 찾아 그 기호를 쓰시오.

🔍 a. 비인칭 대명사 it	b. 인칭 대명사 it	

1 It was on the sofa. _____

2 It takes three hours. _____

3 It is a beautiful jacket. _____

4 It is my favorite movie. _____

5 It is summer in London. _____

6 It was November 9th yesterday. _____

D 다음 〈보기〉에서 알맞은 단어를 골라 우리말과 같은 뜻이 되도록 문장을 완성하시오. (중복 사용 가능)

| 🔍 | this | that | these | those |

1 이 가방은 네 것이니?　⇨ Is _____ bag yours?

2 이것은 내 여동생의 사진이다.　⇨ _____ is a picture of my sister.

3 내가 이 책들을 빌릴 수 있을까?　⇨ Can I borrow _____ books?

4 저 분이 우리 담임 선생님이야.　⇨ _____ is my homeroom teacher.

5 저것들은 초콜릿 쿠키이다.　⇨ _____ are chocolate cookies.

6 저 신발들은 내 취향이 아니다.　⇨ _____ shoes are not my cup of tea.

E 다음 우리말과 같은 뜻이 되도록 주어진 단어를 배열하시오.

1 이것들은 모두 공짜입니다. (are, free, these, all)

⇨ _____

2 저것들은 Ethan의 것들이야. (belong to, those, Ethan)

⇨ _____

3 여기는 공공장소야. (is, a, place, public, this)

⇨ _____

4 벽에 있는 저 포스터가 보이니? (see, you, that, do, poster)

⇨ _____ on the wall?

5 저는 이 치즈 케이크로 할게요. (will, this, have, I, cheesecake)

⇨ _____

6 이 바지는 너무 끼어요. (pants, too, are, tight, these)

⇨ _____

F 다음 우리말과 같은 뜻이 되도록 빈칸에 알맞은 말을 쓰시오.

1 나는 우산을 두 개를 샀다. 하나는 파란색이고, 또 다른 하나는 검정색이다.

⇨ I bought two umbrellas. _____ is blue, and _____ is black.

2 우리에겐 세 명의 손님이 있다. 한 명은 중국인이고, 나머지는 호주인들이다.

⇨ We have three guests. _____ is Chinese, and _____ are Australian.

3 어떤 사람들은 화창한 날씨를 좋아한다. 또 다른 사람들은 비 오는 날씨를 좋아한다.

⇨ _____ people like sunny weather, and _____ like rainy weather.

4 나에게는 세 자매가 있다. 한 명은 열여덟 살이고, 또 다른 한 명은 열다섯 살이며, 나머지 한 명은 다섯 살이다.

⇨ I have three sisters. _____ is 18 years old, _____ is 15 years old, and _____ is 5 years old.

G 다음 〈보기〉에서 알맞은 대명사를 골라 대화를 완성하시오. (중복 사용 금지)

| 🔍 | both | one | all | it | each |

1 **A** Which shirt looks better on me?

  B I think the white _____ does.

2 **A** Why did you throw out my favorite novel?

  B Lisa drew pictures on _____ page. You can't read the book anymore.

3 **A** How many sisters do you have?

  B I have two sisters, and _____ are college students.

4 **A** How was the test? Do you think you did well on it?

  B It was a piece of cake. _____ the questions were easy.

5 **A** What did you get from your parents for your birthday?

  B They gave me a watch, and I really like _____ .

H 다음 우리말과 같은 뜻이 되도록 주어진 단어를 배열하여 문장을 완성하시오.

1 그녀의 대답은 모두 틀렸다. (were, all, wrong, her answers, of)

  ⇨ _____

2 이 영화의 모든 장면이 아름답다. (in this movie, every, is, scene, beautiful)

  ⇨ _____

3 그 질문들 둘 다 매우 어려웠다. (were, both, of, very difficult, the questions)

  ⇨ _____

4 저 선반에 있는 모든 책들은 과학에 관한 것이다. (on that shelf, all, are, about science, the books)

  ⇨ _____

5 각각의 축구팀에는 열한 명의 선수들이 있다. (there, on, each, eleven, players, soccer team, are)

  ⇨ _____

6 테이블 아래에 있던 것은 어떻게 됐나요? (the table, what, to, under, the one, happened)

  ⇨ _____

7 그녀는 돌 하나를 주워서 우물 아래로 떨어뜨렸다. (and, down the well, a rock, she, dropped, picked up, it)

  ⇨ _____

8 나머지는 실험실에서 조용히 기다리고 있었다. (were, in the laboratory, quietly, the others, waiting)

  ⇨ _____

Chapter 6 형용사와 부사

A 다음 〈보기〉에서 알맞은 형용사를 골라 문장을 완성하시오.

🔍	wrong	kind	sad	difficult

1 I burst into tears at the _____ news.

2 He is trying to solve a _____ problem.

3 Anna is a _____ person. Everyone likes her.

4 There is something _____ with my computer.

B 다음 주어진 단어를 이용하여 문장을 다시 쓰시오.

1 Jenna is a girl. (lovely)

⇨ _____

2 Look at this car. (beautiful)

⇨ _____

3 Kevin has short hair. (brown)

⇨ _____

4 I bought a table. (small, wooden)

⇨ _____

C 다음 괄호 안에서 알맞은 것을 고르시오.

1 병에는 우유가 거의 없었다.

⇨ There was (little / few) milk in the bottle.

2 나는 축제에서 많은 가수들을 보았다.

⇨ I saw (many / much) singers at the festival.

3 그 카페에는 손님이 거의 없었다.

⇨ There were (little / few) customers in the café.

4 나는 친구에게 엽서를 몇 장 썼다.

⇨ I wrote (a few / a little) postcards to my friend.

5 Morgan 선생님은 우리에게 숙제를 많이 내주지 않았다.

⇨ Mr. Morgan didn't give us (many / much) homework.

6 여기 그 시험에 관한 정보가 약간 있어요.

⇨ Here's (a few / a little) information about the exam.

D 다음 〈보기〉와 같이 주어진 단어를 이용하여 문장을 완성하시오.

| 🔍 | four | There were _____ four _____ rows of seats in the hall. |
| | | I sat in the _____ fourth _____ row. |

1 three   She has _____ children.

   Ryan is her _____ child.

2 five   This building has _____ stories.

   I live on the _____ floor.

3 nine   There are _____ people in the line.

   I'm the _____ person.

4 one   There is only _____ day left.

   It is the _____ day of August.

5 ten   There were _____ questions on the history test.

   The _____ question was about World War II.

E 다음 〈보기〉에서 알맞은 말을 골라 문장을 완성하시오.

| 🔍 | hard | hardly | late | well |

1 Alex studied _____ and got good grades.

2 Daniel missed the school bus and was _____ for school today.

3 Jack was shocked with the news. He could _____ walk.

4 Are your children doing _____ in school?

F 다음 주어진 단어를 넣어 문장을 다시 쓰시오.

1 I will let you down. (never)

   ⇒ _____

2 Taylor is kind to me. (always)

   ⇒ _____

3 My dad is at home on weekends. (usually)

   ⇒ _____

4 Molly goes to the movies with her friends. (sometimes)

   ⇒ _____

G 다음 [ ] 안에 주어진 단어를 알맞은 곳에 써넣으시오.

1 **[easy / easily]**

This book is _____. I can read it _____.

2 **[careless / carelessly]**

Mark always drives _____. He is such a _____ driver.

3 **[quick / quickly]**

Sandy asked me to answer _____. So I gave her a _____ answer.

4 **[clear / clearly]**

Kevin explains the problem very _____ with _____ examples.

5 **[beautiful / beautifully]**

Eva dressed _____ for the party. She bought the _____ dress last week.

6 **[fluent / fluently]**

I can't speak Spanish _____ now, but one day, I will be a _____ speaker of Spanish.

H 다음 우리말과 같은 뜻이 되도록 주어진 단어를 배열하시오.

1 솔직히, 나는 너를 믿지 않는다. (you, I, trust, honestly, don't)

⇨ _____

2 그 드론은 공중에 높이 올랐다. (in the air, rose, the drone, high)

⇨ _____

4 그는 운전을 꽤 잘한다. (good at, he, driving, is, pretty)

⇨ _____

5 그 공원에는 사람들이 거의 없었다. (were, at the park, few, there, people)

⇨ _____

6 소년은 자신의 주머니에서 동전을 몇 개 끄집어냈다. (took out, coins, the boy, some)

⇨ _____ from his pocket.

7 이 강연에는 많은 유용한 정보가 있다. (has, information, useful, this lecture, a lot of)

⇨ _____

8 그 사냥꾼은 그 사슴을 잡기 위해 서서히 그리고 조심스럽게 움직였다. (to catch, the hunter, carefully, moved, and, slowly, the deer)

⇨ _____

Chapter 7 비교

A 다음 형용사와 부사의 비교급과 최상급을 쓰시오.

1 happy _____ _____

2 thin _____ _____

3 dirty _____ _____

4 easy _____ _____

5 hot _____ _____

6 simple _____ _____

7 large _____ _____

8 lucky _____ _____

9 famous _____ _____

10 expensive _____ _____

11 good _____ _____

12 bad _____ _____

13 much _____ _____

B 다음 주어진 단어를 이용하여 비교급 문장을 완성하시오.

1 Mia swims _____ than he does. (fast)

2 The sun is _____ than the earth. (big)

3 Dolphins are _____ than fish. (smart)

4 My sister is two years _____ than me. (young)

5 His computer is _____ than mine. (expensive)

C 다음 주어진 단어를 이용하여 최상급 문장을 완성하시오.

1 I am the _____ child in my family. (old)

2 Linda plays the cello the _____ of my friends. (well)

3 Football is the _____ sport for me. (interesting)

4 Hailey is the _____ student in school. (popular)

5 Mount Everest is the _____ mountain in the world. (high)

D 다음 우리말과 같은 뜻이 되도록 주어진 단어를 이용하여 문장을 완성하시오.

1 기차는 평소보다 늦게 도착했다. (late)

⇨ The train arrived _____ usual.

2 Emma는 Sarah보다 부지런하다. (diligent)

⇨ Emma is _____ Sarah.

3 검은색 코트가 하얀색보다 멋져 보인다. (look, nice)

⇨ The black coat _____ the white one.

4 우리 엄마는 아빠보다 더 일찍 일어나신다. (get up, early)

⇨ My mom _____ my dad.

E 다음 우리말과 같은 뜻이 되도록 주어진 단어를 이용하여 문장을 완성하시오.

1 나는 우리 큰 형만큼 힘이 세다. (be, strong)

⇨ I _____ my big brother.

2 나는 그녀만큼 춤을 잘 추지 않는다. (dance, well)

⇨ I _____ she does.

3 내일은 오늘만큼 추울 것이다. (will, be, cold)

⇨ Tomorrow _____ today.

4 Seth는 달팽이만큼 느리게 걷는다. (walk, slowly)

⇨ Seth _____ a snail does.

5 Daisy는 그녀의 여동생만큼 키가 크지 않다. (be, tall)

⇨ Daisy _____ her sister.

6 너의 체리 파이는 나의 것만큼 맛있지가 않다. (taste, great)

⇨ Your cherry pie _____ mine.

F 다음 괄호 안에서 알맞은 것을 고르시오.

1 Susan runs (much / so) faster than I do.

2 I feel (much / very) better than yesterday.

3 Andrew has (much / more) money than Brian.

4 Luke looks (much / more) taller than Jake does.

5 The weather is getting (hotter and hotter / more and more hot).

6 The show is getting (more and more popular / more popular and popular).

G 다음 문장의 의미가 통하도록 비교급 문장을 완성하시오.

1 The moon is not as big as the earth.

⇨ The earth is _____ the moon.

2 Evan does not work as hard as Kate does.

⇨ Kate works _____ Evan does.

3 David does not eat as quickly as Peter does.

⇨ Peter eats _____ David does.

4 The oranges are not as delicious as the grapes.

⇨ The grapes are _____ the oranges.

H 다음 우리말과 같은 뜻이 되도록 주어진 단어를 이용하여 문장을 완성하시오.

1 Jake는 마을에서 가장 부유한 사람이다 (rich, guy)

⇨ Jake _____ in town.

2 폭풍의 중심은 가장 고요하다. (calm, part)

⇨ The center of the storm _____.

3 지하철은 가장 빠르고 저렴한 이동 수단이다. (quick, cheap)

⇨ The subway _____ and _____ way to travel.

4 Riley는 모든 학생들 중에서 가장 아름다운 목소리를 가지고 있다. (have, beautiful, voice)

⇨ Riley _____ of all the students.

I 다음 우리말과 같은 뜻이 되도록 주어진 단어를 배열하시오.

1 Dylan은 근처에서 가장 큰 집을 소유하고 있다. (house, he, largest, has, the)

⇨ _____ in the neighborhood.

2 Aiden은 모든 학생들 중에서 가장 열심히 공부한다. (the, Aiden, hardest, studies, of all the students)

⇨ _____

3 수성은 태양계에서 가장 작은 행성이다. (in the solar system, planet, is, the, smallest)

⇨ Mercury _____.

4 나는 내 인생에서 가장 즐거운 휴가를 보냈다. (I, holiday, most, the, enjoyable, had)

⇨ _____ of my life.

5 Jenny는 나의 가장 친한 친구 중 한 명이다. (best, one, of, my, friends)

⇨ Jenny is _____.

6 피카소는 역사상 가장 훌륭한 예술가 중 한 명이다. (greatest, in history, one of the, artists)

⇨ Picasso is _____.

7 그는 도시에서 가장 큰 건물 중 하나를 샀다. (biggest, buildings, one of the, in the city)

⇨ He bought _____.

Chapter 8 문장의 구조

A 다음 〈보기〉와 같이 주어와 동사를 찾아 밑줄을 긋고 S(주어), V(동사)로 표시하시오.

> 🔍 <u>The key</u> <u>is</u> on the chair.
>   S   V

1   Olivia walks slowly.

2   Jake exercises every day.

3   My friends are at the café.

4   The seminar will begin in ten minutes.

5   The frogs in the pond are singing loudly.

B 다음 괄호 안에서 알맞은 것을 고르시오.

1   He drives (fast / fastly).

2   Harry looks (sad / sadly).

3   The coffee smells (great / greatly).

4   Stella became (famous / famously).

5   The audience kept (silent / silently).

C 다음 우리말과 같은 뜻이 되도록 주어진 단어를 배열하여 문장을 완성하시오.

1   그는 자신의 돈을 다 썼다. (he, all his money, spent)
   ⇨ _____

2   우리는 언제든지 너를 도와줄 것이다. (will help, we, anytime, you)
   ⇨ _____

3   우리 형은 파란 차를 가지고 있다. (a blue car, my big brother, has)
   ⇨ _____

4   Maria는 어제 새 카메라를 샀다. (bought, a new camera, Maria, yesterday)
   ⇨ _____

D 다음 우리말과 같은 뜻이 되도록 주어진 단어를 배열하여 문장을 완성하시오.

1 나는 그에게 그의 이름을 물어보았다. (asked, him, I, his name)

⇨ _____

2 Carter는 항상 내게 선물을 사준다. (Carter, me, presents, always, buys)

⇨ _____

3 Sophia는 그에게 자신의 그림을 보여 주었다. (Sophia, him, her paintings, showed)

⇨ _____

4 Scott은 아들에게 장난감 자동차를 만들어 주었다. (made, his son, a toy car, Scott)

⇨ _____

E 다음 문장의 빈칸에 전치사 to, for, of 중 하나를 써넣으시오.

1 Would you give your book _____ me?

2 Nora's friend lent some money _____ her.

3 My father bought a smartphone _____ me.

4 Paul often asked sharp questions _____ me.

5 Samuel showed his new girlfriend _____ me.

6 Martin sent a cake _____ me for my birthday.

7 Owen will get a wheelchair _____ his grandmother.

F 다음 〈보기〉와 같이 알맞은 전치사를 사용하여 4형식에서 3형식으로 바꿔 쓰시오.

🔍 **Mandy lent us her tent for the weekend.**

⇨ **Mandy** _____ lent her tent to us for the weekend _____ .

1 Can you show me the video?

⇨ Can you show _____ ?

2 Roy gave me some books.

⇨ Roy _____ .

3 Patricia made her dog a house.

⇨ Patricia made _____ .

4 She asked her teacher many questions.

⇨ She asked _____ .

5 Lucy bought her brother an expensive purse.

⇨ Lucy bought _____ .

6 My boss sent me a message this morning.

⇨ My boss sent _____ this morning.

G 다음 괄호 안의 주어진 동사를 이용하여 문장을 완성하시오.

1 I asked my father _____ drinking. (stop)

2 My father didn't let me _____ his car. (drive)

3 We heard Erin _____ in her room all night. (sing)

4 I want her _____ to my birthday party. (come)

5 My parents expect me _____ the exam. (pass)

6 She watched the boys _____ football at the park. (play)

H 다음 우리말과 같은 뜻이 되도록 주어진 단어를 이용하여 문장을 완성하시오.

1 너는 네 방을 깨끗하게 유지해야 한다. (keep, clean)

⇨ You should _____.

2 그녀의 부모는 그녀를 Harper라고 이름 지었다. (name, Harper)

⇨ Her parents _____.

3 그가 너에게 새로운 직업을 찾으라고 충고했니? (advise, find)

⇨ Did he _____ a new job?

4 Ella는 그 야구 경기가 재미있다는 것을 알았다. (find, exciting)

⇨ Ella _____.

5 부모님이 나에게 매일 공부를 해야 한다고 말했다. (tell, study)

⇨ My parents _____ every day.

I 다음 우리말과 같은 뜻이 되도록 주어진 단어를 배열하시오.

1 배심원단은 그가 유죄라고 생각했다. (him, guilty, found)

⇨ The jury _____.

2 그들은 그가 그렇게 오래 머물 거라고 예상하지 못했다. (him, to, expect, stay)

⇨ They didn't _____ so long.

3 Laura는 아들에게 한 시간만 TV를 보라고 했다. (to, ordered, watch, her son)

⇨ Laura _____ TV for only an hour.

4 나의 의사가 나에게 매일 운동을 하라고 충고했다. (to, me, advised, exercise)

⇨ My doctor _____ every day.

5 우리 엄마는 나에게 남동생을 돌보라고 말했다. (to, my brother, take care of, me, told)

⇨ My mom _____.

Chapter 9 to부정사와 동명사

A 다음 〈보기〉를 활용하여 우리말과 같은 뜻이 되도록 문장을 완성하시오.

| 🔍 | take | meet | write | ride | reach |

1 Alex는 공원에서 자전거 타기를 원했다.
⇨ Alex wants _____ a bicycle in the park.

2 우리 팀은 결승전에 오를 것을 예상했다.
⇨ Our team expected _____ the finals.

3 그는 야생동물의 사진을 찍으려고 노력했다.
⇨ He tried _____ pictures of wild animals.

4 그녀는 자신이 가장 좋아하는 배우를 만나기를 바란다.
⇨ She wishes _____ her favorite actor.

5 그 작가는 더 흥미진진한 이야기를 쓰고 싶어 한다.
⇨ The author hopes _____ more exciting stories.

B 다음 〈보기〉와 같이 문장을 바꿔 쓰시오.

> 🔍 **The old man has a walking stick. He uses it.**
> ⇨ **The old man has** _____ a walking stick to use _____.

1 I have a cup of coffee. I'll drink it.
⇨ I have _____

2 She has many friends. She talks to them.
⇨ She has _____.

3 Bella bought a coat. She will wear it in the winter.
⇨ Bella bought _____ in the winter.

4 I have several problems. I worry about them.
⇨ I have _____.

5 The couple have three kids. They take care of them.
⇨ The couple have _____.

6 My twin sons have some great toys. They play with them.
⇨ My twin sons have _____.

C 다음 〈보기〉에서 알맞은 동사를 골라 to부정사로 바꿔 문장을 완성하시오.

| 🔍 | help | win | be | eat | watch |

1 This food is not safe _____.

2 William lived _____ over a hundred.

3 Jenny must be kind _____ those poor people.

4 Leo turned on the TV _____ the news.

5 She was pleased _____ first place in the contest.

D 다음 우리말과 같은 뜻이 되도록 주어진 단어를 배열하시오.

1 그 절벽은 오르기 힘들다. (climb, hard, is, to)

⇒ The cliff _____.

2 Amelia가 안부를 전하기 위해 나에게 전화했다. (say hello, me, called, to)

⇒ Amelia _____.

3 Noah는 아침을 먹으려고 식탁을 차렸다. (breakfast, set, to, the table, have)

⇒ Noah _____.

4 그 제의를 거절하다니 그녀가 현명한 건지도 모른다. (the offer, refuse, wise, to)

⇒ She may be _____.

5 나는 오랜 친구를 만나서 정말 기뻤다. (my, old friend, very, to, happy, meet)

⇒ I was _____.

6 어떤 사람들은 같이 시간을 보내기에 지루해. (to, with, boring, spend time)

⇒ Some people are _____.

E 다음 주어진 동사를 동명사로 바꿔 문장을 완성하시오.

1 He is not good at _____. (draw)

2 Tim avoids _____ his friend, Amy. (meet)

3 Her plan is _____ the work in a week. (finish)

4 Tommy is afraid of _____ to the dentist. (go)

5 _____ how to swim is my goal this year. (learn)

6 Many children like _____ mobile games. (play)

7 I take a shower after _____ every morning. (exercise)

F 다음 주어진 단어를 알맞은 형태로 바꿔 문장을 완성하시오.

1 She gave up _____ the book. (read)

2 Ethan avoids _____ her eyes. (meet)

3 It began _____ heavily. (rain)

4 Sandy finished _____ the door. (paint)

5 I hope _____ the test this time. (pass)

6 The students practiced _____ tennis. (play)

7 My children hate _____ medicine. (take)

8 Luna decided _____ the truth to her friend. (tell)

G 다음 우리말과 같은 뜻이 되도록 주어진 단어를 이용하여 문장을 완성하시오.

1 그만 말하고 내 얘기를 들어 봐. (stop, talk)

⇨ _____ and listen to me.

2 Kai는 사실을 알고 싶어 한다. (want, know)

⇨ Kai _____ the fact.

3 나는 길을 따라서 계속 걸었다. (keep, walk)

⇨ I _____ along the street.

4 나는 당신과 이야기해서 즐거웠습니다. (enjoy, talk)

⇨ I _____ to you.

5 난 기다려도 괜찮아요. (mind, wait)

⇨ I don't _____ .

6 나는 오늘까지 그에게 이메일을 보내야 한다. (need, send)

⇨ I _____ him an email by today.

H 다음 우리말과 같은 뜻이 되도록 주어진 단어를 이용하여 문장을 완성하시오.

1 이 강은 수영하기에 너무 깊다. (deep, swim in)

⇨ This river is _____ .

3 그는 그 회사를 살 만큼 충분히 부유하다. (rich, buy)

⇨ He is _____ the company.

4 환경을 고려할 필요가 있다. (necessary, consider)

⇨ It is _____ the environment.

5 Lucas는 아파서 아무것도 먹을 수가 없었다. (sick, eat)

⇨ Lucas was _____ anything.

6 Jayden은 가수가 될 만큼 충분히 노래를 잘한다. (well, be)

⇨ Jayden sings _____ a singer.

Chapter 10 전치사

A 다음 두 문장에 공통으로 들어갈 알맞은 전치사를 써넣으시오.

1
Jesse grew up _____ a small town.
Anna was _____ Spain during the holiday.

⇨ _____

2
I'm going to meet him _____ the theater.
I'm planning to stay _____ home tonight.

⇨ _____

3
Monica hung the paintings _____ the wall.
The boy sitting _____ the chair is Tommy.

⇨ _____

B 다음 우리말과 같은 뜻이 되도록 주어진 단어를 이용하여 문장을 완성하시오.

1 우리 고모는 캐나다에 산다. (Canada)
⇨ My aunt lives _____.

2 문 앞에 한 소녀가 있다. (the door)
⇨ There is a girl _____.

3 너 어젯밤 파티에 있었니? (the party)
⇨ Were you _____ last night?

4 네 옆에 앉아 있는 저 소녀는 누구니? (you)
⇨ Who is that girl sitting _____?

5 Eddie는 바닥에 공을 떨어뜨렸다. (the floor)
⇨ Eddie dropped the ball _____.

6 그 개는 담장 위로 뛰어 달아났다. (the fence)
⇨ The dog jumped _____ and ran away.

7 그 선생님 뒤에 있는 저 남자애가 전학생이야. (the teacher)
⇨ That boy _____ is the new student.

8 그 큰 나무 아래에 잠자는 고양이가 한 마리 있어. (the big tree)
⇨ There is a cat sleeping _____.

9 천장에 있는 저 검은 점은 뭐지? 모기가 아니면 좋겠는데. (the ceiling)
⇨ What is that black dot _____? I hope it's not a mosquito.

C   다음 〈보기〉에 전치사를 사용하여 우리말과 같은 뜻이 되도록 문장을 완성하시오.

| 🔍 | across | along | through | into | from | to |

1   Jack은 강을 따라 달리고 있다.

Jack is running _____ the river.

2   그 학생들은 영화관으로 걸어 들어간다.

The students are walking _____ the theater.

3   그는 창문을 통해 손을 흔들었다.

He is waving _____ the window.

4   그 카페는 길 바로 건너편에 있다

The café is just _____ the street.

5   Clare는 하늘에서 눈이 내리는 것을 보았다.

Clare saw snow falling _____ the sky.

6   그 병원으로 가는 길을 알려줄 수 있니?

Could you tell me the way _____ the hospital?

D   다음 우리말과 같은 뜻이 되도록 주어진 단어를 배열하시오.

1   그는 교실에서 슬며시 나왔다. (the classroom, he, out of, slipped)

⇨ _____

2   그 길은 마을을 관통한다. (the road, the village, through, runs)

⇨ _____

3   Joseph은 소파에 누워 있다. (is, Joseph, the sofa, lying, on)

⇨ _____

4   그 아이는 자신의 축구공을 언덕 아래도 굴렸다. (rolled, down, soccer ball, his, the hill, the kid)

⇨ _____

5   그는 의자를 탁자 옆에 갖다 놓았다. (set, he, a chair, the table, beside)

⇨ _____

6   그녀는 바구니 안으로 공을 던졌다. (threw, into, the ball, she, the basket)

⇨ _____

7   Amy가 버스 정류장에 그를 데리러 나올 것이다. (at, the bus stop, pick, will, him, Amy, up)

⇨ _____

E 다음 빈칸에 at, on, in 중 알맞은 전치사를 골라 문장을 완성하시오.

1 I enjoy surfing _____ summer.

2 Do you have snow _____ April?

3 Let's talk about it _____ 3 o'clock.

4 These days, I read books _____ night.

5 The seminar will start _____ May 8th.

6 The café opens _____ 9:00 in the morning.

7 My family usually watches TV _____ the evening.

8 Eva has special plans for her mother _____ Friday.

F 다음 빈칸에 during과 for 중 알맞은 것을 써넣으시오.

1 We played outside _____ an hour.

2 Helen has been here _____ three days.

3 I went to Busan _____ the summer.

4 Turn off your smartphone _____ class.

G 다음 빈칸에 by와 until 중 알맞은 전치사를 골라 문장을 완성하시오.

1 Kelsey lived in Spain _____ 2022.

2 Steve has to return the camera _____ Saturday.

3 You should make a decision _____ tomorrow.

4 I'm going to play a computer game _____ 12 AM.

H 다음 빈칸에 공통으로 들어갈 알맞은 전치사를 써넣으시오.

1
Jenny goes to school _____ bus.
These paintings were painted _____ Gogh.

⇒ _____

2
Will you have dinner _____ me tonight?
Helen cut the meat _____ a knife.

⇒ _____

3
Stephanie knows a lot _____ coffee.
The girl always talks _____ dolphins.

⇒ _____

Chapter 11 접속사

A 다음 〈보기〉에서 알맞은 접속사를 골라 문장을 완성하시오.

[1-4]

🔍	or	so	but	and

1 I was very thirsty, _____ I bought water.

2 Mindy had to feed her dog _____ wash him.

3 Which do you want to eat, chicken _____ beef?

4 Dave can play both the guitar _____ the violin.

5 Roger can speak Spanish, _____ he can't read or write it.

6 Her phone may be on the table _____ in the drawer.

7 Mr. Smith wanted to meet his son, _____ he couldn't.

8 The room was very hot, _____ they turned on the air conditioner.

B 다음 〈보기〉에서 알맞은 표현을 골라 의미가 통하도록 문장을 완성하시오.

[1-4]

🔍	so we went on a picnic	but he didn't answer
	or cake	and won first prize

1 Which do you want, ice cream _____?

2 Elsa entered the competition _____.

3 I called him several times _____.

4 It was sunny and bright, _____.

[5-8]

🔍	and writing a script	but he couldn't
	so I took a taxi	or send me a text message

5 Nicholas tried to lift the box, _____.

6 George missed the bus, _____.

7 You can call me _____.

8 Judy likes watching plays _____.

C 다음 우리말과 같은 뜻이 되도록 알맞은 접속사를 써넣으시오.

1 과자 먹기 전에 손을 씻어라.

⇒ Wash your hands _____ you eat the cookies.

2 물에 뛰어 들기 전에 스트레칭을 해라.

⇒ Make sure you stretch _____ you jump into the water.

3 내가 사무실을 나설 때 여전히 비가 내리고 있었다.

⇒ _____ I left my office, it was still raining.

4 나는 그 영화를 볼 때까지 그 배우를 몰랐다.

⇒ I didn't know the actor _____ I watched the movie.

5 Helen은 그 소식을 들었을 때 매우 슬펐다.

⇒ Helen was very sad _____ she heard the news.

6 Dave는 언제나 샤워를 하고 나서 아침을 먹는다.

⇒ Dave always has breakfast _____ he takes a shower.

7 숙제를 끝낸 후에 나는 TV를 볼 수 있다.

⇒ I can watch TV _____ I finish doing my homework.

8 Ella는 열여덟 살이 될 때까지 지루한 삶을 살았다.

⇒ Ella had a boring life _____ she turned eighteen.

D 다음 주어진 접속사를 이용하여 두 문장을 한 문장으로 만드시오.

1 I feel so stressed. I listen to music loudly. (when)

⇒ _____, I listen to music loudly.

2 Emma smiled at me. I smiled back at her. (when)

⇒ _____, I smiled back at her.

3 You can borrow the book. I finish reading it. (after)

⇒ You can borrow the book _____.

4 The singer took vitamins. She sang a song. (before)

⇒ The singer took vitamins _____.

5 Turn off the light. You leave the office. (before)

⇒ Turn off the light _____.

6 Ashley looked for her dog everywhere. She found him. (until)

⇒ Ashley looked for her dog everywhere _____.

E 다음 우리말과 같은 뜻이 되도록 because, if, that 중 알맞은 접속사를 써넣으시오.

1 네가 원하면 우리 내일 만나자.

⇨ Let's meet tomorrow _____ you want.

2 우리는 Kelly가 노래를 잘한다는 것을 몰랐다.

⇨ We didn't know _____ Kelly sings well.

3 Leah는 다른 직장을 얻기를 희망한다.

⇨ Leah hopes _____ she can get another job.

4 우산을 안 가져왔으면, 내 것을 같이 써도 돼.

⇨ _____ you didn't bring your umbrella, you can share mine.

5 오늘은 공휴일이라서 은행이 문을 열지 않는다.

⇨ The bank doesn't open today _____ it's a national holiday.

6 Brian은 시험에 통과해서 매우 기뻤다.

⇨ Brian was very happy _____ he passed the exam.

F 다음 우리말과 같은 뜻이 되도록 주어진 단어를 배열하시오.

1 나는 Julie가 여기에 없다는 것을 계속 까먹는다. (is, Julie, not, here, that)

⇨ I keep forgetting _____.

2 그는 Oliver가 요리를 잘한다고 생각한다. (that, cooking, Oliver, is good at)

⇨ He thinks _____.

3 제시간에 도착하지 않으면 너는 기차를 놓칠 거야. (you, on time, arrive, don't, if)

⇨ _____, you will miss the train.

4 Tom이 또 거짓말을 해서 Daisy는 매우 화가 났다. (lied, he, again, to, because, her)

⇨ Daisy was really mad at Tom _____.

5 내일 비가 오면 나는 일정을 취소할 것이다. (rains, if, it, tomorrow)

⇨ _____, I will cancel my plans.

6 Sophia가 전에 나를 도와주었으니까 나는 기꺼이 그녀를 도울 것이다. (helped, Sophia, me, before, because)

⇨ _____, I am willing to help her.

7 만약 그가 또 운전을 하고 싶어 하면 차를 한 대 또 사줄 거예요? (again, to, he, drive, wants, if)

⇨ Are you going to get him another car _____?

MEMO

MEMO

한번에 끝내는 중등 영어 독해

READING 101

☑ 예비 중~중3을 위한 **기초 핵심 독해**

☑ **다양하고 흥미로운 주제를 바탕으로 한 독해 지문**

☑ **실력 향상은 물론 각종 실전 대비를 위한 독해유형별 문제 풀이**

☑ **어휘력을 향상시키고 영어 작문을 점검하는 Review Test**

☑ **워크북을 통한 어휘 강화 훈련 및 지문 받아쓰기**

☑ **모바일 단어장 및 어휘 테스트 등 다양한 부가자료 제공**

 넥서스에듀가 제공하는
편리한 공부시스템

MP3 듣기 ─ 어휘 리스트 ─ 어휘 테스트지 ─ 모바일 단어장 ─ VOCA TEST

 MP3 듣기
모바일 단어장
VOCA TEST

www.nexusbook.com

 한번에 끝내는 중등 영어 독해
READING 101

Level 1   영어교육연구소 지음 | 205X265 | 144쪽 | 12,000원
Level 2   영어교육연구소 지음 | 205X265 | 144쪽 | 12,000원
Level 3   영어교육연구소 지음 | 205X265 | 144쪽 | 12,000원

NEXUS Edu

LEVEL CHART

	초1	초2	초3	초4	초5	초6	중1	중2	중3	고1	고2	고3

VOCA

초등필수 영단어 1-2 · 3-4 · 5-6학년용
The VOCA + (플러스) 1~7
THIS IS VOCABULARY 입문 · 초급 · 중급	고급 · 어원 · 수능 완성 · 뉴텝스
WORD FOCUS 중등 종합 5000 · 고등 필수 5000 · 고등 종합 9500

Grammar

초등필수 영문법 + 쓰기 1~2
OK Grammar 1~4
This Is Grammar Starter 1~3
This Is Grammar 초급~고급 (각 2권: 총 6권)
Grammar 공감 1~3
Grammar 101 1~3
Grammar Bridge 1~3 (NEW EDITION)
The Grammar Starter, 1~3
한 권으로 끝내는 필수 구문 1000제
구사일생 (구문독해 Basic) 1~2
구문독해 204 1~2 (개정판)
그래머 캡처 1~2
[특급 단기 특강] 어법어휘 모의고사

★ NEW EDITION ★

GRAMMAR BRIDGE

넥서스영어교육연구소 · 김경태 지음

Level
1

정답 및 해설

NEXUS Edu

★ NEW EDITION ★

GRAMMAR BRIDGE

넥서스영어교육연구소 · 김경태 지음

Level

1

정답 및 해설

NEXUS Edu

Chapter 1

p.12

1-1 be동사의 현재형

Exercise 1

1 am	2 are
3 is	4 is
5 is	6 are
7 are	8 are
9 are	10 is

Exercise 2

1 is	2 am
3 is	4 are
5 are	6 is
7 are	8 is
9 are	10 is

Exercise 3

1 It's	2 I'm
3 He's	4 She's
5 They're	6 We're

Exercise 4

1 are	2 is
3 are	4 is
5 are	6 are

Exercise 5

1 She's very brave.
2 They're really thirsty.
3 He's from Singapore.
4 I am good at English.
5 We're in the art gallery.
6 You are a science fiction writer.

1-2 be동사의 부정문

p.14

Exercise 1

1 It is ✔a ball-point pen.
2 Jennifer is ✔in the hospital.
3 They are ✔my best friends.
4 The earrings are ✔expensive.
5 I am ✔a big fan of hers.

Exercise 2

1 It isn't his wallet.
2 We aren't from Germany.
3 I'm not on my way to school.
4 My new neighbor isn't Canadian.
5 Jeff and Fred aren't at the amusement park.

Exercise 3

1 This old book is not [isn't] mine.
2 They are not [aren't] very kind people.
3 It is not [isn't] warm and sunny today.
4 He is not [isn't] a Hollywood superstar.
5 I am [I'm] not a high school student.

Exercise 4

1 is not[isn't]	2 am not
3 are not[aren't]	4 are not[aren't]
5 are not[aren't]	

Exercise 5

1 Shane is not[isn't] English.
2 You are not[aren't] her cousin.
3 It is not[isn't] a horror movie.
4 They are not[aren't] wonderful cooks.

1-3 be동사의 의문문

p.16

Exercise 1

1 Are you on holiday?
2 Are dogs good swimmers?
3 Is your grandfather in the garden?
4 Is the chocolate cake delicious?
5 Is she a member of the tennis club?

Exercise 2

1 a	2 d
3 b	4 c
5 e	

Exercise 3

1 they, are	2 Is, she
3 it, isn't	4 Are, I'm, not
5 Are, I, am	6 it, is
7 he, isn't	

Exercise 4

1 Are you busy now?
2 Is Daniel at the gym?
3 Is the play boring?
4 Are your older brothers tall?
5 Are they your new shoes?

6 Is your computer brand-new?
7 Are Emily and Becky at the museum?

1-4 일반동사의 현재형 p.18

Exercise 1

1 wants	2 goes
3 studies	4 mixes
5 has	6 runs
7 does	8 catches
9 tries	10 likes
11 reaches	12 drinks
13 sits	14 wakes
15 gets	16 cries
17 reads	18 builds
19 enjoys	20 loses
21 carries	22 buys
23 cleans	24 flies
25 teaches	26 comes
27 says	28 passes
29 washes	30 plays

Exercise 2

1 loves	2 read
3 has	4 speaks
5 teaches	6 play

Exercise 3

1 ○	2 washes
3 leave	4 ○
5 live	6 carries

Exercise 4

1 likes watermelon
2 does her homework
3 has a puppy
4 goes grocery shopping
5 watch TV

1-5 일반동사의 부정문 p.20

Exercise 1

1 don't need	2 doesn't sleep
3 don't eat	4 don't know
5 doesn't like	6 don't go
7 don't live	8 don't have

Exercise 2

1 doesn't, eat	2 doesn't, walk
3 doesn't, teach	4 don't, listen
5 doesn't, ride	6 don't, clean
7 doesn't, have	8 don't, get

Exercise 3

1 Peggy does not[doesn't] eat cereal for breakfast.
2 My mom does not[doesn't] kiss me on the forehead every night.
3 The baby does not[doesn't] cry at midnight.
4 I do not[don't] play volleyball with my friends.
5 Sunny and Natalie do not[don't] take a nap after lunch.
6 My children do not[don't] move around during meals.

Exercise 4

1 Jenny does not[doesn't] like elephants.
2 We do not[don't] use a dictionary.
3 He does not[doesn't] have sunglasses.
4 I do not[don't] play the violin every day.
5 Becky and Brian do not[don't] take the train together.
6 They do not[don't] wash their hands before dinner.

1-6 일반동사의 의문문 p.22

Exercise 1

1 Does it rain a lot in this town?
2 Does the computer work fast?
3 Does Mike go skiing in winter?
4 Does Linda have long dark curly hair?
5 Do the children make a snowman?
6 Do they work hard during the week?
7 Does Jason wash his car every weekend?
8 Do Jessy and Megan wear school uniforms?

Exercise 2

1 wears → wear	2 ○
3 Do → Does	4 ○
5 ○	6 plays → play

Exercise 3

1 Do. No, they, don't
2 Does. Yes, she, does
3 Do, Yes, I, do
4 Does. No, he, doesn't

Exercise 4

1 Does, drink. he, doesn't
2 Do, have. I, do
3 Do, read, they, do
4 Does, take, she, doesn't

1-7 의문사로 시작하는 의문문 p.24

Exercise 1
1 Where
2 What
3 Who
4 How
5 Why

Exercise 2
1 e
2 b
3 a
4 c
5 d

Exercise 3
1 When
2 How
3 What
4 Why
5 Who

Exercise 4
1 What
2 When
3 Where
4 Who
5 Which

Exercise 5
1 How, much
2 How, long
3 How, old
4 How, often
5 How, many

Exercise 6
1 Where does he live?
2 Who is that kind girl?
3 Why is he late for school?
4 Where is the department store?
5 When does the museum open?
6 How do you go to the library?
7 How many sisters do you have?
8 Which do you want, Coke or milk?

1-8 부정의문문 p.27

Exercise 1
1 Don't they sing in a choir?
2 Doesn't Rick wear big glasses?
3 Aren't they in the stadium?
4 Isn't Miss Hanson a pianist?

Exercise 2
1 No, I, don't
2 Yes, I, am
3 Yes, he, does
4 No, she, isn't

1-9 명령문 p.28

Exercise 1
1 Wear a seat belt.
2 Don't make me angry.
3 Keep the promise.
4 Don't swim in the deep water.
5 Don't touch the painting on the wall.

Exercise 2
1 Do not lie.
2 Please pass me the salt. / Pass me the salt, please.
3 Don't walk on the grass.
4 Please be kind to old people. / Be kind to old people, please.
5 Please don't take pictures here. / Don't take pictures here, please.

1-10 제안문 p.29

Exercise 1
1 Let's not hurry up.
2 Let's go out for dinner.
3 Let's go to a movie.
4 Let's take the subway.
5 Let's not make noise.
6 Let's clean the classroom.

Exercise 2
1 Let's close the window.
2 Let's order some spaghetti.
3 Let's play computer games.
4 Let's go to the market tonight.

1-11 부가의문문 p.30

Exercise 1
1 will, you
2 doesn't, she
3 do, you
4 isn't, he
5 shall, we
6 can't, they

Exercise 2
1 can't they
2 doesn't he
3 will you
4 shall we
5 are they
6 do you

1-12 감탄문

p.31

Exercise 1

1 an easy job it is
2 long pencils they are
3 high the mountain is
4 heavy his backpack is
5 a smart boy Daniel is

Exercise 2

1 How stupid they are!
2 How easy this question is!
3 What a good singer she is!
4 What a useful smartphone it is!

Review Test

p.32

01 ④	02 ①	03 ⑤	04 ④	05 ①	06 ②
07 ③	08 ②	09 ⑤	10 ①	11 ③	12 ④
13 ③	14 ④	15 ①	16 ⑤	17 ①	18 ③
19 ⑤	20 ③	21 ④	22 ②	23 ②	24 ③
25 ⑤	26 ⑤	27 ①	28 ⑤	29 ⑤	30 ④

31 ②

32 He

33 shall, we, isn't, he, can, you

34 Miranda doesn't spend a lot of money on shoes.

35 Does Jake go to school at 7?

36 Don't make the same mistake again.

37 What a good cook your mother is!

38 Don't you like my birthday present?

39 Ride your bike carefully, will you?

40 How, Where, What

01 ④ -sh로 끝나는 동사는 뒤에 -es를 붙여야 하므로 pushes가 되어야 한다.

02 ② -o로 끝나는 동사는 뒤에 -es를 붙여야 하므로 goes가 되어야 한다. ③ 「자음+y」로 끝나는 동사는 -y를 -ies로 고쳐야 하므로 studies가 되어야 한다. ④ 「모음+y」로 끝나는 동사는 뒤에 -s를 붙여야 하므로 buys가 되어야 한다. ⑤ -ch로 끝나는 동사는 뒤에 -es를 붙여야 하므로 watches가 되어야 한다.

03 일반동사 긍정문의 부가의문문은 「주어+동사 ~, don't/doesn't+주어(대명사)?」로 쓴다. Gary가 3인칭 단수 남자, wants가 일반동사이므로 doesn't he가 적절하다.

04 부정명령문은 「Don't + 동사원형 ~.」이다.

05 형용사(strong)을 강조하는 감탄문은 How 감탄문이다.

06 respects는 3인칭 단수동사이므로, 빈칸에는 3인칭 단수 주어 The girl이 적절하다.

07 일반동사의 의문문은 「Do/Does+주어+동사원형 ~?」이다. Sunny가 3인칭 단수 주어이므로 Does가 적절하다.

08 A 생일 축하해! 너를 위한 선물이야.
B 와! 정말 예쁜 인형이구나! 정말 고마워.
명사(a pretty doll)를 강조하는 감탄문은 What 감탄문이다.

09 A 이 방향과 저 방향 중에서 버스는 어느 쪽으로 가?
B 버스는 저 방향으로 가.
정해진 대상 중에서 선택하는 선택의문문에서는 which를 쓴다.

10 A 엄마, 나가서 놀고 싶어요.
B 먼저 숙제를 해라!
명령문은 일반적으로 주어 you를 생략하고 동사원형으로 시작한다.

11 A Serena는 매우 열심히 영어를 공부하니?
B 응. 그래. 그녀는 매일 영어를 공부해.
A의 질문에 '그녀는 매일 영어를 공부한다'고 말하고 있으므로, 긍정의 대답이 와야 한다. Serena가 3인칭 단수 여자이므로, Yes, she does. 가 적절하다.

12 • 너의 아버지는 라디오를 들으시니?
일반동사의 의문문은 「Do/Does+주어+동사원형 ~?」이다. your father가 3인칭 단수 주어이므로 Does가 적절하다.
• 너는 수영 선수니? / 너는 수영을 할 수 있니?
Be동사가 있는 의문문은 「Be동사(Am/Are/Is)+주어 ~?」이다. you가 2인칭 주어이므로 Are가 적절하다.

13 • 그녀는 불량 식품을 먹지 않는다.
일반동사의 부정문은 「don't/doesn't+동사원형」이므로 eat이 적절하다.
• James와 Kate는 공포 영화를 좋아하지 않는다.
일반동사의 부정문은 「don't/doesn't+동사원형」이다. James and Kate가 3인칭 복수 주어이므로 don't가 적절하다.
• 너의 할아버지는 뜰에서 채소를 키우시니?
일반동사의 의문문은 「Do/Does+주어+동사원형 ~?」이다. your grandfather가 3인칭 단수 주어이므로 Does가 적절하다.

14 • Emily는 치어리더인가요?
Be동사가 있는 의문문은 「Be동사(Am/Are/Is)+주어 ~?」이다. Emily가 3인칭 단수 주어이므로 Is가 적절하다.
• 그 아이들은 유령을 두려워해요.
The children은 3인칭 복수 주어이므로 are가 적절하다.
• Christine은 아침에 머리를 감는다.
Christine은 3인칭 단수 주어이므로 washes가 적절하다.

15 명령문은 일반적으로 주어 You를 생략하고 동사원형으로 시작한다.

16 • 너의 모자는 무슨 색이니?
• 너는 손 안에 무엇을 가지고 있니?
'무엇, 무슨'이라는 뜻의 의문사는 what을 쓴다.

17 ① amn't로 줄여 쓸 수 없으므로, I'm not 또는 I am not으로 써야 한다.

18 ③ My mother는 3인칭 단수 주어이므로, use가 아니라 uses가 되어야 한다.

19 ⑤ 형용사(clever)를 강조하는 감탄문은 How 감탄문이다.

20 ③ '~하지 말자'라는 뜻의 부정제안문은 「Let's not+동사원형 ~.」이므로 makes가 아니라 make가 되어야 한다.

21 ④는 명사(beautiful girls)를 강조하는 감탄문이므로 What이 들어가야 하고, ①, ②, ③, ⑤는 형용사를 강조하는 감탄문이므로 How가 들어가야 한다.

22 일반동사의 의문문은 「Do/Does+주어+동사원형 ~?」이다. ①, ③, ④, ⑤의 주어가 3인칭 단수이므로 Does가 적절하다. ② you는 2인칭 주어이므로 Do가 적절하다.

23 '얼마나 ~한'이라는 의미의 의문문은 「How + 형용사/부사 ~?」이다. ② What이나 Which는 의문형용사로 쓰여 뒤에 명사가 올 수 있다. 명사 subject를 수식하는 의문사 What(무엇, 무슨)이나 Which(어느)가 들어가야 한다.

24 ③ 일반동사의 긍정문의 부가의문문은 「주어 + 동사 ~, don't/ doesn't + 주어(대명사)?」이므로 does he가 아니라 doesn't he가 되어야 한다.

25 be동사의 부정문은 「be동사+not」이고, 일반동사의 부정문은 「don't/ doesn't + 동사원형」이다. ① You and your sister가 복수 주어이므로 isn't가 아니라 aren't가 되어야 한다. ② I는 1인칭 단수 주어이며, amn't는 줄여 쓸 수 없으므로 I'm not 또는 I am not이 되어야 한다. ③ My father는 3인칭 단수 주어이므로 don't play가 아니라 doesn't play가 되어야 한다. ④ 일반동사의 부정문은 「don't/ doesn't + 동사원형」이며 They가 3인칭 복수 주어로, don't wakes가 아니라 don't wake가 되어야 한다.

26 ① My sister and I는 1인칭 복수 주어이므로 am이 아니라 are가 되어야 한다. ② be동사의 부정문의 부가의문문은 「주어 + be동사 + not ~, be동사 + 주어(대명사)?」이므로 isn't가 아니라 is가 되어야 한다. ③ 긍정제안문의 부가의문문은 「Let's ~, shall we?」이므로 don't가 아니라 shall이 되어야 한다. ④ be동사의 긍정문의 부가의문문은 「주어+be동사 ~, be동사+not + 주어(대명사)?」이다. Mr. Brown이 3인칭 단수 남자이므로 she가 아니라 he가 되어야 한다.

27 ② His bedroom은 3인칭 단수 주어이므로 are가 아니라 is가 되어야 한다. ③ your brother는 3인칭 단수 주어이므로 Are가 아니라 Is가 되어야 한다. ④ Charlie and Emma는 3인칭 복수 주어이므로 is가 아니라 are가 되어야 한다. ⑤ amn't는 줄여 쓸 수 없으므로 I'm not이나 I am not으로 써야 한다.

28 A 그 미술관은 화요일에 문을 닫지, 그렇지 않니?
B 아니야. 화요일에 문을 닫지 않아. 미술관은 월요일에 문을 닫아.
부가의문문은 대답하는 내용이 긍정이면 Yes, 부정이면 No로 답한다. A의 질문에 '월요일에 문을 닫는다.'라고 말했으므로, 부정의 대답이 와야 한다. 따라서 No, it doesn't.가 되어야 한다.

29 A 너희들은 얼마나 자주 외식하니?
B 우리는 대개 한 달에 두 번 외식을 해.
의문사(How)가 있는 의문문은 Yes나 No로 대답할 수 없다.

30 What 감탄문은 「What(+ a [an]) + 형용사 + 명사(+ 주어 + 동사)!」의 어순이다.

31 일반동사의 부정문의 부가의문문은 「주어 + don't/doesn't ~, do/ does + 주어(대명사)?」이다.

32 A 너는 저기에 있는 저 남자를 알고 있니?
B 물론이지. 그는 내 삼촌이야.
the man은 3인칭 단수 남자이므로 빈칸에 들어갈 말은 He가 되어야 한다.

33 • 우리 이번 주 일요일에 소풍 가자, 응?
긍정제안문의 부가의문문은 「Let's ~, shall we?」이다.
• Jeremy는 착하고 재미있어, 그렇지 않니?
be동사의 긍정문의 부가의문문은 「주어+be동사 ~, be동사+not + 주어(대명사)?」이다. Jeremy가 3인칭 단수 남자이므로 isn't he가 되어

야 한다.
• 너는 파티에 못 오지, 그렇지?
조동사의 부정문의 부가의문문은 「주어 + 조동사 + not ~, 조동사 + 주어(대명사)?」이다.

34 일반동사의 부정문은 「don't/doesn't + 동사원형」이다.

35 일반동사의 의문문은 「Do/Does + 주어 + 동사원형 ~?」이다.

36 '~하지 마라'라는 의미의 부정명령문은 「Don't + 동사원형 ~.」이다.

37 What 감탄문은 「What(+a [an])+형용사+명사(+주어+동사)!」의 어순이다.

38 부정의문문은 동사의 부정형으로 시작하는 의문문이다.

39 명령문의 부가의문문은 「명령문, will you?」이다.

40 A 저 소년은 정말 잘생겼구나! 그는 네 친구니?
B 아니, 그렇지 않아. 그는 내 사촌이야.
A 그는 어디에 사니?
B 그는 시드니에 살아.
A 그의 이름은 뭐니?
B 그의 이름은 Harry Potter야.
형용사(handsome)를 강조하는 감탄문은 How 감탄문이다. B의 대답(He lives in Sydney.)을 통해서 A가 그가 어디에 살고 있는지 물어보았음을 알 수 있다. 위치나 장소를 물을 때는 의문사 Where를 쓴다. B의 대답(His name is Harry Potter.)을 통해서 A가 그의 이름이 무엇인지 물어보았음을 알 수 있다. 사람의 이름 등을 물을 때는 의문사 What을 쓴다.

보너스 유형별 문제
p.36

1 Do you like playing basketball?
2 he does not[doesn't] have
3 ①

[1-2] A 너는 방과 후에 농구를 하니?
B 응. 그래. 나는 농구팀에 있어.
A 너는 농구하는 것을 좋아하니?
B 응. 나는 매일 연습해. 나는 농구를 많이 좋아해.
A 나의 남동생도 농구팀에 들어가기를 원해. 그는 정말로 농구를 좋아해. 그런데 그는 경험이 많지 않아.
B 그럼, 네 동생이 원하면 나와 함께 연습해도 되는데.
A 정말 고마워. 그가 정말로 좋아할 거야.

1 do동사 뒤에 오는 동사는 원형이므로 「Do + 주어 + 동사원형 ~?」으로 써야 한다.

2 주어가 3인칭 단수이므로 「주어 + doesn't + 동사원형 ~.」으로 써야 한다.

3 당신의 개가 당신에게 달려들어 뽀뽀할 때 기분이 좋아지지 않는가? 기분이 안 좋은 때조차도 애완동물은 그 사람의 기분을 좋게 해줄 수 있다! 의료서비스 종사자들은 아픈 사람의 기운을 북돋기 위해서 동물을 이용한다. 그것은 동물매개치료라고 불린다. 이것은 사람들을 여러 방면으로 도울 수 있다. 동물은 신체 접촉을 통해 사람들에게 위안을 줄 수 있다. 이는 외로움을 덜어주는 데 도움이 된다. 우리는 개, 고양이, 새, 그리고 토끼 등과 같은 동물을 동물매개치료에 이용한다. 이 동물들은 정말 도움이 된다!
주어가 3인칭 단수(it)이므로 don't가 아니라 doesn't가 되어야 한다.

6

Chapter 2

2-1 현재시제의 쓰임 p.38

Exercise 1

1 rises	2 eat
3 brush	4 plays

Exercise 2

1 Giraffes have long necks.
2 He parks his car here every day.
3 The department store closes at 8 p.m.
4 We study English together on Sundays.

2-2 과거시제 - be동사 p.39

Exercise 1

1 was	2 was
3 was	4 was
5 were	6 were
7 was	8 were

Exercise 2

1 was a famous actress
2 was bored
3 were elementary school students
4 was kind

2-3 과거시제 - 일반동사의 규칙 변화 p.40

Exercise 1

1 ended	2 cried
3 jumped	4 dropped
5 helped	6 visited
7 died	8 arrived
9 worried	10 tried
11 stayed	12 saved
13 pushed	14 stopped
15 wanted	16 lived
17 started	18 worked
19 played	20 planned

Exercise 2

1 carried	2 touched
3 stayed	4 planned
5 closed	6 dropped
7 opened	8 moved

2-4 과거시제 - 일반동사의 불규칙 변화 p.41

Exercise 1

1 thought	2 went
3 built	4 put
5 came	6 gave
7 did	8 had
9 told	10 made
11 bought	12 lost
13 spent	14 cut
15 spoke	16 drank
17 stood	18 wore
19 saw	20 wrote

Exercise 2

1 taught	2 found
3 caught	4 woke

2-5 과거시제의 쓰임 p.42

Exercise 1

1 had	2 broke
3 came	4 finished
5 visited	6 last Sunday
7 this morning	8 Yesterday

Exercise 2

1 read	2 wrote
3 swam	4 lost
5 went	6 won
7 stopped	8 visited

2-6 과거시제의 부정문과 의문문 p43

Exercise 1

1 Anne wasn't ten years old last year.
2 The quiz wasn't very difficult.
3 Ben didn't tell me an interesting story.
4 We didn't wait for him for two hours.
5 They didn't walk along the street together.
6 Tommy and I weren't in the same class three years ago.

Exercise 2

1 Did she wear a green scarf?
2 Were you good at dancing?
3 Did we go on a picnic to the park?
4 Did they live near here in the past?
5 Did Brian and Julie pass the exam?
6 Was Chris at the gym this morning?

7 Were Kelly and Susie tired yesterday?

8 Did he buy a birthday present for me?

Exercise 3

1 Were, they, were   2 Was, it, wasn't

3 Did, I, didn't   4 Did, she, didn't

5 Did, she, did   6 Was, he, was

2-7 진행시제   p.45

Exercise 1

1 saying   2 sitting

3 sleeping   4 talking

5 having   6 dying

7 giving   8 dancing

9 drawing   10 flying

11 getting   12 climbing

13 calling   14 asking

15 cutting   16 walking

17 shopping   18 standing

19 opening   20 swimming

Exercise 2

1 playing   2 making

3 repairing   4 feeding

5 sending   6 running

2-8 진행시제 - 현재진행과 과거진행   p.46

Exercise 1

1 was   2 climbing

3 are   4 were

5 carrying

Exercise 2

1 Many people were lying on the beach.

2 A man was climbing up the Rocky Mountains.

3 Jennifer is drawing a picture on a canvas.

4 They are asking their teacher some questions.

5 Vicky and Billy were chatting on the computer.

Exercise 3

1 is reading   2 is sleeping

3 are shopping   4 is working

5 is playing   6 are standing

Exercise 4

1 was looking for   2 were preparing for

3 are talking   4 are having

5 were playing   6 is waiting for

2-9 진행시제의 부정문과 의문문   p.48

Exercise 1

1 was   2 Are

3 isn't   4 Is

5 weren't   6 Was

7 isn't

Exercise 2

1 wasn't → isn't   2 Was → Is

3 isn't → wasn't   4 take → taking

5 Do → Are   6 Do → Were

7 weren't → aren't

Exercise 3

1 You aren't walking too fast now.

2 Was Sue enjoying the holiday then?

3 Were they carrying heavy bags then?

4 We aren't making a Christmas tree now.

5 I wasn't sitting on the bench at that time.

6 Were you having lunch at the restaurant?

7 Jane isn't living with her sister in Paris now.

8 Many people aren't standing in line at the entrance.

9 Is Jack talking too loudly on the phone now?

10 Was he looking for his textbook at that time?

Exercise 4

1 Were, staying, I, wasn't

2 Are, singing, I'm, not

3 Is, making, she, is

4 Was, dancing, she, was

01 ④	02 ⑤	03 ②	04 ③	05 ③	06 ⑤
07 ③	08 ②	09 ①	10 ⑤	11 ③	12 ⑤
13 ④	14 ①	15 ②	16 ③	17 ③	18 ①
19 ③	20 ④	21 ①	22 ④	23 ③	24 ①
25 ⑤	26 ⑤	27 ③	28 ④	29 ③	

30 were

31 is watching

32 came

33 ① was ② were enjoying

34 Did you see a doctor yesterday?

35 Are they talking on the phone now?

36 He was riding his bicycle at 3 o'clock.

37 They went to the movies

38 I will [am going to] go hiking on the mountain

39 He does Taekwondo

40 am, washing, is, doing

01 ④ 「단모음+단자음」으로 끝나는 동사는 자음을 한 번 더 쓰고 -ed를 붙이므로, stopped가 되어야 한다.

02 ⑤ read는 현재형과 과거형이 같은 동사이므로 read가 되어야 한다.

03 ② take의 과거형은 took이다.

04 ① get의 과거형은 got이다. ② sing의 과거형은 sang이다. ④ play의 과거형은 played이다. ⑤ 「자음+y」로 끝나는 동사는 y를 i로 바꾸고 -ed를 붙이므로 carried가 되어야 한다.

05 an hour ago는 과거를 나타내는 부사구이다. 일반동사의 과거형은 주어의 인칭이나 수에 관계없으므로, 빈칸에는 went가 적절하다.

06 now는 현재를 나타내는 부사이며, 현재진행형은 「am/are/is+-ing」이다. The children이 3인칭 복수 주어이므로 빈칸에는 are reading이 적절하다.

07 yesterday는 과거를 나타내는 부사이다. 일반동사의 과거형은 주어의 인칭이나 수에 관계없으므로, 빈칸에는 washed가 적절하다.

08 ② think의 과거형은 thought이다.

09 • 'Shane은 매일 샤워를 한다.'라는 의미로, 반복적인 행동이나 습관에는 현재시제를 쓴다. Shane이 3인칭 단수 주어이므로 빈칸에는 takes가 적절하다.
   • '우리는 어제 오후에 숨바꼭질을 했다.'라는 의미로, yesterday afternoon은 과거를 나타내는 부사구이므로 빈칸에는 played가 적절하다.

10 • 'Tim은 지금 신문을 보고 있니?'라는 의미로 현재진행형이다. 현재진행형의 의문문은 「Be동사(Am/Are/Is)+주어+-ing ~?」이므로 빈칸에는 reading이 적절하다.
   • '그들은 오늘 오후 세 시에 미팅을 시작할 것이다.'라는 의미로, go, come, start, leave 등의 동사가 이미 확정된 미래를 나타낼 때 미래시제 대신 현재시제를 쓰기도 한다. 주어가 3인칭 복수 주어 They이므로 빈칸에는 start가 적절하다.

11 • '세계에서 가장 인기 있는 밴드가 작년에 우리 도시를 방문했다.'라는

의미로, last year는 과거를 나타내는 부사구이므로 빈칸에는 visited가 적절하다.
   • '그들은 지난 토요일에 너희 삼촌 농장에 있었니?'라는 의미로, be동사의 과거시제 의문문은 「Was/Were+주어 ~?」이다. last Saturday는 과거를 나타내는 부사구이며, they가 3인칭 복수 주어이므로 빈칸에는 Were가 적절하다.

12 went는 go의 과거형이므로 빈칸에는 과거를 나타내는 부사구가 와야 한다. tomorrow는 미래를 나타내는 부사이다.

13 ④ now는 현재를 나타내는 부사이며, 현재진행형의 의문문은 「Be동사(Am/Are/Is)+주어+-ing ~?」이다. your dog이 3인칭 단수 주어이고, lying이 진행형이므로 Is가 되어야 한다.

14 ① '지구가 태양 주위를 돈다.'라는 의미로, 변하지 않는 진리나 일반적인 사실을 나타낼 때 현재시제를 쓴다. 주어가 3인칭 단수이므로 moves가 되어야 한다.

15 ② last night은 과거를 나타내는 부사구, swimming은 진행형을 나타내므로 과거진행형이다. 과거진행형 의문문은 「Be동사(Was/Were)+주어+-ing ~?」이며, you가 2인칭 주어이므로 Are가 아니라 Were가 되어야 한다.

16 '~하지 않았다'라는 의미의 일반동사의 과거시제 부정문은 「didn't+동사원형」이다. 빈칸 뒤에 take가 왔으므로 빈칸에는 didn't가 적절하다.

17 A 너는 텔레비전을 보고 있니?
   B 아니, 보고 있지 않아. 나는 설거지를 하고 있어.
   현재진행형의 의문문에 대한 대답은 「Yes, 주어+am/are/is.」 또는 「No, 주어+am/are/is+not.」이다. 텔레비전을 보고 있냐는 A의 질문에 B는 설거지를 하고 있다고 말했으므로 대답은 No, I'm not.이 적절하다.

18 A 그때 눈이 내리고 있었니?
   B 응, 내리고 있었어. 도로가 매우 미끄러웠어.
   과거진행형의 의문문에 대한 대답은 「Yes, 주어+was/were.」 또는 「No, 주어+wasn't/weren't.」이다. 눈이 많이 내리고 있었냐는 A의 질문에 B는 도로가 매우 미끄러웠다고 말했으므로 대답은 Yes, it was.가 적절하다.

19 A Daniel은 걸어서 학교에 갔니?
   B 아니, 그렇지 않아. 그는 지하철을 타고 학교에 갔어.
   일반동사의 과거시제 의문문에 대답은 「Yes, 주어+did.」 또는 「No, 주어+didn't.」이다. Daniel이 걸어서 학교에 갔냐는 A의 질문에 B는 지하철을 타고 학교에 갔다고 말했으므로 대답은 No, he didn't.가 적절하다.

20 A 네 여동생은 다시 바이올린을 치고 있니?
   B 응, 그래. 그녀는 지금 매우 열심히 연습하고 있어.
   now는 현재를 나타내는 부사, practicing은 진행형이므로 현재진행형이 와야 한다. 따라서 was가 아니라 is가 되어야 한다.

21 A Jack, 너 피곤해 보여.
   B 어젯밤에 잠을 잘 못 잤어.
   A 기말고사를 위해 밤을 새웠니?
   B 아니. 내 이웃이 음악을 크게 듣고 있었어.
   ① 일반동사의 과거시제의 부정문은 「didn't+동사원형」이므로 slept가 아니라 sleep이 되어야 한다.

22 과거진행형은 「was/were+-ing」, then은 과거를 나타내는 부사이다.

23 현재진행형의 부정문은 「am/are/is+not+-ing」, now는 현재를 나타내는 부사이다.

24 ② 'Julian은 어린 시절에 버릇이 없었다.'라는 의미의 과거시제이다. Julian은 3인칭 단수 남자이며, be동사의 과거시제 부정문은 「was/were + not」이다. 따라서 didn't be가 아니라 wasn't가 되어야 한다. ③ now는 현재를 나타내는 부사이며, 현재진행형의 부정문은 「am/are/is + not + -ing」이므로 wasn't가 아닌 am not이 되어야 한다. ④ yesterday는 과거를 나타내는 부사이며, 일반동사의 과거시제 부정문은 「didn't + 동사원형」이므로 don't가 아닌 didn't가 되어야 한다. ⑤ a few minutes ago는 과거를 나타내는 부사구로, 일반동사의 과거시제 부정문은 「didn't + 동사원형」이므로 ate가 아닌 eat가 되어야 한다.

25 A 안녕, Jason. 너는 어제 무엇을 했니?
B 나는 아버지와 함께 낚시하러 갔어. 우리는 그때 강에 있었어.
A 오, 정말? 너는 물고기를 잡았니?
B 아니, 잡지 못했어. 하지만, 아버지가 물고기를 좀 잡았어.
물고기를 잡은 것은 어제 일어난 일이므로 과거시제로 나타낸다. catch의 과거형은 caught이다.

26 ① '에베레스트 산은 높이가 8,848미터이다.'라는 의미로, 변하지 않는 진리나 일반적인 사실에는 현재시제를 쓴다. 따라서 was가 아니라 is가 되어야 한다. ② then은 과거를 나타내는 부사, smiling은 진행형을 나타내므로 과거진행형이다. 과거진행형의 부정문은 「was/were + not + -ing」이므로 isn't가 아닌 wasn't가 되어야 한다. ③ now는 현재를 나타내는 부사, climbing은 진행형을 나타내므로 현재진행형이다. 현재진행형은 「am/are/is + -ing」이므로 were가 아닌 are가 되어야 한다. ④ now는 현재를 나타내는 부사, staying은 진행을 나타내므로 현재진행형이다. 현재진행형의 의문문은 「Am/Are/Is + 주어 + -ing ~?」이며, your friend는 3인칭 단수 주어이므로 Are가 아닌 Is가 되어야 한다.

27 ① right now는 현재를 나타내는 부사구, 현재시제의 부정문은 「don't/doesn't + 동사원형」이며 I는 1인칭 단수 주어이므로 didn't가 아닌 don't가 되어야 한다. ② two days ago는 과거를 나타내는 부사구로 과거시제를 나타내므로 have가 아닌 had가 되어야 한다. ④ yesterday는 과거를 나타내는 부사, be동사의 과거시제 부정문은 「was/were + not」이다. The store가 3인칭 단수 주어이므로 weren't가 아닌 wasn't가 되어야 한다. ⑤ these days는 현재를 나타내는 부사구로 반복적인 행동이나 습관을 나타낼 때 현재시제를 쓰며, She가 3인칭 단수 주어이므로 went가 아닌 goes가 적절하다.

28 ④ A 너는 컴퓨터 게임을 하고 있니?
   B 아니, 그렇지 않아. 나는 친구들과 채팅을 하고 있어.
현재진행형의 의문문에 대한 대답은 「Yes, 주어 + am/are/is.」 또는 「No, 주어 + am/are/is + not.」이므로 didn't가 아니라 I am not 또는 I'm not이 적절하다.

29 ③ A 너 피곤해 보여. 어젯밤에 뭐했니?
   B 나는 대회를 위해 피아노를 연습했어.
last night은 과거를 나타내는 부사구이므로 do가 아닌 did가 적절하다.

30 • 너는 극장에 앉아 있었니?
sitting은 진행형을 나타내며, you는 2인칭 주어이므로 빈칸에는 are나 were가 적절하다.
   • 그들은 어젯밤 11시에 잠을 자고 있었다.
last night은 과거를 나타내는 부사, sleeping은 진행형을 나타내므로 과거진행형이다. 따라서 빈칸에는 were가 적절하다.
그러므로 빈칸에 공통으로 들어갈 말은 were이다.

31 'Jake는 대개 저녁 식사 후에 텔레비전을 본다. 그는 방금 전에 저녁을 먹었다. 그는 지금 텔레비전을 보고 있다.'라는 의미로, 빈칸에는 현재진행형이 와야 한다.

32 A 그는 언제 집에 왔니?
B 그는 아홉 시에 집에 왔어.
A가 과거시제로 묻고 있으므로 과거시제로 대답해야 한다.

33 A 너희 교실은 두 시간 전에 텅 비었어. 수업 시간에 뭐했니?
B 날씨가 매우 좋았어. 그래서 우리는 그때 운동장에서 신선한 공기를 즐겼어.
① two hours ago는 과거를 나타내는 부사구이므로 과거시제가 와야 한다. ② then은 과거를 나타내는 부사구, enjoying은 진행형을 나타내므로 과거진행형이 와야 한다.

34 일반동사의 과거시제 의문문은 「Did + 주어 + 동사원형 ~?」이다.

35 현재진행형의 의문문은 「Am/Are/Is + 주어 + -ing ~?」이다.

36 과거진행형은 「was/were + -ing」이다.

37 A Cathy와 John은 어제 무엇을 했니?
B 그들은 어제 영화관에 갔어.
yesterday는 과거를 나타내는 부사이며 A가 과거시제로 묻고 있으므로, 과거시제로 대답해야 한다.

38 A 이번 주 토요일에 너는 무엇을 할 예정이니?
B 나는 아버지와 함께 산에 오를 예정이야.
this Saturday는 미래를 나타내는 부사구이며 A가 미래시제로 묻고 있으므로, 미래시제로 대답해야 한다. 미래시제는 「will + 동사원형」이나 「be going to + 동사원형」으로 나타낸다.

39 A 그는 방과 후에 뭐하니?
B 그는 방과 후에 태권도를 해.
반복적인 일상이나 습관에는 현재시제를 쓴다.

40 A 엄마, 저예요! 어디에 있어요?
B 욕실에 있어.
A 거기서 뭐하고 있어요?
B 손을 씻고 있어.
A David는 어디 있어요?
B 그는 자신의 방에 있어. 그는 지금 숙제를 하고 있어.
거기서 뭐하고 있냐고 A가 현재진행형으로 묻고 있으므로 현재진행형으로 대답해야 한다. now는 현재를 나타내는 부사이며, 그의 방에서 숙제를 하고 있다는 의미가 되어야 하므로 현재진행형으로 대답해야 한다.

보너스 유형별 문제   p.54

1 Did you (guys) try
2 Yes, we did.
3 ②

[1-2] A 박 선생님은 우리 반을 현장학습으로 경복궁으로 데리고 가셨어.
B 너희들은 한복 입어봤어?
A 아니, 그렇지 않았어.
B 그럼, 너희들은 수문장 교대식을 봤어?
A 응, 그랬어.

1 과거시제의 의문문은 「Did + 주어 + 동사원형 ~?」으로 쓴다.

2 과거시제 의문문으로 물을 때 긍정의 응답은 「Yes, 주어 + did.」으로 쓴다.

3 Johnson 선생님께서 오늘 수업 시간에 「Chicken Little」을 읽어 주셨다. 이야기 속에서 도토리 하나가 Chicken Little의 머리 위로 떨어

졌다. 어리석은 Chicken Little은 하늘이 무너지고 있다고 생각했다. 그는 모든 사람에게 주의를 주기 위해 여기저기로 뛰어다녔다. Chicken Little이 "하늘이 무너지고 있어요! 하늘이 무너지고 있어요!"라고 경고했다. Johnson 선생님은 익살스러운 목소리로 읽어 주셨다. 그러고 나서 선생님은 책을 내려놓고 "자, 여러분, 농부가 다음에 뭐라고 말했을 거라고 생각해요?"라고 물으셨다. 내 친구인 Jack이 손을 들고 "왜 말하는 닭이다!"라고 말했다. 그의 대답 후로 그녀는 더는 읽을 수가 없었다. 과거에 있었던 일이므로 is가 아닌 was가 쓰여야 옳다.

Chapter 3

3-1 조동사의 특징 p.56

Exercise 1

1 rain	2 use
3 go	4 should help
5 must not	6 must wear

Exercise 2

1 Will the train arrive on time?
2 Should I come back tomorrow?
3 We can't ask a passerby for directions.
4 Jason may not know your phone number.

3-2 조동사 - can p.57

Exercise 1

1 may 또는 can	2 wasn't able to make
3 use	4 cannot [can't] go
5 can	6 look
7 to come	

Exercise 2

1 could	2 Can [Could]
3 can't	4 can
5 can	

Exercise 3

1 My father wasn't able to fix the machine.
2 I am able to solve the math problem easily.
3 Are you able to help me with these boxes?
4 He wasn't able to find the exit in the theater.
5 Is Kate able to speak both English and Japanese?
6 She was able to buy a pair of shoes from the shop.

Exercise 4

1 Could I turn on the air conditioner?
2 You can use my tools.
3 The man could repair the computer.
4 We can watch TV for an hour.
5 She can't go to the movies on Saturday.
6 Could you show me the way to downtown?

3-3 조동사 - will, be going to p.59

Exercise 1

1 are	2 isn't
3 Will	4 be
5 aren't	6 be
7 go	8 stay
9 Is	10 begin

Exercise 2

1 Will she go to London next September?
2 Will he invite Anne to his birthday party?
3 They will not [won't] take an English test tomorrow.
4 Emily will come back home this weekend.
5 We are not [aren't] going to go to the beach this Sunday.
6 Is the musical going to begin at 8 o'clock tonight?
7 I am not [I'm not] going to move to a new apartment this month.

Exercise 3

1 Will, go	2 Will, pick
3 will, be	4 Will, drop
5 Is, going, to, rain	6 I'm, going, to, travel
7 Are, going, to, attend	

3-4 조동사 - may p.61

Exercise 1

1 may, go	2 may, stay
3 may, not, be	4 may, go, on, a, trip

Exercise 2

1 May I try this skirt on?
2 May I see your passport, please?
3 May I borrow your notebook?
4 May I have a cup of milk?

3-5 조동사 - must

p.62

Exercise 1

1 b	2 a	3 d	4 a
5 a	6 c	7 b	8 c
9 b	10 d	11 c	12 d

Exercise 2

1 must
2 must not
3 must
4 must
5 must not
6 don't have to
7 must
8 must not

Exercise 3

1 You have to take a rest.
2 Nora has to go home early.
3 People have to follow the rules.
4 She has to finish her project by tonight.
5 You have to do your best in that situation.
6 Mickey has to start exercising for his health.

Exercise 4

1 have to	2 have to	3 had to
4 had to	5 has to	6 had to
7 have to	8 have to	9 had to
10 has to		

Exercise 5

1 She must be rich.
2 You must not open the box.
3 He doesn't have to wake up early.
4 I don't have to buy a new notebook.
5 You must be honest to everyone.
6 He must be tired after his long journey.
7 They must clean the classroom after school.
8 We must not throw away trash in the street.

3-6 조동사 - should

p.65

Exercise 1

1 should not [shouldn't] speak
2 should protect
3 should obey
4 should not [shouldn't] pick
5 should not [shouldn't] eat
6 should be
7 should not [shouldn't] throw
8 should study
9 should collect
10 should go

Review Test

p.66

01 ①	02 ⑤	03 ④	04 ③	05 ②	06 ②
07 ③	08 ④	09 ②	10 ⑤	11 ②	12 ④
13 ④	14 ①	15 ⑤	16 ①	17 ②	18 ④
19 ③	20 ③	21 ④	22 ④	23 ④	24 ③
25 ①	26 ⑤	27 ①	28 ④	29 ⑤	30 ②

31 has, to, don't, have, to, may/must
32 is, able, to, speak
33 have, to, clean
34 isn't, going, to, be
35 has, to, go, back
36 don't, have, to, change
37 should [must], love
38 may, not, know
39 must [should], not, drive
40 Can, can't, will, should

01 'Miranda는 오늘 결석했다. 그녀는 아플지도 모른다.'라는 의미로, '~일 지도 모른다'는 추측을 나타낼 때 may를 쓴다.

02 '너는 다른 의자를 빌릴 필요가 없다. 교실에 의자가 많이 있다.'라는 의미 로, '~할 필요가 없다'는 don't[doesn't] have to이다. You가 2인칭 주 어이므로 don't have to가 적절하다.

03 'Mickey는 컴퓨터를 고칠 수 없다.'라는 의미로, '~할 수 없다'는 「cannot[can't] + 동사원형」이므로 repair가 적절하다.

04 '그녀는 내년 봄에 John과 결혼할 것이다.'라는 의미로, next spring 은 미래를 나타내는 부사구이다. 미래시제는 「will + 동사원형」 또는 「be going to + 동사원형」이므로 will marry가 적절하다.

05 '그것은 우리의 잘못이다. 우리는 그에게 사과를 해야 한다.'라는 의미로, '~해야 한다'는 must이다.

06 'Aaron과 나는 그 섬에 갈 것이다.'라는 의미로, 「will + 동사원형」은 미래시제이므로, 빈칸에는 미래를 나타내는 부사구가 들어가야 한다. yesterday는 과거를 나타내는 부사이다.

07 • '나는 아팠다. 그래서 출근할 수 없었다.'라는 의미로, '~할 수 없었 다'라는 뜻의 couldn't가 적절하다.
   • 'Serena는 공부를 열심히 하지 않았다. 그래서 그녀는 좋은 점수를 받 지 못했다.'라는 의미로, '~할 수 없었다'라는 뜻의 couldn't가 적절하다. 따라서 빈칸에 공통으로 들어갈 말은 couldn't이다.

08 A 함께 축구를 하자.
   B 미안하지만, 나는 너와 축구를 할 수 없어. 나는 지금 매우 바빠.
   '지금 매우 바빠서 축구를 할 수 없다.'라는 의미로 '~할 수 없다'라는 뜻 의 can't가 적절하다.

09 A 내가 박물관에 어떻게 갈 수 있니?
   B 지하철을 타. 박물관은 Pine가에 있어.
   '박물관에 어떻게 갈 수 있니?'라는 의미로 '~할 수 있다'라는 뜻의 can 이 적절하다.

10 A 제가 우산을 가져가야 하나요?
   B 아니. 그럴 필요 없어. 오늘은 비가 내리지 않을 거야.

B의 대답(It is not going to rain today.)으로 보아 우산을 가져가야 할 필요가 없다는 의미가 되어야 한다. 따라서 don't have to가 적절하다.

11 A 실례합니다. 신분증을 봐도 될까요?
　 B 물론이에요. 여기 있어요.
　 '신분증을 봐도 될까요?'라는 의미로, '~해도 될까요'라는 허가를 구하는 표현은 Can[May] I ~?를 쓴다.

12 'Harrison은 매주 토요일에 수영하러 간다.'라는 의미로, 반복적인 습관을 나타낼 때는 현재시제를 쓴다. 따라서 Harrison이 3인칭 단수이므로 첫 번째 빈칸에는 goes가 적절하다. this Saturday는 미래를 나타내는 부사구이므로 두 번째 빈칸에는 will go가 적절하다.

13 'Rachel은 늦게 일어나서 제 시간에 도착할 수 없었다.'라는 의미로, '~할 수 없었다'라는 뜻의 couldn't나 wasn't able to가 적절하다. '그녀는 모두에게 사과를 해야 했다.'라는 의미로, '~해야 한다'는 must나 have to를 쓴다. 사과를 한 일은 어제 일어난 일이며, must의 과거형은 없으므로 have to의 과거형인 had to가 적절하다.

14 • '몸이 안 좋은 것 같아요. 집에 가서 쉬어도 될까요?'라는 의미로, '~해도 될까요?'라는 허가를 구하는 표현은 Can[May] I ~?를 쓴다.
　 • '그 남자는 흰 가운을 입고 있다. 그는 의사임이 틀림없다.'라는 의미로, '~임에 틀림없다'라는 뜻의 추측을 나타낼 때 must를 쓴다.

15 ⑤ 미래시제는 「will + 동사원형」이므로, goes가 아닌 go가 되어야 한다.

16 ① 조동사의 의문문은 「조동사 + 주어 + 동사원형 ~?」이므로, wears가 아닌 wear가 되어야 한다.

17 ② 「must not + 동사원형」이므로, talking이 아닌 talk가 되어야 한다.

18 〈보기〉의 문장은 '학생들은 교내 규칙을 따라야 한다.'라는 의미로, 필요나 의무를 나타낸다. ① '그녀는 아름답다. 그녀는 여배우임이 틀림없다.'라는 의미로, 추측을 나타낸다. ② '그들은 온종일 일했다. 그들은 피곤한 것이 틀림없다.'라는 의미로, 추측을 나타낸다. ③ '아기가 울고 있다. 그는 배가 고픈 것이 틀림없다.'라는 의미로, 추측을 나타낸다. ④ '우리는 이번에 시험에 합격해야 한다.'라는 의미로, 필요나 의무를 나타낸다. ⑤ 'Jenny는 어젯밤에 잠을 전혀 자지 못했다. 그녀는 졸릴 것이 틀림없다.'라는 의미로, 추측을 나타낸다.

19 A 정말 화창한 날이구나!
　 B 나와 함께 소풍을 갈래?
　 A 미안하지만, 그럴 수 없어. 나는 내일 역사 시험이 있어.
　 '내일 역사 시험이 있다'는 말은 거절을 나타내므로, Sorry I'm afraid not.이 적절하다.

20 〈보기〉의 문장은 '당신은 이 물건에 대한 세금을 지불해야 한다.'라는 의미로, 의무를 나타내는 should는 must나 have to로 바꿔 쓸 수 있다.

21 ① '우리는 정시에 그 일을 마칠 수 있다.'라는 의미로, 능력이나 가능을 나타낸다. ② 'Peter는 세 개 국어를 할 수 있다.'라는 의미로, 능력이나 가능을 나타낸다. ③ '네 여동생은 이탈리아 음식을 요리할 수 있니?'라는 의미로, 능력이나 가능을 나타낸다. ④ '엄마, 텔레비전을 조금 더 봐도 되나요?'라는 의미로, 허가를 나타낸다. ⑤ '너는 뒷줄에서 잘 들을 수 있니?'라는 의미로, 능력이나 가능을 나타낸다.

22 ① '새 영화는 성공할 수도 있다.'라는 의미로, 추측을 나타낸다. ② '그녀는 내 이름을 기억하지 못할지도 모른다.'라는 의미로, 추측을 나타낸다. ③ '그 프로젝트는 며칠이 걸릴 수도 있다.'라는 의미로, 추측을 나타낸다. ④ '너는 내 휴대 전화를 써도 된다.'라는 의미로, 허가를 나타낸다. ⑤ '그녀는 교실에 있을지도 모른다.'라는 의미로, 추측을 나타낸다.

23 ① '너는 항상 부모님을 존경해야 한다.'라는 의미로, 필요나 의무를 나

타낸다. ② '모든 노동자들은 안전을 위해 헬멧을 써야 한다.'라는 의미로, 필요나 의무를 나타낸다. ③ '나는 이가 아프다. 나는 치과에 가야 한다.'라는 의미로, 필요나 의무를 나타낸다. ④ '그들은 게임을 이겼다. 그들은 행복함이 틀림없다.'라는 의미로, 추측을 나타낸다. ⑤ '우리는 시간이 충분하지 않다. 우리는 서둘러야 한다.'라는 의미로, 필요나 의무를 나타낸다.

24 '~해서는 안 된다'라는 금지를 나타낼 때 must not을 쓴다.

25 '~할 수 있다'라는 능력이나 가능을 나타낼 때 can이나 be able to를 쓴다. can의 과거형은 could나 was[were able to]를 쓴다.

26 ① 조동사는 두 개 연달아 쓸 수 없으므로, may나 can 둘 중 하나를 삭제해야 한다. ② '~해도 될까요?'라는 허가를 구하는 의문문은 「Can[Could] I + 동사원형 ~?」이므로, drinks가 아닌 drink가 되어야 한다. ③ 미래시제의 부정문은 「be동사 + not + going to + 동사원형 ~」이므로, watched가 아닌 watch가 되어야 한다. ④ She가 3인칭 단수 주어이므로, have가 아닌 has가 되어야 한다.

27 ② 「shouldn't + 동사원형」이므로, opens가 아닌 open이 되어야 한다. ③ 조동사 could 뒤에 동사원형이 와야 하므로 became이 아닌 become이 되어야 한다. ④ 조동사 might 뒤에 동사원형이 와야 하므로 being이 아닌 be가 되어야 한다. ⑤ 미래시제의 부정문은 「will + not + 동사원형」이므로 saw가 아닌 see가 되어야 한다.

28 ④ A 너는 그에게 그 보고서를 보낼 거니?
　 B 아니. / 아니. 그럴 필요 없어. 나는 이미 그에게 보냈어.
　 B의 대답(I already sent it to him.)으로 보아 부정의 대답이 와야 한다. 따라서 'Yes, I will.'이 아닌 'No.' 또는 'No, I don't have to.'가 되어야 한다.

29 ⑤ 우리는 박물관에 음식을 가지고 들어가서는 안 된다.
　 ≠ 우리는 박물관에 음식을 가지고 들어갈 필요가 없다.
　 must not은 '~해서는 안 된다'라는 금지를 나타내며, don't have to는 '~할 필요가 없다'는 불필요를 나타낸다.

30 '~해서는 안 된다'라는 뜻의 must[should] not을 써야 한다. don't have to는 '~할 필요가 없다'라는 의미이다.

31 • '그의 시력이 좋지 않다. 그는 안경을 써야 한다.'라는 의미로, '~해야 한다'는 have to를 쓴다. He가 3인칭 단수 주어이므로, has to를 써야 한다.
　 • '너는 식물에 물을 줄 필요가 없다. 내가 벌써 물을 줬다.'라는 의미로, '~할 필요가 없다'는 don't[doesn't] have to를 쓴다. You가 2인칭 주어이므로, don't have to를 써야 한다.
　 • '우리 아버지는 집에 없다. 그는 일하느라 너무 바쁠 것이다.'라는 의미로, 추측을 나타낸다. 따라서 may(약한 추측)나 must(강한 추측)를 써야 한다.

32 '~할 수 있다'라는 뜻의 「can + 동사원형」은 「be able to + 동사원형」으로 바꿔 쓸 수 있다.

33 '~해야 한다'라는 뜻의 「should + 동사원형」은 「have to + 동사원형」으로 바꿔 쓸 수 있다.

34 미래시제의 부정문인 「will + not + 동사원형」은 「be동사 + not + going to + 동사원형」으로 바꿔 쓸 수 있다.

35 '~해야 한다'라는 뜻의 「must + 동사원형」은 「have[has] to + 동사원형」으로 바꿔 쓸 수 있다. Anne이 3인칭 단수이므로 「has to + 동사원형」이 와야 한다.

36 '~할 필요가 없다'라는 불필요를 나타낼 때 「don't[doesn't] have

to+동사원형」을 쓴다.

37 '~해야 한다'라는 필요나 의무를 나타낼 때 「should[must]+동사원형」을 쓴다.

38 '~하지 않을지도 모른다'라는 추측을 나타낼 때 「may not+동사원형」을 쓴다.

39 '~해서는 안 된다'라는 금지를 나타낼 때 「must[should]+not+동사원형」을 쓴다.

40 A 치킨 카레를 요리하기를 원해. 나를 도와줄 수 있니?
B 미안하지만, 그럴 수 없어. 나는 이 일을 빨리 끝내야 해.
A 그 부분은 걱정 마. 치킨 카레를 만드는 데 삼십 분 정도 걸릴 거야.
B 좋아. 하지만 너도 내 숙제를 도와줘야 해.
A 물론이지. 요리하자!
'나를 도와줄 수 있니'라는 의미로, '~할 수 있니?'는 Can을 쓴다. '미안하지만, 그럴 수 없다'라는 의미로, '~할 수 없다'는 can't를 쓴다. '삼십 분 정도 걸릴 것이다'라는 의미로, '~할 것이다'는 will을 쓴다. '내 숙제를 도와줘야 해'라는 의미로, '~해야 한다'는 should를 쓴다.

보너스 유형별 문제   p.70

1 can't speak French, can play the piano
2 can't fly a drone, can speak French
3 can't play the piano, can fly a drone
4 ②

[1-3] [보기] Finn은 드론을 조종할 수 없지만, 프랑스어를 할 수 있다.
1 Rose는 프랑스어를 할 수 없지만, 피아노를 칠 수 있다.
「can't+동사원형」: ~할 수 없다. 「can+동사원형」: ~할 수 있다
2 Miles는 드론을 조종할 수 없지만 프랑스어를 할 수 있다.
「can't+동사원형」: ~할 수 없다. 「can+동사원형」: ~할 수 있다
3 Jasper는 피아노를 칠 수 없지만, 드론을 조종할 수 있다.
「can't+동사원형」: ~할 수 없다. 「can+동사원형」: ~할 수 있다

4 사막을 여행하고 싶은가? 그것은 흥미진진한 모험이 될 것이다! 그러나 사막을 여행할 때에는 몇 가지를 기억해야 한다. 먼저, 충분한 물을 가져가야 한다는 것을 항상 명심해야 한다. 하루에 적어도 1~2갤런의 물을 마시도록 하라. 낮에는 매우 덥고 건조할 것이다. 또한, 태양으로부터 얼굴을 보호하려면 모자를 써라. 그러나 밤에는 매우 추워진다. 그러므로 따뜻한 옷을 충분히 챙겨가서 잘 때 입도록 하라. 마지막으로 좋은 하이킹 부츠를 신어라. 당신은 발에 물집이 잡히는 것을 원치 않을 것이다!
'~해야 한다'라는 필요나 의무를 나타낼 때 「must/have to+동사원형」을 쓴다.

Chapter 4

4-1   명사의 종류   p.72

Exercise 1

1 ④	2 ②	3 ⑤
4 ③	5 ⑤	6 ③

Exercise 2

1 a girl   2 a hamster
3 money   4 milk
5 furniture   6 New York
7 freedom   8 A dictionary

4-2   셀 수 있는 명사의 복수형   p.73

Exercise 1

1 bags   2 families
3 potatoes   4 boxes
5 knives   6 sheep
7 boys   8 dishes
9 pianos   10 leaves
11 benches   12 mice
13 days   14 babies
15 children   16 animals
17 bodies   18 bananas
19 apples   20 deer
21 fish   22 women
23 cities   24 wives
25 feet   26 monkeys
27 buses   28 ideas
29 wolves   30 parties

Exercise 2

1 boxes   2 men
3 bedrooms   4 children
5 sheep   6 boys

Exercise 3

1 deer   2 photos
3 songs   4 stories
5 geese   6 buses

Exercise 4

1 legs   2 feet
3 girls   4 books
5 men   6 candies

4-3 셀 수 없는 명사의 수량 표현 p.75

Exercise 1

1 loaves of bread   2 bowls of rice
3 pieces of cake   4 glasses of water
5 bottles of wine   6 pair of socks
7 pounds of flour   8 pieces of furniture
9 cups of coffee   10 pounds of sugar

Exercise 2

1 bowl   2 glasses
3 loaves   4 slices

Exercise 3

1 pieces of cake   2 pair of shoes
3 glass of water   4 pieces of furniture
5 bowls of salad

Exercise 4

1 There is a bottle of wine in the cupboard.
2 I had two pieces of cake at lunch.
3 Chris gave us five loaves of bread.
4 I bought two pairs of blue jeans yesterday.
5 Rachel drinks three cups of coffee every day.

4-4 관사 - 부정관사 a(n) p.77

Exercise 1

1 a   2 a   3 a
4 an   5 a   6 a
7 an   8 an

Exercise 2

1 a, word   2 a, day
3 a, pretty, dress   4 in, a, year

4-5 관사 - 정관사 the p.78

Exercise 1

1 e   2 a   3 b
4 c   5 d   6 f

4-6 관사의 생략 p.79

Exercise 1

1 ×   2 a   3 ×
4 an   5 ×   6 the
7 ×   8 the

Exercise 2

1 by, taxi   2 went, to, bed
3 plays, baseball   4 go, to, school

Review Test p.80

01 ⑤	02 ①	03 ②	04 ②	05 ①	06 ③
07 ②	08 ①	09 ③	10 ④	11 ④	12 ①
13 ③	14 ⑤	15 ①	16 ①	17 ②	18 ④
19 ⑤	20 ③	21 ④	22 ⑤	23 ②	24 ④
25 ③	26 ③	27 ③	28 ⑤	29 ③	

30 friendship, the U.S.A., hope, money, Mt. Everest, water
31 the kitchen, dinner
32 furniture, a bed, a sofa
33 the salt, the table, the vase
34 three, pieces, of, cake
35 a, pair, of, pants
36 four, times, a, year
37 go, to, church
38 ② two pound of flour → two pounds of flour
39 ② the baseball → baseball
40 an, The, a, The
41 ×, a, a, the
42 a, a, ×, ×, the

01 ⑤ mouse의 복수형은 mouses가 아니라 mice이다.

02 ① -f(e)로 끝나는 명사는 -f(e)를 v로 바꾸고 -es를 붙여 복수형을 만들므로, leafs가 아니라 leaves이다.

03 ② woman의 복수형은 womans가 아니라 women이다.

04 ② piano의 복수형은 pianoes가 아니라 pianos이다.

05 ① 「자음+y」로 끝나는 명사는 y를 i로 바꾸고 -es를 붙여 복수형을 만들므로, ladyes가 아니라 ladies이다.

06 five는 셀 수 있는 명사의 개수를 나타내므로 빈칸에는 셀 수 있는 명사의 복수형이 와야 한다. children, classes, sheep, pencils는 셀 수 있는 명사이지만, water는 셀 수 없는 물질명사이다.

07 부정관사 a(n)가 있으므로 빈칸에는 셀 수 있는 명사의 단수형이 와야 한다. computer, gold ring, present, book은 셀 수 있는 명사이지만, sugar는 셀 수 없는 물질명사이다.

08 두 개가 쌍으로 이루어진 명사를 셀 때에는 a pair of를 쓴다. 두 개가 쌍으로 이루어지지 않은 것은 cheese이다.

09 두 개가 쌍으로 이루어진 명사(shoes)를 셀 때에는 a pair of를 쓴다.

10 • 그의 삼촌은 영어 선생님이다.
English의 첫 발음이 모음이므로 an을 쓴다.
• 나의 강아지는 훌륭한 애완동물이다.
• wonderful(형용사)의 첫 발음이 자음이므로 a를 쓴다.

15

11 · 우리는 오늘 밤에 저녁으로 스파게티를 먹을 예정이다.
식사명 앞에는 관사를 생략한다.
  · 그의 조카는 내년에 대학생이 될 것이다.
university의 첫 발음이 자음이므로 a를 쓴다.

12 ① '저 남자들은 내 이웃이다.'라는 의미로, man의 복수형은 men이다.

13 · '그녀는 시골에 산다.'라는 의미로, 서로 알고 있는 것을 가리킬 때 정관사 the를 쓴다.
  · '달은 지구 주위를 돈다.'라는 의미로, 모든 사람이 공통적으로 알고 있는 것을 가리킬 때 정관사 the를 쓴다.
따라서 빈칸에 공통으로 들어갈 말은 the가 적절하다.

14 · '길에 눈이 있다.'라는 의미로, snow는 셀 수 없는 명사이다.
  · '그녀가 내게 좋은 정보를 주었다.'라는 의미로, information은 셀 수 없는 명사이다.
따라서 빈칸에 공통으로 들어갈 말은 관사 없음이 적절하다.

15 · 'Brown 씨는 그 소년에게 충고 하나를 했다.'라는 의미로, 셀 수 없는 명사(advice)의 수량 표현은 a piece of를 쓴다.
  · '나는 저녁으로 애플파이 한 조각을 먹었다.'라는 의미로, 셀 수 없는 명사(apple pie)의 수량 표현은 a piece of를 쓴다.
따라서 빈칸에 공통으로 들어갈 말은 piece가 적절하다.

16 ① 셀 수 없는 명사는 단위나 용기를 이용하여 수량을 나타낸다. chocolate cake는 셀 수 없는 명사이므로, a piece of를 쓴다. 따라서 two piece of chocolate cakes가 아닌 two pieces of chocolate cake가 되어야 한다.

17 ② 고유명사(Australia)는 셀 수 없는 명사이므로, an을 삭제해야 한다.

18 ④ 운동 경기 이름 앞에는 정관사 the를 쓸 수 없으므로, the를 삭제해야 한다.

19 ⑤ week의 첫 발음이 자음이므로 a를 써야 한다. idea, umbrella, old, exam의 첫 발음이 모두 모음이므로 an을 써야 한다.

20 ③ 「by + 교통수단」을 나타낼 때 관사를 생략한다.

21 student는 셀 수 있는 명사이고, 복수형은 students이다.

22 〈보기〉의 문장은 '나는 일주일에 한 번 영화를 보러 간다.'라는 의미로, a는 '~당, ~마다(per)'를 나타낸다. ① '개는 충직한 동물이다.'라는 의미로, a는 하나의 부류를 통칭하는 대표 단수를 나타낸다. ② 'Catherine은 소설을 쓰고 있다.'라는 의미로, a는 '하나의'라는 뜻이다. ③ '우리 마을에는 아름다운 공원이 있다.'라는 의미로, a는 '하나의'라는 뜻이다. ④ 'Jenny는 노트북 컴퓨터를 샀다.'라는 의미로, a는 '하나의'라는 뜻이다. ⑤ '나는 한 달에 두 번 할머니 댁을 방문한다.'라는 의미로, a는 '~당, 마다(every, per)'라는 뜻이다.

23 ① ice water는 셀 수 없는 명사이므로 ice waters가 아닌 ice water가 되어야 한다. ③ two는 셀 수 있는 명사의 개수를 나타내므로, man이 아닌 men이 되어야 한다. ④ photo의 복수형은 photos이다. ⑤ 셀 수 없는 명사(orange juice)의 수량 표현은 단위나 용기를 이용하여 나타내므로, glass가 아닌 a glass가 되어야 한다.

24 ① many는 '많은'이라는 뜻으로 셀 수 있는 명사 앞에 쓰이므로, child를 복수로 써서 children이 되어야 한다. ② 추상명사(peace)는 셀 수 없는 명사이므로, a를 삭제해야 한다. ③ 식사명 앞에는 관사를 생략한다. ⑤ 셀 수 없는 명사(pizza)의 수량 표현은 단위나 용기를 이용하여 나타내므로, pizzas가 아닌 pizza가 되어야 한다.

25 ① 셀 수 없는 명사(milk)의 수량 표현은 단위나 용기를 이용하여 나타내므로, milks가 아닌 milk가 되어야 한다. ② six는 셀 수 있는 명사의 개수를 나타내므로, goose가 아닌 geese가 되어야 한다. ④ 셀 수 없는 명사(beer)의 수량 표현은 단위나 용기를 이용하여 나타내므로, glass가 아닌 a glass가 되어야 한다. ⑤ 과목명(history) 앞에 관사는 생략한다.

26 셀 수 없는 명사의 수량 표현은 단위나 용기를 이용하여 나타낸다. bread, cheese는 셀 수 없는 명사이다.

27 구(in the bag)에 의해 수식을 받아 특정한 대상을 가리킬 때 정관사 the를 쓴다.

28 셀 수 없는 명사의 수량 표현은 단위나 용기를 이용하여 나타낸다. sugar는 셀 수 없는 명사이다.

29 ③ six는 셀 수 있는 명사의 개수를 나타내므로, sheep의 복수형이 와야 한다. sheep의 복수형은 sheep이다.

30 friendship, the U.S.A, hope, money, Mt. Everest, water는 셀 수 없는 명사이다. friendship과 hope는 추상명사, the U.S.A.와 Mt. Everest는 고유명사, money와 water는 물질명사이다. family, lesson, dictionary, crowd, month, church는 셀 수 있는 명사이다.

31 A 아빠, 엄마는 어디에 있어요?
B 엄마는 부엌에 있어. 엄마는 저녁을 준비하고 있어.
서로 알고 있는 것을 가리킬 때 정관사 the를 쓰며, 식사명 앞에는 관사를 쓰지 않는다.

32 A 가구를 좀 사야 해. 지금 나와 함께 갈 수 있니?
B 물론이지. 그런데 뭐를 살 거야?
A 침대와 소파를 살 거야.
furniture는 셀 수 없는 명사이므로, 복수형으로 쓸 수 없다. bed와 sofa는 셀 수 있는 명사이므로 a(n)를 붙일 수 있다.

33 A 탁자 위에 있는 소금을 좀 건네주세요.
B 그것을 찾을 수 없어요. 어디에 있어요?
A 꽃병 옆에 있어요.
서로 알고 있는 것을 가리킬 때 정관사 the를 쓴다.

34 셀 수 없는 명사(cake)의 수량 표현은 단위나 용기를 이용하여 나타낸다.

35 두 개가 쌍으로 이루어진 명사(pants)를 셀 때에는 a pair of를 쓴다.

36 부정관사 a(n)은 '매~, ~마다'의 의미로 쓰인다.

37 본래의 목적으로 사용된 건물이나 장소를 말할 때 관사를 생략한다.

38 셀 수 없는 명사(flour)의 수량 표현은 단위나 용기를 이용하여 나타낸다.

39 운동경기(baseball) 이름 앞에 관사를 생략한다.

40 나는 뉴욕에 있는 아파트에 살고 있다. 그 아파트는 30층 높이이고, 헬스장도 있다. 옥상에는 수영장이 하나 있다. 그 수영장은 크고 넓다.
'하나의 아파트'라는 의미로, apartment는 셀 수 있는 명사이다. apartment의 첫 발음이 모음이므로 부정관사 an을 쓴다. '그 아파트'라는 의미로, 이미 언급된 것을 다시 말할 때 정관사 the를 쓴다. '하나의 수영장'이라는 의미로, swimming pool은 셀 수 있는 명사이다. swimming의 첫 발음이 자음이므로 부정관사 a를 쓴다. '그 수영장'이라는 의미로, 이미 언급된 것을 다시 말할 때 정관사 the를 쓴다.

41 Todd는 어젯밤에 열 시에 잠자러 갔다. 열한 시에 이상한 소음이 그를 깨웠다. 그는 거실로 갔다. 갑자기 젊은 남자가 부엌에서 달려 나왔다.
'잠자러 가다'라는 의미로, 본래의 목적으로 사용된 건물이나 장소를 말할 때 관사를 생략한다. '한 이상한 소음'이라는 의미로, 막연한 하나를 나타낼 때 부정관사를 쓴다. strange의 첫 발음이 자음이므로 a를 쓴다. '한 명의 젊은 남자'라는 의미로, man은 셀 수 있는 명사이다. young의 첫 발음이 자음이므로 a를 쓴다. '부엌에서'라는 의미로 서로 알고 있는 것을 가리킬 때 정관사 the를 쓴다.

42 나는 내 친구 Jenny를 좋아한다. 그녀는 13살이다. 그녀는 매우 친절하고 귀엽다. 그녀는 작은 귀와 작은 코, 큰 입을 가지고 있다. 그녀는 또한 큰 갈색 눈을 가지고 있다. 그녀는 음악을 좋아한다. 그녀는 피아노를 매우 잘 연주한다.
'작은 코와 큰 입'이라는 뜻으로, nose와 mouth는 셀 수 있는 명사이다. 한 사람에게 코와 입은 한 개씩 있고, small과 big의 첫 발음이 자음이므로 부정관사 a를 쓴다. eyes는 셀 수 있는 명사의 복수형이므로 big 앞에 관사를 쓰지 않는다. 과목명(music) 앞에 관사를 생략한다. 악기 이름(piano) 앞에는 정관사 the를 쓴다.

보너스 유형별 문제   p.84

1 ② My friends and I went jogging along the river before breakfast.
2 ⑥ I played the guitar.
3 ④

[1-2] 아빠에게,
오늘은 캠프 첫 날이었어요. 오늘은 화창하고 아름다운 날이었어요. 친구들과 저는 아침식사 전에 강을 따라 조깅을 했어요. 오후에는 강에 수영하러 갔고요. 우리는 보트를 타고 강을 건너기도 했어요. 우리는 저녁 식사로 바비큐를 먹었어요. 저녁 식사 후, 우리는 큰 모닥불을 피우고 미니 콘서트를 열었어요. 저는 기타를 연주했고 모두 다 즐거운 시간을 보냈어요. 저는 여기에서 재미있게 잘 지내니 저에 대해 걱정 마세요.
아들, Kai로부터
1 breakfast와 같은 식사 앞에는 관사를 붙이지 않는다.
2 '악기 연주를 하다'라는 의미를 쓸 때 악기 앞에 정관사 the를 쓴다.
3 이 특별한 제품은 당신의 피부를 빠르고 쉽게 정돈해 줍니다. 매일 아침과 저녁 세수할 때마다 사용하세요. 조금만 쓰면 됩니다. 얼굴의 물기를 제거하고 난 후 피부에 크림을 펴 바르세요. 눈에 들어가지 않도록 하세요. 5분간 크림이 마르도록 한 후 온수로 헹구세요. 2주 후 당신의 여드름은 모두 사라질 것입니다.
여기서 cream은 앞서 언급된 '그 크림'을 의미하므로 부정관사 a가 아닌 정관사 the가 쓰여야 옳다.

Chapter 5

5-1 인칭대명사   p.86

Exercise 1

1 him   2 His
3 Its   4 me
5 we   6 your
7 their   8 She

Exercise 2

1 They   2 She
3 them   4 it
5 He   6 His
7 It   8 Their

Exercise 3

1 She   2 It
3 His   4 us
5 them   6 We
7 her, she   8 He
9 yours   10 his

Exercise 4

1 hers   2 He
3 my   4 us
5 their

Exercise 5

1 him   2 me
3 him   4 hers
5 It's   6 your

Exercise 6

1 his, His   2 your, my
3 them, yours   4 your, her
5 Our, us

5-2 비인칭 주어 it   p.89

Exercise 1

1 a   2 b   3 b
4 a   5 a   6 a

Exercise 2

1 a   2 d   3 f
4 c   5 b   6 e

Exercise 3

1 It's already 11 o'clock.
2 It takes about three hours by train.
3 How was the weather yesterday?
4 It's rainy all day long.
5 It was December 25th yesterday.
6 Is it your new mechanical pencil?
7 It is my brother's striped shirt.
8 It is 30 kilometers from here to the post office.

5-3 지시대명사 p.91

Exercise 1

1 These, That
2 This, Those
3 These, Those
4 This, That

Exercise 2

1 this
2 Those
3 This
4 these
5 Those
6 these

Exercise 3

1 that, man
2 Those, backpacks, are
3 That, girl, is
4 These, books, are
5 These, games, are

Exercise 4

1 they, are
2 it, isn't
3 it, doesn't
4 it, is
5 they, are

5-4 부정대명사 I p.93

Exercise 1

1 it
2 It
3 ones
4 it
5 one
6 it
7 It
8 them
9 one
10 them
11 ones
12 it

5-5 부정대명사 II p.95

Exercise 1

1 another
2 another
3 the other
4 the others
5 the others
6 others
7 One
8 One, the others

Exercise 2

1 one
2 another
3 the other
4 the others

Exercise 3

1 the other
2 the others
3 the others
4 another, the other

5-6 부정대명사 III p.96

Exercise 1

1 are
2 are
3 All
4 are
5 has
6 were
7 come
8 girls
9 has
10 are
11 Each
12 All
13 were
14 has
15 student

Exercise 2

1 students
2 likes
3 calls
4 the players
5 want
6 has

Exercise 3

1 All, of, them
2 Every, bedroom
3 Each, of, us
4 All, the, cars
5 Both, of, them

Exercise 4

1 All of her answers were wrong.
2 Every scene in this movie is beautiful.
3 Both of the questions were very difficult.
4 All the books on that shelf are about science.
5 There are eleven players on each soccer team.

Review Test p.98

01 ④	02 ③	03 ⑤	04 ④	05 ③	06 ②
07 ⑤	08 ③	09 ③	10 ①	11 ④	12 ④
13 ②	14 ⑤	15 ③	16 ④	17 ⑤	18 ②
19 ④	20 ④	21 ④	22 ②	23 ⑤	24 ①
25 ③	26 ②	27 ②	28 ④		

29 Every
30 Each
31 One, the other
32 Some, others
33 One, another, the other
34 his
35 it
36 ones
37 its
38 This, computer
39 Those, are
40 me

41 These

42 are

43 the others

44 This, He

45 one, another, it

01 '너의 프로젝트'라는 의미가 되어야 하므로, 소유격이 와야 한다. you는 2인칭 주어이므로 소유격은 your가 적절하다.

02 '이 블라우스는 제게 너무 커요. 다른 것을 보여 줄래요?'라는 의미로, 같은 종류의 다른 하나를 나타낼 때 another를 쓴다.

03 '나는 파티에 다섯 명의 친구들을 초대했다. 하지만, Lucy와 Tom만 왔다. 나머지 친구들은 오지 않았다.'라는 의미로, 대상의 수를 명확하게 밝혔으므로 나머지 전부를 나타내는 the others를 쓴다.

04 '그녀는 파란색 모자를 가지고 있고, 나는 노란색 모자를 가지고 있다.'라는 의미로, 앞서 언급한 명사(cap)와 같은 종류의 불특정한 명사는 one을 쓴다.

05 '우리 엄마의 생일이 다가오고 있다. 나는 엄마에게 콘서트표를 줄 것이다.'라는 의미로, 빈칸에는 '~에게'라는 뜻의 목적격이 와야 한다. my mother는 3인칭 단수 여성이므로, 목적격은 her가 적절하다.

06 '나는 삼촌이 두 명 있다. 한 명은 농부이고, 다른 한 명은 야구 선수이다.'라는 의미로, '(둘 중에서) 하나는 ~, 다른 나머지 하나는 …'라는 뜻의 「one ~, the other …」가 와야 한다.

07 • '모든 아이들은 사랑을 필요로 한다.'라는 의미로, '모든'이라는 뜻의 부정대명사가 와야 한다. of 뒤에 the children이라는 복수명사와 복수동사 need가 온 것으로 보아 빈칸에는 All이 적절하다.
• '나는 가족과 함께 그리스에 갔다. 그리스는 매우 아름다운 나라였다.'라는 의미로, 앞서 언급된 명사(Greece)를 받을 때는 대명사 It을 쓴다.

08 • '우리 둘 다 쇼핑하는 것을 즐긴다.'라는 의미로, 부정대명사 both는 항상 복수 취급하므로 빈칸에는 enjoy가 적절하다.
• '그들은 각자 학교에서 다른 수업을 듣는다.'라는 의미로, '각각', '각자'라는 뜻의 부정대명사가 와야 한다. takes라는 단수동사가 온 것으로 보아 빈칸에는 Each가 적절하다.

09 • 'Anna는 패션모델이다. 그녀의 옷은 항상 유행을 따른다.'라는 의미로, 명사(clothes)의 앞에 쓰여 '~의'라는 뜻의 소유격이 와야 하므로 빈칸에는 Her가 적절하다.
• '일부는 컴퓨터 게임을 좋아하고, 다른 일부는 텔레비전을 보는 것을 좋아한다.'라는 의미로, '다른 일부'라는 뜻의 others가 온 것으로 보아 막연한 수의 일반인을 두 그룹으로 나타낸 것이다. 따라서 빈칸에는 '일부는'이라는 뜻의 Some이 적절하다.

10 ① '책상 위에 있는 유리컵들은 그의 것이다.'라는 의미로, his는 소유대명사이다. ② 'Brown 씨는 자신의 고향을 그리워한다.'라는 의미로, his는 명사(hometown)를 수식하는 소유격이다. ③ '이곳은 그의 조부모님의 어장이다.'라는 의미로, his는 명사(grandparents' fish farm)를 수식하는 소유격이다. ④ '그는 Grace에게 그의 새 배낭을 보여 주었다.'라는 의미로, his는 명사(new backpack)를 수식하는 소유격이다. ⑤ '그의 방은 여러 종류의 책으로 가득 차 있다.'라는 의미로, his는 명사(room)를 수식하는 소유격이다.

11 '너는 Mike와 그의 형을 알고 있니?'라는 의미로, Mike and his

brother가 3인칭 복수 목적격이므로 them이 적절하다.

12 A 이것은 너의 손수건이니?
B 아니야. 그것은 우리 엄마의 것이야.
지시대명사 this로 물을 때는 it으로 받는다. B의 대답(It's my mother's.)으로 보아 부정의 대답이 와야 하므로, No, it isn't.가 적절하다.

13 • A 여보세요? Emily인데요. Ivy와 통화할 수 있을까요?
B 잠시만 기다려요.
• A 이 애는 내 사촌 Theo이야. 그는 엔지니어야.
B 안녕. 만나서 반가워.
전화 통화를 하거나 사람을 소개할 때 지시대명사 this를 쓴다.

14 〈보기〉의 문장은 '이 쿠키는 매우 맛있다.'라는 의미로, This는 명사(cookie)를 수식하는 지시형용사이다. ① '이것은 네게 좋은 거야.'라는 의미로, This는 지시대명사이다. ② '이것은 애플파이이다.'라는 의미로, This는 지시대명사이다. ③ '이 애는 내 동생 Jessica야.'라는 의미로, This는 지시대명사이다. ④ '이것은 너의 새 카메라니?'라는 의미로, this는 지시대명사이다. ⑤ '이 가죽 재킷은 얼마예요?'라는 의미로, this는 지시형용사이다.

15 ③ '나는 이 모자를 좋아하지 않아요. 제게 다른 것을 보여 주세요.'라는 의미로, 같은 종류의 다른 하나를 나타낼 때 one이 아닌 another를 쓴다.

16 ④ Each는 단수명사(student)를 수식하며 단수 취급하므로, have가 아닌 has가 되어야 한다.

17 ⑤ All은 복수명사(the guests)를 수식하며 복수 취급하므로, was가 아닌 were가 되어야 한다.

18 ① '오늘은 일요일이다.'라는 의미로, It은 비인칭 주어이다. ② '그것은 매우 예쁜 인형이다.'라는 의미로, It은 인칭대명사이다. ③ '12월 6일이다.'라는 의미로, It은 비인칭 주어이다. ④ '오늘은 무슨 요일입니까?'라는 의미로, it은 비인칭 주어이다. ⑤ '대략 5분 정도 걸립니다.'라는 의미로, It은 비인칭 주어이다.

19 A 저것들은 소나무입니까?
B 아니요. 그것들은 참나무예요.
지시대명사 those로 물어볼 때는 they로 받는다. B의 대답(They are oak trees.)으로 보아 부정의 대답이 와야 하므로, No, they aren't.가 적절하다.

20 • '그곳은 근사한 도시이다.'라는 의미로, It은 인칭대명사이다.
• '어제는 따뜻했다.'라는 의미로, It은 비인칭 주어이다.
따라서 빈칸에 공통으로 들어갈 말은 It이 적절하다.

21 • '스무 명의 사람들 사이에 단 한 명의 소년이 있다. 그리고 나머지는 모두 소녀들이다.'라는 의미이다.
• '나는 사탕 여덟 개가 있다. 나는 Jake에게 사탕 다섯 개를 줄 것이다. 너는 나머지를 원하니?'라는 의미이다.
대상의 수를 명확하게 밝혔으므로 나머지 전부를 나타내는 the others가 적절하다.

22 〈보기〉의 문장은 '저것은 내 핸드백이다.'라는 의미로, That은 지시대명사이다. ① '저 담요는 내 것이 아니다.'라는 의미로, That은 명사(blanket)를 수식하는 지시형용사이다. ② '저것은 Jessica의 새 자동차니?'라는 의미로, that은 지시대명사이다. ③ '나에게 저 망치를 주세요.'라는 의미로, that은 명사(hammer)를 수식하는 지시형용사이다. ④ '저 소년은 내 학급 친구가 아니다.'라는 의미로, That은 명사(boy)를 수식하는 지시형용사이다. ⑤ '안경을 쓴 저 소녀는 누구니?'라는 의미로, that은 명사(girl)를 수식하는 지시형용사이다.

23 A John은 오늘 꽤 바빠요. 그는 미팅 두 건과 인터뷰가 한 건 있어요.
B 그러면 제가 그에게 메시지를 남겨도 될까요?
첫 번째 빈칸에는 문장의 주어 역할을 하는 주격 인칭대명사가 와야 한다. John은 3인칭 남자 단수이므로, He가 적절하다. 두 번째 빈칸에는 전치사(for) 뒤에는 목적격 인칭대명사가 와야 하므로 him이 적절하다.

24 ② Each는 단수 취급하므로, are가 아닌 is가 되어야 한다. ③ Those red shirts는 복수명사이므로 복수동사가 와야 한다. 따라서 is가 아닌 are가 되어야 한다. ④ Every는 단수 취급하므로, cost가 아닌 costs가 되어야 한다. ⑤ All은 복수 취급하므로, goes가 아닌 go가 되어야 한다.

25 ① Every는 단수명사를 수식하며 단수 취급한다. 따라서 classrooms가 아닌 classroom이 되어야 한다. ② Those chocolate cupcakes는 복수명사이므로 복수동사가 와야 한다. 따라서 is가 아닌 are가 와야 한다. ④ '이 애는 Bill이야. 그는 내 가장 친한 친구야.'라는 의미로, 문장의 주어 역할을 하는 주격이 와야 한다. 따라서 His가 아닌 He가 적절하다. ⑤ '그곳의 와인'이라는 의미로, 소유격이 와야 한다. 따라서 it's가 아닌 its가 적절하다.

26 • '이 박스들을 버리지 마라. 우리는 그것들을 다시 사용할 수 있다.'라는 의미로, 앞서 언급된 명사(these boxes)를 받는 them을 쓴다.
• '이 스커트는 너무 짧아. 더 긴 것이 있나요?'라는 의미로, 앞서 언급한 명사(skirt)와 같은 종류의 불특정한 명사는 one을 쓴다.

27 ② A 저 물건들은 당신 것인가요?
B 아니요, 그것들은 우리 아빠의 것이에요.
지시대명사 those로 물어볼 때는 they로 받으므로 No, it's not.이 아닌 No, they're not.이 적절하다.

28 '몇몇은 ~, 다른 몇몇은 …'이라는 의미로 「Some ~, others …」가 와야 한다. 「Some ~, the others …」는 '일부는 ~, 나머지 전부는 …'라는 의미이다.

29 단수명사(girl)를 수식하고 단수동사 likes가 온 것으로 보아 '모든'이라는 뜻의 Every가 적절하다.

30 단수명사(student)를 수식하고, 단수동사 has가 온 것으로 보아 '각자', '각각'이라는 뜻의 Each가 적절하다.

31 '(둘 중에서) 하나는 ~, 다른 나머지 하나는 …'라는 뜻의 「One ~, the other …」가 와야 한다.

32 '일부는 ~, 다른 일부는 …'라는 의미로 「Some ~, others …」가 와야 한다.

33 '(셋 중에서) 하나는 ~, 또 하나는 ~, 다른 나머지 하나는 …'라는 뜻의 「one ~, another ~, the other …」가 와야 한다.

34 'Jack은 그의 코트를 벗고 앉았다.'라는 의미로, 명사(coat)의 앞에 쓰여 '~의'라는 뜻의 소유격이 와야 한다. Jack이 3인칭 남자 단수이므로 빈칸에는 his가 적절하다.

35 'Jennifer는 이 목걸이를 좋아한다. 나는 그녀에게 그것을 줄 것이다.'라는 의미로, 앞서 언급된 명사(this necklace)를 받는 it을 쓴다.

36 '나는 달콤한 사탕을 사러 갈 거야. 너도 그것들을 원하니?'라는 의미로, 앞서 언급한 명사(candies)와 같은 종류의 불특정한 명사는 ones를 쓴다.

37 A 너는 왜 그 머플러를 그렇게 좋아하니?
B 왜냐하면 그것의 색깔이 아름답기 때문이야.
'그것의 색깔'이라는 의미로, 소유격이 와야 한다. muffler가 3인칭 단수이므로 빈칸에는 its가 적절하다.

38 '이것은 최신 컴퓨터이다.' = '이 컴퓨터는 최신이다.'
this는 명사 앞에 쓰여 명사(computer)를 수식하는 지시형용사로도 쓰인다.

39 '저 쿠키들은 정말로 맛있다.' = '저것들은 정말로 맛있는 쿠키들이다.'
명사(cookies) 앞에 쓰인 지시형용사 those는 '저것들'이라는 의미의 지시대명사로도 쓰인다.

40 전치사(with) 뒤에 목적격이 와야 하므로, I가 아닌 me가 되어야 한다.

41 복수명사(flowers)와 복수동사(smell)가 온 것으로 보아 This가 아닌 These가 되어야 한다.

42 Both은 복수 취급하므로, is가 아닌 are가 되어야 한다.

43 '우리는 과일이 열다섯 개 있다. 그것들 중 일부는 사과이고, 나머지 전부는 오렌지이다.'라는 의미로, '일부는 ~, 나머지 전부는 …'라는 뜻의 「Some ~, the others …」가 와야 한다.

44 A 여보세요. 누구세요?
B John이에요. Josh와 통화할 수 있을까요?
A 그는 여기에 없어요. 메시지를 남기시겠습니까?
전화 통화를 할 때는 지시대명사 This를 쓴다. 두 번째 빈칸에는 '~은', '~는'이라는 의미의 주격이 와야 한다. Josh는 3인칭 남자 단수이므로 He가 적절하다.

45 A 무엇을 도와드릴까요?
B 네. 모자를 찾고 있어요.
A 좋아요. 이 검은색은 어때요?
B 글쎄요. 저는 그 색을 좋아하지 않아요. 제게 다른 것을 보여 줄래요?
A 이것은 어때요?
B 오, 괜찮네요. 그것으로 할게요.
앞서 언급한 명사(cap)와 같은 종류의 불특정한 명사는 one을 쓴다. 같은 종류(cap)의 다른 하나를 나타낼 때 another를 쓴다. 앞서 언급된 명사(this)를 받을 때는 it을 쓴다.

보너스 유형별 문제   p.102

1 One, the other
2 Some, others
3 One, another, the other
4 ②

1 '(둘 중에서) 하나는 ~, 다른 나머지 하나는 …'라는 뜻의 「One ~, the other …」가 와야 한다.

2 '일부는 ~, 다른 일부는 …'라는 의미로 「Some ~, others …」가 와야 한다.

3 '(셋 중에서) 하나는 ~, 또 하나는 ~, 다른 나머지 하나는 …'라는 뜻의 「one ~, another ~, the other …」가 와야 한다.

4 금요일에 Davis 씨는 드라이브를 갔다. 큰 거리에서 우회전을 했고, 도로가 곧 다른 도로와 합류된다는 것을 알려 주는 표지판이 있었다. 몇 마일 지나자 도로는 산으로 이어졌다. 도로가 구불구불하다는 표지판을 보자 초조해지기 시작했다. 10마일 더 가자 곰이 도로를 건널 수도 있다는 표지판을 보았다. 이제 그는 무서웠다!
'또 다른 도로'라는 의미로, 같은 종류의 다른 하나를 나타낼 때 another를 쓴다.

Chapter 6

6-1 형용사   p.104

Exercise 1

1 a	2 a	3 a
4 b	5 b	6 a
7 b	8 b	

Exercise 2

1 a good	2 poor children
3 perfect	4 difficult
5 nothing interesting	6 something sweet

Exercise 3

1 Angela is wearing a strange hat.
2 I found an old album in the attic.
3 Look at those tiny birds in the tree!
4 We want to drink something cold.
5 Did your father ask for anything special?
6 There are big oak trees along the riverside.

Exercise 4

1 This coffee tastes good.
2 He makes me happy.
3 He left the door open.
4 It is cloudy and windy today.
5 She has a beautiful voice.
6 Is there anything wrong with my paper?
7 I rented a small apartment in New York.
8 Sam and Ted want to do something exciting.

6-2 부정수량형용사 I   p.106

Exercise 1

1 much	2 many
3 many	4 a few
5 A few	6 much
7 little	8 a few
9 a few	10 many
11 much	12 many
13 a little	14 few
15 a lot of	

Exercise 2

1 food	2 sleep
3 rain	4 water

5 people	6 reasons
7 students	8 information

Exercise 3

1 a little	2 things
3 money	4 many
5 homework	6 a few

Exercise 4

1 much, snow	2 few, children
3 many, mistakes	4 a, little, sugar
5 a, little, time	6 little, food

6-3 부정수량형용사 II   p.108

Exercise 1

1 any	2 some
3 some	4 any
5 some	6 any
7 any	8 any, some

Exercise 2

1 some books
2 any brothers or sisters
3 some ice cream
4 any pencils
5 some flour
6 any pictures

6-4 수사 - 기수와 서수   p.109

Exercise 1

1 first	2 second
3 third	4 fifth
5 seventh	6 ninth
7 forty-fifth	8 twelfth
9 thirteenth	10 twentieth
11 twenty-second	12 thirty-third

Exercise 2

1 second	2 fifth
3 forty-first	4 third
5 first	

6-5 부사   p.110

Exercise 1

1 slowly	2 rapidly

3 carefully　　　　　4 easily
5 happily　　　　　　6 heavily
7 fortunately　　　　8 wonderfully
9 nicely　　　　　　10 comfortably
11 regularly　　　　12 badly
13 mainly　　　　　14 prettily
15 clearly　　　　　16 softly
17 differently　　　18 wisely
19 seriously　　　　20 suddenly
21 kindly　　　　　22 newly
23 loudly　　　　　24 luckily
25 specially　　　　26 necessarily
27 quietly　　　　　28 greatly
29 simply　　　　　30 importantly

Exercise 2

1 wisely　　　　　　2 clearly
3 carefully　　　　　4 softly
5 Luckily　　　　　　6 silently
7 quietly　　　　　　8 totally
9 suddenly　　　　　10 carelessly

Exercise 3

1 speaks
2 easy
3 his injury was not serious
4 well
5 dressed

Exercise 4

1 friendly　　　　　2 happily
3 easily　　　　　　4 quietly
5 Unfortunately

6-6　빈도부사
p.112

Exercise 1

1 Sometimes　　　　2 usually
3 never　　　　　　4 often
5 always

Exercise 2

1 I often jog in the morning.
2 What time do you usually go to bed?
3 Paul is always polite to others.
4 Some people never eat pork.
5 We can sometimes make big mistakes. / Sometimes we can make big mistakes.

6-7　주의해야 할 형용사/부사
p.113

Exercise 1

1 b　　　　　　2 a　　　　　　3 b
4 a　　　　　　5 a　　　　　　6 b

Exercise 2

1 good　　　　2 too　　　　3 well
4 too　　　　　5 either

Review Test
p.114

01 ②	02 ①	03 ①	04 ⑤	05 ②	06 ③
07 ②	08 ③	09 ①	10 ③	11 ②	12 ①
13 ①	14 ④	15 ③	16 ①	17 ④	18 ②
19 ⑤	20 ③	21 ④	22 ⑤	23 ②	24 ③
25 ④	26 ④	27 ⑤	28 ②	29 ③	30 ⑤
31 ①					

32 minutes
33 happy
34 honest
35 any
36 careful
37 slow
38 quick
39 beautiful
40 new something → something new
41 noisily → noisy
42 Kate usually studies five hours a day.
43 Her apartment is on the twelfth floor.

01 '귀뚜라미는 정말로 높이 뛸 수 있다.'라는 의미로, can jump를 수식하는 부사가 필요하다. high는 형용사와 부사의 형태가 같다.

02 '그녀는 사랑스러운 얼굴을 가졌다.'라는 의미로, 명사(face)를 수식하는 형용사가 필요하다. lovely는 「명사+-ly」의 형태로 형용사이다.

03 '초콜릿 쿠키를 좀 드실래요?'라는 의미로, 긍정문과 권유를 나타내는 의문문에는 some이 적절하다.

04 '많은'이라는 뜻의 a lot of는 셀 수 있는 명사와 셀 수 없는 명사 앞에 쓸 수 있다. traffic은 셀 수 없는 명사이므로 a lot of 대신에 much로 바꿔 쓸 수 있다.

05 • '집에 애완동물이 있나요?'라는 의미이다.
　• '나는 그것에 아무 문제가 없어요.'라는 의미이다.
　any는 부정문과 의문문에 쓰인다.

06 A 너는 지우개를 얼마나 많이 가지고 있니?
　B 나는 세 개 가지고 있어.
　erasers는 셀 수 있는 명사의 복수형이므로 many가 적절하다.

07 A 목이 말라. 주스가 필요해.

B 미안하지만, 지금은 주스가 없어.
any는 부정문과 의문문에 주로 쓰이며, 명사 없이 단독으로 쓸 수 있다.

08 A 안녕하세요, Lee 선생님. 만나서 반가워요.
B 저도 역시 만나서 반가워요.
'또한', '역시'라는 의미로 긍정문에 쓰는 too가 적절하다.

09 ① 남은 커피가 좀 있나요? ② 오렌지 주스를 좀 드시겠어요? ③ 일부 나무들은 가을에 나뭇잎이 떨어진다. ④ 나는 이 조리법에 마늘이 약간 필요해요. ⑤ 뮤직 비디오를 좀 보자.
some은 긍정문과 권유를 나타내는 의문문에, any는 부정문과 의문문에 쓰인다. 따라서 ②, ③, ④, ⑤의 빈칸에는 some이, ①의 빈칸에는 any가 적절하다.

10 people은 셀 수 있는 명사이므로 빈칸에는 many, a lot of, lots of, plenty of가 올 수 있다. much는 셀 수 없는 명사 앞에 온다.

11 ① three – third ③ thirty – thirtieth ④ twelve – twelfth ⑤ twenty-two – twenty-second

12 ① love는 '사랑'이라는 뜻의 명사, lovely는 '사랑스러운'이라는 뜻의 형용사이다. ② easy는 '쉬운'이라는 뜻의 형용사, easily는 '쉽게'라는 뜻의 부사이다. ③ quiet는 '조용한'이라는 뜻의 형용사, quietly는 '조용히'라는 뜻의 부사이다. ④ simple은 '간단한'이라는 뜻의 형용사, simply는 '간단하게'라는 뜻의 부사이다. ⑤ happy는 '행복한'이라는 뜻의 형용사, happily는 '행복하게'라는 뜻의 부사이다.

13 ① 빈도부사는 일반동사 앞, be동사나 조동사 뒤에 위치한다. 따라서 is 뒤에 always가 와야 한다.

14 '네 번째'라는 뜻의 순서를 나타내는 서수는 fourth이다.

15 many 뒤에는 셀 수 있는 명사가 오므로, sheep, sisters, balloons, sweaters는 many 뒤에 쓸 수 있다. money는 셀 수 없는 명사이다.

16 ① '이곳은 비가 거의 내리지 않는다.'라는 의미로, rains를 수식하는 부사가 와야 한다. 따라서 hard가 아닌 hardly가 되어야 한다. hardly는 '결코 ~않는', '거의 ~않는'이라는 뜻의 부사이다.

17 ④ 'Angela는 병에 물을 거의 가지고 있지 않다.'라는 의미로, water는 셀 수 없는 명사이므로 a few가 아닌 a little이 와야 한다.

18 ② '그는 오늘 아침에 늦게 일어났다.'라는 의미로, got up을 수식하는 부사가 와야 한다. lately는 '최근에'라는 뜻의 부사이며, late는 부사로 쓰일 때 '늦게'라는 뜻으로 쓰인다. 따라서 lately가 아닌 late가 되어야 한다.

19 빈도부사는 일반동사 앞, be동사나 조동사 뒤에 위치한다.

20 A 나는 형제나 자매가 없어. 너는 어때?
B 나도 형제나 자매가 없어.
either는 '또한', '역시'라는 뜻으로 부정문에 쓴다.

21 ① '어제 비가 몹시 내렸다.'라는 의미로, heavily는 동사(rained)를 수식하는 부사이다. ② '우리는 파티를 매우 즐겼다.'라는 의미로, greatly는 동사(enjoyed)를 수식하는 부사이다. ③ '그녀는 엄마를 매우 그리워하고 있다.'라는 의미로, terribly는 동사(is missing)를 수식하는 부사이다. ④ 'Tina는 매우 친절한 사람이 아니다.'라는 의미로, friendly는 명사(person)를 수식하는 형용사이다. ⑤ 'Christine은 조심스럽게 운전한다.'라는 의미로, carefully는 동사(drives)를 수식하는 부사이다.

22 〈보기〉의 문장은 '그 시험은 어려웠다. 너는 어떻게 시험을 합격했니?'라는 의미로, hard는 '어려운'이라는 뜻의 형용사이다. ① '지금 바람이 세차게 분다.'라는 의미로, hard는 '세차게'라는 뜻의 부사이다. ② 'Chris는 벽을 세게 쳤다.'라는 의미로, hard는 '세게'라는 뜻의 부사이다. ③ '그

남자는 지난주에 열심히 일했다.'라는 의미로, hard는 '열심히'라는 뜻의 부사이다. ④ '그는 좋은 점수를 얻기 위해 열심히 공부했다.'라는 의미로, hard는 '열심히'라는 뜻의 부사이다. ⑤ '나를 도와줘. 내 숙제가 너무 어려워.'라는 의미로, hard는 '어려운'이라는 뜻의 형용사이다.

23 -thing으로 끝나는 대명사는 형용사(special)가 뒤에서 수식한다.

24 pretty는 부사로도 쓰이는데 이때 '꽤, 제법'이라는 의미를 가진다. ① '저 집은 꽤 크다.'라는 의미로, pretty는 형용사(big)를 수식하는 부사이다. ② '내 친구 James는 꽤 키가 크다.'라는 의미로, pretty는 형용사(tall)를 수식하는 부사이다. ③ 'Emily는 예쁜 드레스를 입고 있다.'라는 의미로, pretty는 명사(dress)를 수식하는 형용사이다. ④ '이 컴퓨터는 꽤 빠르다.'라는 의미로, pretty는 형용사(fast)를 수식하는 부사이다. ⑤ '벌써 꽤 어두워졌다.'라는 의미로, pretty는 형용사(dark)를 수식하는 부사이다.

25 ① '이 재킷은 너에게 매우 잘 맞는다.'라는 의미로, well은 동사(suits)를 수식하는 부사이다. ② 'Jane은 피아노를 매우 잘 연주한다.'라는 의미로, well은 동사(plays)를 수식하는 부사이다. ③ '그 식물들은 지금 잘 자라고 있다.'라는 의미로, well은 동사(are growing)를 수식하는 부사이다. ④ '너는 괜찮아 보이지 않는다. 뭐가 잘못됐니?'라는 의미로, well은 주어를 보충 설명하는 형용사이다. ⑤ '우리는 네 말을 잘 들을 수 없다. 이곳은 매우 시끄럽다.'라는 의미로, well은 동사(can't hear)를 수식하는 부사이다.

26 ① '게는 딱딱한 껍질을 가지고 있다.'라는 의미로, hard는 명사(shell)를 수식하는 형용사이다. ② '그는 꽤 빠른 선수이다.'라는 의미로, fast는 명사(player)를 수식하는 형용사이다. ③ '에펠 타워는 얼마나 높나요?'라는 의미로, high는 주어를 보충 설명하는 형용사이다. ④ '버스가 10분 늦게 왔다.'라는 의미로, late는 동사(came)를 수식하는 부사이다. ⑤ '그 꽃들은 이른 봄에 만발한다.'라는 의미로, early는 명사(spring)를 수식하는 형용사이다.

27 A 무슨 일이야?
B 나는 시험에서 실수를 좀 했어.
A 힘내! 오늘 뭔가 특별한 것을 하자!
some은 긍정문과 권유를 나타내는 의문문에 쓴다. 두 번째 빈칸에는 '특별한 뭔가'라는 의미로, 형용사(special)의 수식을 받는 대명사가 와야 한다.

28 ① 빈도부사는 일반동사 앞에 위치하므로, eats never가 아닌 never eats가 되어야 한다. ③ some은 긍정문과 권유를 나타내는 의문문에, any는 부정문과 의문문에 쓰므로 some이 아닌 any가 되어야 한다. ④ minutes는 셀 수 있는 명사의 복수형이므로, little이 아닌 few가 되어야 한다. ⑤ '나는 대회에서 2등을 했다.'라는 의미로, '두 번째'라는 뜻의 순서를 나타내는 서수가 와야 한다. 따라서 two가 아닌 second가 되어야 한다.

29 ① '또한', '역시'라는 뜻으로 too는 긍정문에, either는 부정문에 쓴다. 따라서 too가 아닌 either가 되어야 한다. ② '그 교실은 오늘 굉장히 시끄럽다.'라는 의미로, 형용사(noisy)를 수식하는 부사가 와야 한다. 따라서 terrible이 아닌 terribly가 되어야 한다. ④ '그녀는 그 골동품 접시를 조심스럽게 씻었다.'라는 의미로, 동사(washed)를 수식하는 부사가 와야 한다. 따라서 careful이 아닌 carefully가 되어야 한다. ⑤ '바구니에 새끼 고양이가 네 마리가 있다.'라는 의미로, 셀 수 있는 명사의 개수를 나타내는 기수가 와야 한다. 따라서 fourth가 아닌 four가 되어야 한다.

30 ① sleep은 셀 수 없는 명사이므로, many가 아닌 much/a lot of가 되어야 한다. ② 'Ron은 그의 가족 중에서 셋째 아이이다.'라는 의미로, '세 번째'라는 뜻의 순서를 나타내는 서수가 와야 한다. 따라서 three가

아닌 third가 되어야 한다. ③ things는 셀 수 있는 명사의 복수형이므로, a little이 아닌 a few가 되어야 한다. ④ 빈도부사는 일반동사 앞에 위치하므로, loses often이 아닌 often loses가 되어야 한다.

31 ① students는 셀 수 있는 명사의 복수형이므로, Little이 아닌 Few가 되어야 한다.

32 a few 뒤에는 셀 수 있는 명사가 온다.

33 '우리 엄마는 생일에 행복해 보였다.'라는 의미로, 보어로 쓰여 주어를 보충 설명할 때는 형용사가 온다.

34 '너는 정말로 내 정직한 의견을 원하니?'라는 의미로, 명사(opinion)를 수식하는 형용사가 와야 한다.

35 some과 any는 명사 없이 단독으로 쓰일 수 있다. some은 긍정문과 권유를 나타내는 의문문에, any는 부정문과 의문문에 쓴다.

36 명사(driver)를 수식하는 형용사가 와야 한다.

37 명사(reader)를 수식하는 형용사가 와야 한다.

38 명사(answer)를 수식하는 형용사가 와야 한다.

39 명사(dress)를 수식하는 형용사가 와야 한다.

40 -thing으로 끝나는 대명사(something)는 형용사 수식을 받을 때 반드시 뒤에서 수식을 받는다.

41 '볼륨을 줄여 주시겠어요? 너무 시끄러워요.'라는 의미로, 주어를 보충 설명하는 형용사가 와야 한다.

42 빈도부사는 일반동사 앞에 위치한다.

43 '열두 번째'는 순서를 나타내는 서수이다.

보너스 유형별 문제　　　　p.118

1 is usually hot, never snows
2 is often, is usually
3 is always, hardly rains
4 ⑤

[1-3] [보기] 봄에는 보통 따뜻하고, 때때로 비가 온다.
1 여름에는 보통 덥고, 눈은 결코 오지 않는다.
　빈도부사는 일반동사 앞, be동사와 조동사 뒤에 위치한다.
2 가을에는 종종 바람이 많이 불고, 보통 시원하다.
　빈도부사는 일반동사 앞, be동사와 조동사 뒤에 위치한다.
3 겨울에는 항상 춥고, 비가 거의 오지 않는다.
　빈도부사는 일반동사 앞, be동사와 조동사 뒤에 위치한다.

4 1960년대 미국 남부 지방의 흑인들은 다르게 대접받았다. 그들은 식수대를 따로 이용하고 다른 학교를 다니고 버스 뒤쪽에 타야 했다. 불공평한 처사에 싸우기 위해 한 흑인 여성이 저항했다. 그녀는 심지어 백인만이 탈 수 있는 버스 앞쪽에 앉았다. 그녀의 행동으로 법이 바뀌었고 흑인들은 더 공평한 대접을 받게 되었다.
　동사 treat을 수식하기 위해 부사가 필요하므로 형용사 equal은 부사 equally로 수정되어야 한다.

Chapter 7

7-1　비교급과 최상급의 형태-규칙 변화형　　p.121

Exercise 1

1 happier, happiest
2 newer, newest
3 cheaper, cheapest
4 lower, lowest
5 more serious, most serious
6 dirtier, dirtiest
7 easier, easiest
8 more colorful, most colorful
9 hotter, hottest
10 wetter, wettest
11 more curious, most curious
12 luckier, luckiest
13 simpler, simplest
14 milder, mildest
15 stronger, strongest
16 more amazing, most amazing
17 poorer, poorest
18 louder, loudest
19 tastier, tastiest
20 thinner, thinnest
21 more useful, most useful
22 lovelier / more lovely , loveliest / most lovely
23 more interesting, most interesting
24 more shocking, most shocking
25 more quickly, most quickly
26 brighter, brightest
27 more special, most special
28 lighter, lightest
29 more boring, most boring
30 more famous, most famous

7-2　비교급과 최상급의 형태-불규칙 변화형　　p.122

Exercise 1

1 better, best
2 thicker, thickest
3 worse, worst
4 more, most
5 better, best
6 further, furthest
7 farther, farthest
8 less, least
9 older, oldest

3 How [What] about going to the library
4 too young to go out
5 spent too much time playing baseball

Review Test
p.162

01 ⑤	02 ④	03 ③	04 ④	05 ③	06 ③
07 ④	08 ⑤	09 ④	10 ③	11 ①	12 ③
13 ②	14 ④	15 ④	16 ③	17 ④	18 ③
19 ④	20 ③	21 ②	22 ①	23 ④	24 ⑤
25 ②	26 ③	27 ①			

28 to buy

29 to finish

30 to take, studying, to make/making

31 camping

32 taking

33 to carry

34 joining

35 to be

36 cleaning

37 to stay

38 having

39 He didn't wish to appear on TV.

40 I need something sweet to eat.

01 '길에서 노는 것은'이라는 의미로 빈칸에는 문장의 주어가 와야 한다. to 부정사와 동명사는 문장의 주어로 쓰일 수 있으므로, Playing이 적절하다.

02 전치사(without)의 목적어로 동명사가 와야 하므로, finishing이 적절하다.

03 '우리는 모두 말을 멈추고, Tom을 보았다.'라는 의미로, '~하는 것을 멈추다'라는 뜻은 「stop + 동명사」이므로, 빈칸에는 talking이 적절하다. 「stop + to부정사」는 '~하기 위해서 멈추다'라는 뜻이다.

04 plan은 to부정사를 목적어로 취하는 동사이므로, to visit가 적절하다.

05 전치사(of)의 목적어로 동명사가 와야 하므로, taking이 적절하다.

06 • '이번 주 내 계획은 수영하러 가는 것이다.'라는 의미로, 빈칸에는 주어를 보충 설명하는 보어가 와야 한다. 따라서 동사 go를 명사로 쓸 수 있는 to go가 적절하다.
• '너는 나와 함께 파티에 가기로 약속했다.'라는 의미로, promise는 to 부정사를 목적어로 취하는 동사이므로, to go가 적절하다.
따라서 빈칸에 공통으로 들어갈 말은 to go가 적절하다.

07 • '그는 계속 나를 놀린다.'라는 의미로, keep은 동명사를 목적어로 취하는 동사이므로, making이 적절하다.
• '종이비행기를 만드는 것은 그녀의 취미이다.'라는 의미로, 빈칸에는 문장의 주어가 와야 한다. 문장의 주어로 쓰일 수 있는 동명사 making이 적절하다.
따라서 빈칸에 공통으로 들어갈 말은 making이 적절하다.

08 '우리는 그를 다시 보게 되어 기뻤다'라는 의미로, 감정의 원인을 나타내는 to부정사의 부사적 용법으로 바꿔 쓸 수 있다. 따라서 빈칸에는 to see가 적절하다.

09 talking이라는 동명사가 온 것으로 보아 빈칸에는 동명사를 목적어로 취하는 동사가 와야 한다. keep, enjoy, finish는 동명사를 목적어로 취하는 동사이며, like는 동명사와 to부정사를 목적어로 모두 취하는 동사이다. want는 to부정사를 목적어로 취하는 동사이다.

10 '~을 시험 삼아 해 보다'라는 뜻은 「try + 동명사」이므로 빈칸에는 eating이 적절하다. 「try + to부정사」는 '~하려고 노력하다'라는 뜻이다.

11 • '나는 어려움에 처한 친구를 도와주기로 결심했다.'라는 의미로, decide는 to부정사를 목적어로 취하는 동사이므로, to help가 적절하다.
• '다음 주 금요일에 미팅에 참석할 것을 잊지 마라.'라는 의미로, '~할 것을 잊다'라는 뜻은 「forget + to부정사」이므로, to attend가 적절하다. 「forget + 동명사」는 '~했던 것을 잊다'라는 뜻이다.

12 • '이 애플리케이션은 사용하기에 쉽다.'라는 의미로, 형용사 easy를 수식하는 것은 to부정사이므로 to use가 적절하다.
• '나는 마침내 그가 담배 피는 것을 그만두도록 설득했다.'라는 의미로, give up은 동명사를 목적어로 취하는 동사이므로 smoking이 적절하다.

13 '너무 ~해서 …할 수 없다'라는 뜻은 「too + 형용사 + to부정사」이다.

14 ④ 「-thing으로 끝나는 대명사 + (형용사) + to부정사」의 어순에 주의해야 한다.

15 ④ mind는 동명사를 목적어로 취하는 동사이므로, to carry가 아닌 carrying이 되어야 한다.

16 A 나는 지금 가봐야 해. 여기서 너무 재미있었어.
B 그 말을 들으니 기뻐. 내 파티에 와줘서 고마워.
'~해줘서 기쁘다'라는 뜻으로 감정의 원인을 나타내는 부사적 용법으로, 첫 번째 빈칸에는 to hear가 적절하다. 전치사(for)의 목적어로 동명사가 와야 하므로 두 번째 빈칸에는 coming이 적절하다.

17 A 쇼핑하러 가자.
B 미안해. 나는 너무 피곤해. 하루 종일 집에서 머물고 싶어.
'~하러 가다'라는 뜻은 「go ~ing」이므로 첫 번째 빈칸에는 shopping이 적절하다. '~하고 싶다'라는 뜻은 「feel like ~ing」이므로 두 번째 빈칸에는 staying이 적절하다.

18 〈보기〉의 문장은 '나는 컴퓨터를 고치기 위해 그의 집에 갔다.'라는 의미로, to fix는 목적을 나타내는 부사적 용법이다. ① '테이블을 예약하기 위해서 이곳에 왔어요.'라는 의미로, to reserve는 목적을 나타내는 부사적 용법이다. ② '그는 빨리 달리기 위해 열심히 연습했다.'라는 의미로, to run은 목적을 나타내는 부사적 용법이다. ③ '그는 오토바이 타는 것을 사랑한다.'라는 의미로, to ride는 동사 loves의 목적어 역할을 하는 명사적 용법이다. ④ '나는 예약을 잡기 위해 그에게 전화했다.'라는 의미로, to make는 목적을 나타내는 부사적 용법이다. ⑤ '나는 우리 엄마를 기쁘게 하기 위해 집을 청소했다.'라는 의미로, to please는 목적을 나타내는 부사적 용법이다.

19 〈보기〉의 문장은 '나는 여전히 해야 할 일이 좀 있다.'라는 의미로, to do는 work를 수식하는 형용사적 용법이다. ① '나는 시계를 살 돈이 전혀 없다.'라는 의미로, to buy는 money를 수식하는 형용사적 용법이다. ② '제게 마실 물을 좀 주세요.'라는 의미로, to drink는 water를 수식하는 형용사적 용법이다. ③ '나는 파티에 입을 옷이 아무것도 없다.'라는 의미로, to wear는 nothing을 수식하는 형용사적 용법이다. ④ '나는 과일을 좀 사기 위해서 시장에 갔다.'라는 의미로, 목적을 나타내는 부사적 용법이다. ⑤ '한국에는 방문할 곳이 많이 있다.'라는 의미로, to visit는 places를 수식하는 형용사적 용법이다.

20 ① '나는 차를 갖기를 원한다.'라는 의미로, to have는 동사 want의 목적어 역할을 하는 명사적 용법이다. ② '그녀는 피아노 치는 것을 좋아한다.'라는 의미로, to play는 동사 likes의 목적어 역할을 하는 명사적 용법이다. ③ '그는 나를 만나기 위해 이곳에 온다.'라는 의미로, to meet는 목적을 나타내는 부사적 용법이다. ④ '우리는 그 노래를 부르기 시작했다.'라는 의미로, to sing은 동사 started의 목적어 역할을 하는 명사적 용법이다. ⑤ 'Jacob은 프랑스어를 공부하기 시작했다.'라는 의미로, to study는 동사 began의 목적어 역할을 하는 명사적 용법이다.

21 ① '나는 입을 청바지가 많이 있다.'라는 의미로, to wear는 blue jeans를 수식하는 형용사적 용법이다. ② '10킬로그램을 감량하는 것은 어렵다.'라는 의미로, to lose는 주어 역할을 하는 명사적 용법이다. ③ 'Baker 씨는 살 곳이 필요하다.'라는 의미로, to live in은 place를 수식하는 형용사적 용법이다. ④ '우리는 먹을 맛있는 쿠키가 좀 필요하다.'라는 의미로, to eat는 cookies를 수식하는 형용사적 용법이다. ⑤ '그녀는 오늘 봐야 할 중요한 시험이 있다.'라는 의미로, to take는 exam을 수식하는 형용사적 용법이다.

22 ① '나는 여름에 입을 것을 사기를 원한다.'라는 의미로, to wear는 something을 수식하는 형용사적 용법이다. ② '그녀는 자신의 방을 페인트칠하기 위해 붓을 샀다.'라는 의미로, to paint는 목적을 나타내는 부사적 용법이다. ③ '나는 빵을 좀 사기 위해 제과점에 갔다.'라는 의미로, to buy는 목적을 나타내는 부사적 용법이다. ④ '그 나이 든 남자는 산책하기 위해 밖에 나갔다.'라는 의미로, to take는 목적을 나타내는 부사적 용법이다. ⑤ '그는 인생에서 성공하기 위해 열심히 일했다.'라는 의미로, to succeed는 목적을 나타내는 부사적 용법이다.

23 ① '내 취미는 시를 짓는 것이다.'라는 의미로, writing은 보어 역할을 하는 동명사다. ② 'Peter는 그의 방을 청소하는 것을 싫어한다.'라는 의미로, cleaning은 동사 hates의 목적어 역할을 하는 동명사다. ③ '복도에서 뛰는 것을 멈춰 주세요.'라는 의미로, running은 동사 stop의 목적어 역할을 하는 동명사이다. ④ 'Sue와 나는 이번 주에 서울을 떠날 것이다.'라는 의미로, leaving은 미래를 나타내는 현재진행 시제의 현재분사이다. ⑤ '고전 음악을 듣는 것은 내 긴장을 풀게 해준다.'라는 의미로, Listening은 주어 역할을 하는 동명사이다.

24 ⑤ '~하느라 시간을 보내다'라는 뜻은 「spend+시간+-ing」이므로, to play가 아닌 playing이 되어야 한다.

25 ② plan은 to부정사를 목적어로 취하는 동사이다.

26 ③ 'Jason은 아이들을 도와줄 만큼 충분히 친절하다.'
≠ 'Jason은 너무 친절해서 아이들을 도와줄 수 없다.'

27 ① 전치사(in)의 목적어로 동명사가 와야 하므로, to solve가 아니라 solving이 되어야 한다.

28 • Ron은 서점에 갔다.
• Ron은 책을 사기 위해 갔다.
'Ron은 책을 사기 위해 서점에 갔다.'라는 의미로, 목적을 나타내는 to부정사의 부사적 용법이다.

29 '우리는 정오까지 끝내야 할 것이 많이 있다.'라는 의미로, 명사 things를 수식하는 to부정사의 형용사적 용법이다.

30 • 그 의사는 엑스레이를 찍기로 결정했다.
decide는 to부정사를 목적어로 취하는 동사이다.
• 그녀는 중국어 공부를 포기하지 않았다.
give up은 동명사를 목적어로 취하는 동사이다.
• 너는 모형 비행기 만드는 것을 좋아하니?
love는 to부정사와 동명사를 모두 목적어로 취하는 동사이다.

31 A 지난 주말에 너희는 뭐 했니?
B 우리 모두는 산에 캠핑을 갔어.
'~하러 가다'라는 뜻은 「go+-ing」이므로, camp가 아닌 camping이 되어야 한다.

32 A 지난 주말에 너희는 뭐 했니?
B 우리 모두는 산에 캠핑을 갔어.
'~하는 것이 어때?'라는 뜻은 「How[What] about+-ing」이므로, to take가 아닌 taking이 되어야 한다.

33 A 그 상자들은 나 혼자 나르기에 너무 무거워.
B 내가 도와줄게.
'너무 ~해서 …할 수 없다'라는 뜻은 「too+형용사+to부정사」이므로, carry가 아닌 to carry가 되어야 한다.

34 전치사(in)의 목적어로 동명사가 와야 하므로, join이 아닌 joining이 되어야 한다.

35 want는 to부정사를 목적어로 취하는 동사이다.

36 finish는 동명사를 목적어로 취하는 동사이다.

37 decide는 to부정사를 목적어로 취하는 동사이다.

38 전치사(of)의 목적어로 동명사가 와야 한다.

39 to부정사와 동명사는 주어를 보충 설명하는 보어 역할을 한다.

40 「-thing으로 끝나는 대명사+(형용사)+to부정사」의 어순에 주의한다.

보너스 유형별 문제　　　　p.166

1 taking[to take] care of
2 to finish
3 hope to watch
4 were busy making
5 ③

1 A: 당신은 수의사가 되고 싶어요?
B: 네, 그래요. 나는 동물들을 돌보는 것을 좋아하거든요.
동사 like는 목적어로 to부정사와 동명사를 둘 다 취한다.

2 A: 너는 어젯밤 왜 그렇게 늦게까지 깨어 있었니?
B: 나는 내 과학 프로젝트를 마치려고 늦게까지 깨어 있었어.
일찍 일어난 이유(목적)를 묻고 있으므로 목적을 나타내는 to부정사 표현이 적절하다.

3 A: 나는 새로 나온 스파이더맨 영화를 봤어. 정말 신이 났어.
B: 정말? 나도 그 영화를 곧 보고 싶다.
동사 hope는 목적어로 to부정사를 취한다.

4 A: Liam과 Daniel은 점심 때 뭐하고 있었어요?
B: 그들은 일하고 있었어요. 그들은 전화 연락을 하느라 바빴어요.
'~ 하느라 바쁘다'라고 표현할 때 「be동사+busy+-ing」를 쓴다.

5 최근 조사에 의하면 한국 학생들은 수면과 식사와 같은 필수적인 활동에 하루에 11시간을 보낸다고 한다. 공부와 통학에 9시간을 보내고, 여가 활동에 4시간을 쓴다고 한다. 일반적으로 여가 활동에는 소셜 미디어에서 시간 보내기, 친구들과의 수다, 악기 연주가 포함되어 있다.
'~ 하느라 시간을 보내다'라고 표현할 때 「spend+시간+-ing」를 쓰므로 do를 doing으로 바꿔야 적절하다.

Chapter 10

10-1 장소를 나타내는 전치사 I
p.168

Exercise 1

1 in
2 at
3 on
4 in

Exercise 2

1 at
2 on
3 on
4 at
5 in
6 in

10-2 장소를 나타내는 전치사 II
p.169

Exercise 1

1 under
2 next to
3 over
4 in front of

Exercise 2

1 behind
2 next to[by, beside]
3 between
4 over
5 under
6 under
7 in front of
8 at

Exercise 3

1 The computer is next to the desk.
2 There is a ball under the chair.
3 There are heavy clouds over the mountain.
4 I found your cat behind the bush.
5 A pretty girl was sitting in front of me.
6 The shop is between the bank and the bakery.

10-3 방향을 나타내는 전치사 I
p.171

Exercise 1

1 out of
2 down
3 into
4 up

Exercise 2

1 up
2 down
3 out of
4 into

10-4 방향을 나타내는 전치사 II
p172

Exercise 1

1 through
2 around
3 across
4 from
5 across
6 to
7 along
8 through

10-5 시간을 나타내는 전치사 I
p.173

Exercise 1

1 at
2 in
3 in
4 in
5 at
6 on

Exercise 2

1 on
2 on
3 at
4 in
5 at
6 in
7 in
8 on

Exercise 3

1 at
2 at
3 in
4 in
5 in
6 on
7 on
8 at
9 in
10 in

Exercise 4

1 at, noon
2 on, Sunday, morning
3 in, spring
4 in, December
5 on, March, 2nd
6 at, 9, o'clock
7 in, the, evening
8 on, my, birthday

10-6 시간을 나타내는 전치사 II
p.175

Exercise 1

1 for
2 during
3 for
4 during

Exercise 2

1 after an hour
2 before the deadline
3 during the summer
4 after work
5 before lunch

35

10-7 시간을 나타내는 전치사 III
p.176

Exercise 1

1 until	2 around
3 until	4 from
5 around	6 by

Exercise 2

1 until, 2021
2 around, 4
3 by, 2
4 from, Monday, to[until], Saturday
5 until, next, week

10-8 기타 주요 전치사
p.177

Exercise 1

1 without	2 about
3 by	4 like
5 with	

Exercise 2

1 without, milk	2 about, animals
3 with, a, fork	4 by, train
5 like, an, angel	6 with, my, best, friend

Review Test
p.178

01 ①	02 ④	03 ③	04 ⑤	05 ②	06 ②
07 ④	08 ④	09 ④	10 ②	11 ④	12 ②
13 ⑤	14 ③	15 ④	16 ⑤	17 ②	18 ③
19 ①	20 ①	21 ③	22 ③	23 ①	24 ⑤
25 ①	26 ⑤	27 ②	28 ④		

29 before

30 in

31 about, like, through

32 from, to

33 out of

34 next to[by, beside]

35 in, under

36 about, like

37 on, in

38 under, over

39 There is a big mailbox in front of my house.

40 There is a little difference between my idea and yours.

41 at, in, with, by

01 세기, 계절, 연도, 월 등 비교적 긴 시간 앞에는 전치사 in을 쓴다.

02 구체적인 시각이나 특정 시점 앞에는 전치사 at을 쓴다.

03 'Jessy는 점심을 먹은 후에 한 시간 동안 낮잠을 잤다.'라는 의미로, '~ 후에'라는 의미의 시간을 나타내는 전치사는 after이다.

04 for는 '~동안'이라는 뜻으로 뒤에 구체적인 숫자 표현이 온다. during도 '~동안'이라는 뜻이지만, 뒤에 특정 기간을 나타내는 명사가 온다.

05 • 특정한 날짜(April 11th) 앞에는 전치사 on을 쓴다.
   • '~ 위에'라는 뜻으로 표면상에 닿은 상태를 나타낼 때는 전치사 on을 쓴다.

06 '이 비행기는 뉴욕에서 보스턴까지 비행한다.'라는 의미로, 「from A to B」는 'A에서 B까지'라는 뜻이다.

07 ④ between은 '~의 사이에'라는 뜻으로 뒤에 두 개의 대상이 나와야 한다.

08 ④ until은 '~까지'라는 뜻이다.

09 '~ 무렵에'라는 뜻을 가진 시간을 나타내는 전치사는 around이다.

10 for는 '~동안'이라는 뜻으로 뒤에 구체적인 숫자 표현이 온다. during도 '~동안'이라는 뜻이지만 뒤에 특정 기간을 나타내는 명사가 온다.

11 '나는 두 시간 동안 그를 기다렸다. 하지만, 그는 오후 4시까지 나타나지 않았다.'라는 의미이다. for는 '~동안'이라는 뜻으로 뒤에 구체적인 숫자 표현(two hours)이 온다. until은 '~까지'라는 뜻으로 뒤에 일정 기간 계속된 동작이 끝나는 시점(4 p.m.)이 온다.

12 '그녀는 지난해에 발생한 자전거 사고 이전에 은행에서 일했다. 그 사고 이후에 그녀는 그 일을 그만두었다.'라는 의미이다. before는 '~ 전에'라는 뜻이고, after는 '~ 후에'라는 뜻이다.

13 '그 선수는 공을 찼고, 그것이 네트 안으로 날아갔다. 공은 너무 빨라서 잡을 수 없었다. 골키퍼는 네트 앞에 그냥 서 있었다.'라는 의미이다. into는 '~ 안으로'라는 뜻의 방향을 나타내는 전치사, in front of는 '~ 앞에'라는 뜻의 방향을 나타내는 전치사이다.

14 A 너는 학교에 어떻게 가니?
   B 나는 주로 버스를 타고 학교에 가.
   by는 교통수단 앞에서 '~을 타고'라는 뜻으로 쓰인다.

15 A 방금 무슨 일이 일어났니?
   B 토끼 한 마리가 방금 구멍 안으로 뛰어갔어.
   into는 '~ 안으로'라는 뜻의 방향을 나타내는 전치사이다.

16 A 화장실은 어디에 있습니까?
   B 복도를 따라 가서 왼쪽으로 도세요. 그럼 찾을 수 있을 겁니다.
   along은 '~을 따라서'라는 뜻의 전치사이다.

17 ① '나는 벽에 그림을 걸었다.'라는 의미가 되어야 하므로, '~ 위에'라는 뜻으로 표면상에 닿은 상태를 나타내는 장소의 전치사 on을 쓴다. ② '내 남동생은 가방 안에 그의 모든 장난감을 넣었다.'라는 의미가 되어야 하므로, '~ 안으로'라는 뜻의 전치사 into를 쓴다. ③ 'Adrian은 바닥에서 바늘을 찾았다.'라는 의미가 되어야 하므로, '~ 위에'라는 뜻으로 표면상에 닿은 상태를 나타내는 장소의 전치사 on을 쓴다. ④ '결과는 4월 23일에 나올 것이다.'라는 의미가 되어야 하므로, 특정한 날짜 앞에는 시간의 전치사 on을 쓴다. ⑤ '나는 일요일에 Andrew와 테니스를 칠 것이다.'라는 의미가 되어야 하므로, 요일 앞에는 시간의 전치사 on을 쓴다.

18 ① '자유의 여신상은 뉴욕에 있다.'라는 의미가 되어야 하므로, 나라나 도시처럼 비교적 넓은 장소나 공간의 내부 앞에는 장소의 전치사 in을 쓴

다. ② '많은 사람들이 뜰에 모여 있다.'라는 의미가 되어야 하므로, 비교적 넓은 장소나 공간의 내부 앞에는 장소의 전치사 in을 쓴다. ③ '결승전은 오후 1시에 시작한다.'라는 의미가 되어야 하므로, 구체적인 시각 앞에는 전치사 at을 쓴다. ④ '그녀는 3월에 파리로 여행을 갈 것이다.'라는 의미가 되어야 하므로, 월이나 연도 등 비교적 긴 시간 앞에는 시간의 전치사 in을 쓴다. ⑤ '그는 아침에 테니스 레슨을 받는다.'라는 의미가 되어야 하므로, 하루의 때 앞에는 시간의 전치사 in을 쓴다.

19 ① '제가 내일까지 머물러도 될까요?'라는 의미가 되어야 하므로, '~까지'라는 뜻으로 일정 기간 계속된 동작이 끝나는 시점 앞에 쓰이는 전치사 until을 쓴다. ② '나는 그녀가 창문 옆에 서 있는 것을 보았다.'라는 의미가 되어야 하므로, '~ 옆에'라는 뜻의 전치사 by[next to, beside] 등을 쓴다. ③ '나는 금요일까지 이 소포를 보내야만 한다.'라는 의미가 되어야 하므로, '~까지'라는 뜻으로 일회성 동작이나 상태가 끝나는 시점 앞에는 전치사 by를 쓴다. ④ '그는 이번 주말까지 돌아올 것이다.'라는 의미가 되어야 하므로, '~까지'라는 뜻으로 일회성 동작이나 상태가 끝나는 시점 앞에는 전치사 by를 쓴다. ⑤ '어린 아이들은 9시까지 잠자리에 들어야만 한다.'라는 의미가 되어야 하므로, '~까지'라는 뜻으로 일회성 동작이나 상태가 끝나는 시점 앞에는 전치사 by를 쓴다.

20 ① '나는 한 시간 동안 너를 기다렸다.'라는 의미가 되어야 하므로, '~동안'이라는 뜻으로 구체적인 숫자 앞에 쓰는 전치사 for를 쓴다. ② '우리 엄마는 식사 중에 침묵을 지켰다.'라는 의미가 되어야 하므로, '~동안'이라는 뜻으로 특정 기간을 나타내는 명사 앞에 쓰는 전치사 during을 쓴다. ③ '여름 시즌 동안에 모든 호텔은 만원이다.'라는 의미로, '~동안'이라는 뜻으로 특정 기간을 나타내는 명사 앞에 쓰는 전치사 during을 쓴다. ④ '나는 방과 후 이번 주 동안 수학을 공부했다.'라는 의미가 되어야 하므로, '~동안'이라는 뜻으로 특정 기간을 나타내는 명사 앞에 쓰는 전치사 during을 쓴다. ⑤ '우리는 여름 방학 동안 하와이에 있었다.'라는 의미가 되어야 하므로, '~동안'이라는 뜻으로 특정 기간을 나타내는 명사 앞에 쓰는 전치사 during을 쓴다.

21 'Ace 백화점은 오전 10시부터 오후 8시까지 세일을 할 것이다. 그곳은 우리 집에서 멀다. 나는 버스를 타고 갈 것이다.'라는 의미이다. '~부터'라는 뜻으로 시작 시점(10 a.m.) 앞에 쓰이는 시간을 나타내는 전치사 from을 쓴다. '~로부터', '~에서'라는 뜻으로 출발 지점(my house) 앞에 쓰이는 방향을 나타내는 전치사 from을 쓴다.

22 ① '그녀는 가수처럼 노래한다.'라는 의미로, like는 전치사이다. ② '손을 이렇게 들어라.'라는 의미로, like는 전치사이다. ③ '커피를 어떻게 드릴까요?'라는 의미로, like는 동사이다. ④ '그 남자는 동물처럼 울부짖었다.'라는 의미로, like는 전치사이다. ⑤ '당신의 어머니는 당신처럼 아름다운 눈을 가졌군요.'라는 의미로, like는 전치사이다.

23 ① '~을 가지고'라는 뜻으로 도구 앞에 쓰는 전치사는 with이다.

24 ⑤ 계절 앞에 쓰는 전치사는 in이다.

25 ① '~ 위에'라는 뜻으로 표면에서 떨어진 상태를 나타내는 전치사는 over이다.

26 A 오늘 밤에 영화 보러 가는 게 어때?
B 좋은 생각이야.
A 그러면, 버스 정류장에서 6시 30분에 만나자.
특정한 장소나 비교적 좁은 장소 앞에 쓰이는 장소의 전치사는 at이다. 구체적인 시각 앞에 쓰이는 시간의 전치사는 at이다.

27 '~까지'라는 뜻으로 일회성 동작이나 상태가 끝나는 시점 앞에 쓰이는 전치사는 by이다. until도 '~까지'라는 뜻이지만 뒤에 계속되던 동작이 끝나는 시점이 온다.

28 ④ '몇 사람이 길을 건너고 있다.'라는 의미로, 현재 길을 건너기 위해서 기다리는 사람은 있지만, 길을 건너고 있는 사람은 없다.

29 '나는 저녁 식사 후에 설거지를 했다.'라는 의미이다. 따라서 '나는 설거지를 하기 전에 저녁을 먹었다.'라는 의미가 되어야 두 문장이 같은 뜻이 된다. '~ 전에'라는 뜻을 가진 전치사는 before이다.

30 • '우리 삼촌은 8월에 이곳에 올 것이다.'라는 의미로, 월(August) 앞에는 시간을 나타내는 전치사 in을 쓴다.
• '찬장에는 숟가락과 젓가락이 많이 있다.'라는 의미로, '~ 안에'라는 뜻으로 장소를 나타내는 전치사 in을 쓴다.

31 • '나에 대한 소문을 들었을 때 나는 울고 싶었다.'라는 의미로, '~에 대해'라는 뜻의 전치사는 about이다. 「feel like 동명사」는 '~하고 싶다'라는 뜻으로, 동명사가 전치사 like의 목적어로 쓰였다.
• '두 도둑이 굴뚝을 통해서 집 안으로 들어왔다.'라는 의미로, '~을 통하여'라는 뜻의 전치사는 through이다.

32 「from A to B」는 'A부터 B까지'라는 뜻이다.

33 '~ 밖으로'라는 뜻의 방향을 나타내는 전치사는 out of이다.

34 '~ 옆에'라는 뜻의 장소를 나타내는 전치사는 next to, by, beside이다.

35 '~ 안에'라는 뜻으로 공간 안을 의미하는 장소의 전치사는 in이다. '~ 아래에'라는 뜻으로 표면에서 떨어진 상태를 의미하는 장소의 전치사는 under이다.

36 '나는 때때로 친구들과 Charlie에 대해 이야기한다. 우리는 모두 그가 아이처럼 군다고 생각한다.'라는 의미이다. '~에 대해'라는 뜻의 전치사는 about, '~처럼'이라는 뜻의 전치사는 like이다.

37 '우리 크리스마스에 영화 보러 가는 게 어때? 쇼핑몰 안에 새 영화관이 있대.'라는 의미이다. 특정한 날 앞에 쓰는 전치사는 on이다. '~ 안에'라는 뜻으로 공간 안을 의미하는 전치사는 in이다.

38 '나는 나무 아래에 누워 있었다. 나는 나무 위로 연을 보았다. 내 친구 Sean이 그 연을 날리고 있었다.'라는 의미이다. '~ 아래에'라는 뜻으로 표면에서 떨어진 상태를 의미하는 장소의 전치사는 under이다. '~ 위에'라는 뜻으로 표면에서 떨어진 상태를 나타내는 전치사는 over이다.

39 '~ 앞에'라는 뜻의 전치사는 in front of이다.

40 「between A and B」는 'A와 B 사이에'라는 뜻이다.

41 Jimmy는 아침 여섯 시에 일어나고 등교 준비를 한다. 그리고 그는 아침 식사로 빵과 우유를 약간 먹는다. 그는 남동생과 함께 7시 45분쯤에 학교로 출발한다. 그들은 대개 지하철을 타고 등교를 한다.
구체적인 시각(6 o'clock) 앞에는 전치사 at을 쓴다. 하루의 때(the morning) 앞에는 전치사 in을 쓴다. '~와 함께'라는 뜻을 가진 전치사는 with이다. 교통수단 앞에 쓰여서 '~을 타고'라는 뜻을 가진 전치사는 by이다.

보너스 유형별 문제

p.182

1 ⓐ for ⓑ at ⓓ in ⓔ in front of
2 for an hour, until 3 pm
3 ③

[1-2] 9월 9일, 토요일
오늘은 짜증나는 하루였다. 나는 학교 과제를 위해 국립중앙박물관에 가야 했다. 나는 우리 반 친구 Liam에게 전화를 해서 오후 두 시에 만나자

고 말했다. 박물관 앞에서 그를 기다렸지만 그는 오지 않았다. 나는 한 시간 동안 그를 기다렸지만 그는 세 시까지 나타나지 않았다. 그가 늦은 것이 이번이 처음이 아니다. 그는 항상 늦는다.

1 ⓐ for: ~을 위해 ⓑ at+구체적 시각: ~에
   ⓒ in+오후: ~에 ⓓ in front of: ~ 앞에서

2 for+구체적인 숫자: ~ 동안, until: ~까지(동작이나 상태가 그 시점까지 지속됨)

3 Matthew는 제출일 전날 밤에 역사 숙제를 시작했다. 저녁 8시에 시작해서 새벽 2시까지 자지 않고 했다. 다음 날 그는 피곤했고, 숙제에는 오류도 몇 가지 있었다. 선생님은 금세 알아채시고 그에게 "네가 더 잘할 수 있다는 걸 알고 있단다"라고 말씀하셨다. 다음에 숙제를 할 때 Matthew는 적어도 마감일 2주 전에는 시작하기로 마음먹었다.
   숙제를 하는 행위가 새벽 2시까지 계속되는 것이므로 by가 아닌 until을 써야 적절하다.

Chapter 11

11-1   등위접속사 I
p.184

Exercise 1

1 and   2 or
3 or   4 or
5 or   6 and

Exercise 2

1 or   2 or
3 and   4 and
5 or   6 and
7 and

Exercise 3

1 either a knife or scissors
2 or you will miss the train
3 both Chinese and German
4 or you will get wet
5 and his brother was dancing
6 both Jim and Jack

11-2   등위접속사 II
p.186

Exercise 1

1 not, but   2 so
3 so   4 but

Exercise 2

1 but a little expensive
2 so she couldn't get on the plane
3 so I had to sleep on the floor
4 but he still plays golf

11-3   종속접속사 I
p.187

Exercise 1

1 He showed up after you left.
   주절   종속절
2 I think that she is right this time.
   주절   종속절
3 Feel free to call me if you need a hand.
   주절   종속절
4 Afrer I finished my homework, I had dinner.
   종속절   주절
5 You should be careful when you cross the road.
   주절   종속절
6 Before you go to bed, don't forget to turn off the
   종속절   주절
computer.

Exercise 2

1 before you go out
2 After he called someone
3 If we work together
4 because she was late for the meeting
5 that she would come to my birthday party
6 Because it was sunny in the morning

11-4   종속접속사 II
p.188

Exercise 1

1 when   2 Before
3 before   4 After
5 before   6 When
7 when   8 after

Exercise 2

1 After I took a nap
2 Before you leave for London
3 when she was 25 years old
4 after I met David
5 before they went out for dinner
6 when her father opened the door

Exercise 3

1 when you are free
2 before it gets dark

3 When I called him
4 before your mom sees it
5 When I was in India
6 After we milk the cow on the farm

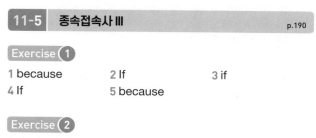

11-5 종속접속사 III   p.190

Exercise 1

1 because   2 If   3 if
4 If   5 because

Exercise 2

1 if you want
2 If it snows tomorrow
3 because he lost his glasses
4 because I wasn't feeling well

11-6 종속접속사 IV   p.191

Exercise 1

1 I know ✔ he is innocent.
2 Everyone knows ✔ Tim is a good runner.
3 I hoped ✔ you could do well on your test.
4 She knows ✔ we will stay there for five days.
5 Some people think ✔ Bella is very polite.

Exercise 2

1 that Jim is a good man
2 that the movie is bad
3 that she is a surgeon
4 that we should respect each other
5 that we won the competition

Review Test   p.192

01 ⑤	02 ③	03 ⑤	04 ③	05 ①	06 ②
07 ①	08 ④	09 ①	10 ③	11 ④	12 ③
13 ④	14 ④	15 ②	16 ①	17 ②	18 ②
19 ②	20 ⑤	21 ④	22 ①	23 ③	24 ⑤
25 ①

26 because
27 before
28 but
29 Either, or
30 after I wash my hands
31 If you don't pay the rent
32 that your father will get better soon
33 When I was in New York
34 If you have problems with this printer
35 or you won't be able to meet her
36 That she is falling in love with him
37 Because
38 When, before

01 '좋은 소식은 우리가 오늘 밤 록 콘서트에 갈 수 있다는 것이다!'라는 뜻으로 'we ~ tonight'은 문장에서 보어 역할을 하는 명사절이다. 빈칸에는 명사절을 이끄는 접속사 that이 들어가는 것이 적절하다.

02 '그녀가 방에 들어갔을 때 빨간 카펫을 보았다.'라는 뜻이다. '~할 때'라는 의미를 나타내는 시간의 접속사 when이 들어가는 것이 적절하다.

03 '그 영화가 몹시 지루했기 때문에 우리는 졸렸다.'라는 뜻이다. 이유나 원인을 나타내는 절을 이끄는 접속사는 because이다.

04 '일찍 일어나라, 그러면 너는 첫 기차를 탈 수 있을 것이다.'라는 뜻이다. 「명령문, and ~」는 '…해라, 그러면 ~할 것이다.'라는 뜻이다.

05 '만일 네가 서두르지 않는다면, 너는 비행기를 놓칠 것이다.'라는 뜻이다. '만약 ~한다면'이라는 뜻을 가진 조건을 나타내는 접속사 If가 들어가는 것이 적절하다.

06 • '너는 노래를 잘한다. 나는 너처럼 노래를 잘 하고 싶지만 못한다.'라는 뜻으로, 빈칸에 서로 대조되거나 반대되는 내용을 연결하는 등위접속사 but이 들어가는 것이 적절하다.
    • '너는 TV를 보는 것과 음악을 듣는 것 중 하나를 할 수 있다.'라는 뜻으로, 「either A or B」는 'A나 B 중 하나'라는 뜻으로 빈칸에 or이 들어가는 것이 적절하다.

07 • '비가 많이 내려서 우리는 밖에 나가지 않았다.'라는 뜻으로 빈칸에 원인과 결과를 연결하는 등위접속사 so가 들어가는 것이 적절하다.
    • '나는 양치를 한 후에 잠자리에 든다.'라는 뜻으로, '~한 후에'라는 의미의 시간을 나타내는 접속사 After가 적절하다.

08 • '너는 운전할 때 조심해야 한다.'라는 뜻으로, 빈칸에 '~할 때'라는 의미의 시간의 접속사 when이 들어가는 것이 적절하다.
    • '네가 학교에 또 늦으면 내가 너를 혼낼 것이다.'라는 뜻으로, 빈칸에 '만일 ~한다면'이라는 의미의 조건의 접속사 if가 들어가는 것이 적절하다.

09 ① '그 소년은 개를 좋아한다. 그래서 그것은 귀엽다.'라는 뜻이다. 등위접속사 so는 원인과 결과를 연결해서 '그래서', '그 결과'라는 뜻이다. it is cute는 The boy likes the dog의 결과라기보다는 원인에 가깝다.

10 • 모두 Fred가 가장 똑똑한 학생 중 한 명이라고 생각해요.
동사 think의 목적어 역할을 하는 명사절을 이끄는 종속접속사 that이 들어가는 것이 적절하다.
• 사실은 내가 아버지가 가장 좋아하시는 꽃병을 깼다는 것이다.
주어 The truth의 보어 역할을 하는 명사절을 이끄는 종속접속사 that이 들어가는 것이 적절하다.

11 • '그가 프로젝트를 끝내고 난 후에 가족을 보러 런던에 갔다.'라는 뜻으로 '~한 후에'라는 뜻의 접속사 after가 들어가는 것이 적절하다. 접속사 after는 뒤에 「주어+동사」 형태의 절이 온다.
• '수업 후에 쇼핑하러 가는 것이 어때?'라는 뜻으로 '~ 한 후에'라는 뜻의 전치사 after가 들어가는 것이 적절하다. 전치사 after는 뒤에 명사(구)가 온다.

12 • '나는 다리를 다쳤다. 그래서 의사를 만나러 갔다.'라는 뜻으로 빈칸에 원인과 결과를 연결하는 등위접속사 so가 들어가는 것이 적절하다.
• '그는 거짓말을 여러 번 했다. 그래서 나는 그를 믿지 않는다.'라는 뜻으로 빈칸에 원인과 결과를 연결하는 등위접속사 so가 들어가는 것이 적절하다.

13 문장에서 목적어 역할을 하는 명사절을 이끄는 종속접속사 that은 생략할 수 있다. ④ '여기는 내 여동생이고, 저기는 내 남동생이야.'라는 뜻으로, 밑줄 친 that은 지시대명사이므로 생략할 수 없다.

14 ④ 등위접속사 and는 문법적으로 같은 역할을 하는 것끼리 연결한다. 따라서 having을 had로 고쳐야 한다.

15 '나는 숙제를 할 수 없다. 내 남동생이 너무 시끄럽게 한다.'라는 뜻으로 앞 문장은 결과, 뒷 문장은 원인을 나타낸다. '~이기 때문에'라는 뜻으로 원인을 나타내는 문장을 이끄는 종속접속사는 because이다.

16 '나는 라디오에서 뉴스를 들었다. 나는 샌드위치를 만들고 있었다.'라는 뜻으로 '~할 때'라는 뜻으로 시간을 나타내는 종속접속사 when이 들어가는 것이 적절하다.

17 • '우리 할머니는 매우 친절하고 상냥하시다.'라는 뜻으로, 서로 대등하거나 비슷한 대상을 연결하는 등위접속사는 and이다. 형용사 kind와 nice를 연결하고 있다.
• '지금 시작해라. 그러면 너는 오늘 프로젝트를 끝낼 수 있을 것이다.'라는 뜻으로, 「명령문, and ~」는 '…해라, 그러면 ~할 것이다'라는 뜻이다.

18 주어진 문장은 '그는 일을 마치고 나서 잠자리에 들었다.'라는 뜻이다. ① 그가 일을 마친다면, 잠자리에 들 것이다. ② 그는 일을 마치고 나서 잠자리에 들었다. ③ 그는 일을 마치기 전에 잠자리에 들었다. ④ 그는 일을 마치지 못했지만 잠자리에 들었다. ⑤ 그는 일을 마쳤기 때문에 잠자리에 들었다.

19 A Tom이 벌써 스무 살인 게 믿겨지지 않아.
B 응. 그는 이제 어른이지.
A 시간 참 빠르다. 내가 걔를 처음 봤을 때 유치원생이었는데.
첫 번째 빈칸에는 동사 believe의 목적어 역할을 하는 명사절을 이끄는 종속접속사 that이 들어가는 것이 적절하다. 두 번째 빈칸에는 '~할 때'라는 의미의 시간을 나타내는 접속사 when이 들어가는 것이 적절하다.

20 A 너 오늘 피곤해 보인다. 너는 좀 쉬어야 겠어.
B 그러고 싶지만 못 해.
A 왜?
B 시험을 위해서 발레를 연습해야 하기 때문이야.

첫 번째 빈칸에는 상대방의 제안에 대한 대답으로 '그렇게 하고 싶지만, 할 수 없다.'라는 의미가 되어야 하므로 서로 대조되거나 반대되는 것을 연결하는 등위접속사 but이 들어가는 것이 적절하다. 두 번째 빈칸에는 이유를 묻는 질문에 대한 답으로 원인을 나타내는 문장을 이끄는 접속사 because가 들어가는 것이 적절하다.

21 ④ '나는 잘 볼 수 없다. 여기 안은 너무 어둡다.'라는 뜻으로 so를 because로 고치면 '여기 안은 너무 어두워서 잘 볼 수 없다.'라는 뜻이 되어 자연스러운 문장이 된다.

22 A 왜 내 전화를 받지 않았니?
B 네가 전화했을 때 나는 자고 있었기 때문이야.
밑줄 친 when은 '~할 때'라는 뜻의 시간을 나타내는 종속접속사로 쓰였다. ① '너는 언제 점심을 먹었니?'라는 의미로, '언제'라는 뜻의 의문사로 쓰였다. ② '네가 어린아이였을 때 너는 행복했니?'라는 의미로, when은 '~할 때'라는 뜻의 시간을 나타내는 종속접속사로 쓰였다. ③ '너는 운동할 때 음악을 듣니?'라는 의미로, when은 '~할 때'라는 뜻의 시간을 나타내는 종속접속사로 쓰였다. ④ '네가 자라서 무엇이 되기를 원하니?'라는 의미로, when은 '~할 때'라는 뜻의 시간을 나타내는 종속접속사로 쓰였다. ⑤ '비가 내릴 때 그는 집에 머물고 책을 읽는다.'라는 의미로, when은 '~할 때'라는 뜻의 시간을 나타내는 종속접속사로 쓰였다.

23 A 내가 시험에 떨어졌다는 것은 사실이야.
B 그것 참 안 됐구나.
밑줄 친 that은 명사절(주어)을 이끄는 종속접속사로 쓰였다. ① '나는 네가 나를 용서하기를 바란다.'라는 의미로, that은 명사절(목적어)을 이끄는 종속접속사로 쓰였다. ② 'Jones 씨가 다리를 다쳤다는 것은 사실이 아니다.'라는 의미로, that은 명사절(주어)을 이끄는 종속접속사로 쓰였다. ③ '나는 저 소년을 어제 공항에서 보았다.'라는 의미로, '저 ~'라는 뜻의 한정사로 쓰였다. ④ 'Eric이 뉴욕에 살고 있다는 것을 확신하니?'라는 의미로, that은 명사절(목적어)을 이끄는 종속접속사로 쓰였다. ⑤ '일부 사람들은 UFO가 진짜임을 믿는다.'라는 의미로, that은 명사절(목적어)을 이끄는 종속접속사로 쓰였다.

24 '~한 후에'라는 뜻의 접속사는 after이다. after가 이끄는 절에는 먼저 일어난 일이 나온다. 시간을 나타내는 부사절에서 현재시제가 미래시제를 대신하므로 I'll help you after I finish my work.가 적절하다.

25 「명령문, or ~」는 '…해라. 그렇지 않으면 ~할 것이다.'라는 뜻이다. 따라서 Hurry up, or you'll miss the school bus.가 적절하다. '만일 ~라면'이라는 뜻의 조건을 나타내는 접속사 if를 쓰면, If you don't hurry up, you'll miss the school bus.로 쓰고 등위접속사 and는 함께 쓰지 않으므로 ⑤는 답이 될 수 없다.

26 'Jeremy는 아팠다. 그래서 집에 있었다.'라는 뜻으로 앞의 내용은 원인, 뒤의 내용은 결과이다. 따라서 빈칸에 원인, 이유를 이끄는 종속접속사 because가 들어가는 것이 적절하다.

27 '~하기 전에'라는 뜻의 시간을 나타내는 종속접속사 before가 들어가는 것이 적절하다.

28 서로 대조되거나 반대되는 내용을 연결하는 등위접속사 but이 들어가는 것이 적절하다.

29 「either A or B」는 'A와 B 둘 중 하나'라는 뜻이다.

30 시간의 접속사 after는 '~한 후에'라는 뜻이다. 종속접속사 뒤에는 「주어+동사」가 온다.

31 조건의 접속사 if는 '만약 ~하면'이라는 뜻이다. pay the rent는 '집세를 내다'라는 뜻이다.

32 that은 동사 believe의 목적어 역할을 하는 명사절을 이끄는 접속사이다. get better는 '(건강 등이) 호전되다'라는 뜻이다.

33 '~할 때'라는 뜻의 접속사는 when이다.

34 '만약 ~라면'이라는 뜻의 접속사는 if이다.

35 「명령문, or ~」는 '…해라, 그렇지 않으면 ~할 것이다'라는 뜻이다.

36 '~하는 것'이라는 의미로, 문장에서 주어 역할을 하는 명사절을 이끄는 종속접속사 that이 들어가는 것이 적절하다.

37 A 너의 카메라를 내게 빌려줄 수 있어?
B 당연하지. 그게 왜 필요해?
A 나는 토요일 저녁에 콘서트에 가기 때문이야.
Why do you need it?은 이유를 묻는 의문문이다. 원인, 이유를 의미하는 문장을 이끄는 접속사는 because이다.

38 A 그들은 파티에 언제 올까?
B 아마도 그들은 늦을 거야. 그들은 파티에 오기 전에 체육관 청소를 해야 해.
첫 번째 빈칸에는 '언제'라는 뜻의 의문사 when이 들어가서 '그들이 언제 파티에 올 예정이니?'라는 뜻이 되는 것이 적절하다. 두 번째 빈칸에는 늦게 오는 이유를 설명하고 있으므로 문맥상 체육관 청소를 하기 때문에 늦는다고 답하는 것이 적절하다. 따라서 '~ 전에'라는 뜻의 접속사 before가 들어가는 것이 적절하다.

보너스 유형별 문제 p.196

1 I'm so thrilled because she is coming to see me today.

2 When I see her, I'll give her a big hug.

3 ⑤

[1-2] Alice는 나의 가장 친한 친구이다. 그녀의 가족은 뉴욕시로 이사할 때까지 나의 옆집에 살았다. 그녀는 항상 나에게 큰 언니 같았고 나는 그녀를 매우 그리워했다. 나는 몹시 설렌다. 그녀가 오늘 나를 보러 온다. 그녀를 만나면 꼭 안아 줄 것이다.

1 그녀가 오늘 나를 보러 오기 때문에 나는 몹시 설렌다.
접속사 because 뒤에 이유가 와야 한다.

2 시간 부사절에서는 미래 시제 대신 현재 시제를 사용한다.

3 일요일에 있었던 16번째 올해의 청소년 철자법 대회에서 시애틀의 새로운 챔피언이 탄생했다. 11살 Rebecca Davidson은 camaraderie라는 단어의 철자를 정확하게 맞춰 대회에서 우승했다. Rebecca는 1시간 43분 만에 우승을 거머쥠으로써 도시 최고의 기록을 세웠고, 100명 이상의 다른 학생들을 물리치고 대학 교재 구입비로 500달러의 상금도 탔다. Rebecca는 철자법 대회에 출전하려고 9개월간 공부했다고 말했다.
내용상 '~하는 것'이라는 의미로 명사절(목적어절)을 이끄는 접속사가 와야 하므로 that을 쓰는 것이 옳다.

Workbook

A

1 isn't
3 isn't
5 isn't

2 aren't
4 aren't
6 aren't

B

1 Am I
3 Is a potato
5 Is your bag

2 Are you
4 Is she
6 Are your parents

C

1 doesn't eat
3 doesn't exercise
5 doesn't put

2 don't wear
4 don't watch
6 don't live

D

1 Do we have enough time?
2 Do I go to the gym every day?
3 Does the movie start at 5:00?
4 Does he enjoy mountain biking?
5 Does Mike spend a lot of money on food?

E

1 Where
3 Who
5 Why

2 What
4 How

F

1 No, I don't.
3 Yes, he does.
5 No, they aren't.

2 Yes, I am.
4 No, she isn't.

G

1 Call me after lunch.
2 Don't make noise in public places.
3 Don't park in the driveway.

H

1 Let's take a break.
2 Let's not miss the chance.
3 Let's get some fresh air.

I

1 aren't they
3 aren't they

2 do you

J

1 How funny the man is!
2 What a good voice Susan has!
3 How cute your kittens are!
4 What beautiful earrings you have!

A

1 were
3 were

2 was
4 was

B

1 knew
3 visited
5 met

2 grew
4 saw

C

1 lost
3 changed
5 went

2 rang
4 brought

D

1 weren't
3 didn't wash
5 didn't win

2 wasn't
4 didn't get

E

1 Was Mozart a great musician?
2 Were the recycling boxes empty?
3 Did you order a large pizza?
4 Did they pass the exam?
5 Did he fall asleep during the class?

F

1 is playing
3 is repairing

2 are jogging
4 are following

G

1 were jumping
3 was taking a nap
5 were skating

2 were visiting
4 were collecting
6 was flying

H

1 Were they listening to him then?
2 I wasn't drinking coffee at that time.
3 We weren't enjoying the warm sunshine and gentle breeze.
4 I'm not playing a mobile game.
5 Was she watching a weather report on TV at that time?

6 The firefighters aren't putting out the fire in the barn.

7 Is the scientist working on an important research project?

I

1 am, writing
2 was, reading
3 Is, watering
4 Is, fixing
5 Are, telling
6 was, hitting
7 Were, testing

Chapter 3

p.204-206

A

1 must be
2 can use
3 can run
4 should go
5 must follow

B

1 Nick can play tennis.
2 You can borrow my pencil.
3 He may remember my name.
4 She should see a doctor.
5 I must finish this project in time.

C

1 am not able to drive
2 Is, able to speak
3 is able to fix
4 was able to skate
5 were not able to speak

D

1 Will
2 isn't
3 Are
4 visit
5 be

E

1 may
2 must
3 must not
4 must
5 must
6 must not

F

1 Can he read Spanish?
2 Must he go there alone?
3 May I cross the road here?
4 Should we buy this book for the class?
5 Could you be more careful with my luggage?

G

1 You may not come in.
2 This movie may not be fun.
3 You must not drive this way.
4 His family may not have more problems.
5 My father cannot[can't] cook very well.
6 Alex may not arrive at the class on time.
7 You cannot[can't] download an MP3 file to your computer.

H

1 Should I buy this book?
2 May I have your number?
3 Can I ask you something?
4 We should not waste water.
5 You should be careful with a knife.
6 You can ask me any questions.
7 We must not break our promise.
8 There may not be any koala bears in the zoo.

Chapter 4

p.207-209

A

1 Evelyn, joy
2 cat, sofa
3 Emily, fashion, Paris
4 Children, beach
5 Sarah, coffee, donuts, lunch
6 box, books, toys
7 boys, stars, sky
8 kind, animal, Rebecca, home

B

1 mice
2 men
3 brothers
4 children
5 dishes

C

1 teeth
2 knives
3 tomatoes
4 hobbies

D

1 five pieces of paper
2 two glasses of milk
3 three bowls of soup
4 two cups of tea
5 six slices of pizza
6 three bottles of water

E

1 He gave a piece of advice
2 She always carries a bottle of water.
3 spread apple jam, two slices of bread
4 We should drink eight glasses of water
5 Leo had a bowl of cereal

F

1 X	2 a
3 an	4 X
5 an	

G

1 a hat
2 a science teacher
3 plays the guitar
4 went to bed
5 a singer, an actress
6 play soccer
7 lunch

H

1 The sun comes up early
2 There is an old house
3 We enjoy playing tennis
4 go out for dinner once a week
5 The restaurant was very nice.
6 He traveled around the country by bike.
7 My uncle is an artist, and my aunt is an author.

Chapter **5**	p.210-212

A

1 its	2 They
3 her	4 him
5 we	6 They

B

1 We are not in the classroom.
2 They showed him some of their photos.
3 They are looking for you. They need your help.
4 She is excited about her new school life.
5 He is very generous. Everybody respects him.

C

1 b	2 a
3 b	4 b
5 a	6 a

D

1 this	2 This
3 these	4 That
5 Those	6 Those

E

1 These are all free.
2 Those belong to Ethan.
3 This is a public place.
4 Do you see that poster
5 I will have this cheesecake.
6 These pants are too tight.

F

1 One, the other
2 One, the others
3 Some, others
4 One, another, the other

G

1 one	2 each
3 both	4 All
5 it	

H

1 All of her answers were wrong.
2 Every scene in this movie is beautiful.
3 Both of the questions were very difficult.
4 All the books on that shelf are about science.
5 There are eleven players on each soccer team.
6 What happened to the one under the table?
7 She picked up a rock and dropped it down the well.
8 The others were waiting quietly in the laboratory.

Chapter **6**	p.213-215

A

1 sad	2 difficult
3 kind	4 wrong

B

1 Jenna is a lovely girl.
2 Look at this beautiful car.
3 Kevin has short brown hair.
4 I bought a small wooden table.

C

1 little	2 many
3 few	4 a few
5 much	6 a little

D

1 three, third
2 five, fifth
3 nine, ninth
4 one, first
5 ten, tenth

E

1 hard
2 late
3 hardly
4 well

F

1 I will never let you down.
2 Taylor is always kind to me.
3 My dad is usually at home on weekends.
4 Molly sometimes goes to the movies with her friends.

G

1 easy, easily
2 carelessly, careless
3 quickly, quick
4 clearly, clear
5 beautifully, beautiful
6 fluently, fluent

H

1 Honestly, I don't trust you.
2 The drone rose high in the air.
4 He is pretty good at driving.
5 There were few people at the park.
6 The boy took out some coins
7 This lecture has a lot of useful information.
8 The hunter moved slowly and carefully to catch the deer.

Chapter 7

p.216-218

A

1 happier, happiest
2 thinner, thinnest
3 dirtier, dirtiest
4 easier, easiest
5 hotter, hottest
6 simpler, simplest
7 larger, largest
8 luckier, luckiest
9 more famous, most famous
10 more expensive, most expensive
11 better, best
12 worse, worst
13 more, most

B

1 faster
2 bigger
3 smarter
4 younger
5 more expensive

C

1 oldest
2 best
3 most interesting
4 most popular
5 highest

D

1 later than
2 more diligent than
3 looks nicer than
4 gets up earlier than

E

1 am as strong as
2 don't dance as[so] well as
3 will be as cold as
4 walks as slowly as
5 isn't as[so] tall as
6 doesn't taste as[so] great as

F

1 much
2 much
3 more
4 much
5 hotter and hotter
6 more and more popular

G

1 bigger than
2 harder than
3 more quickly than
4 more delicious than

H

1 is the richest guy
2 is the calmest part
3 is the quickest, cheapest
4 has the most beautiful voice

I

1 Dylan has the largest house
2 Aiden studies the hardest of all the students.
3 is the smallest planet in the solar system
4 I had the most enjoyable holiday
5 one of my best friends
6 one of the greatest artists in history
7 one of the biggest buildings in the city

A

1 S: Olivia V: walks
2 S: Jake V: exercises
3 S: My friends V: are
4 S: The seminar V: will begin
5 S: The frogs (in the pond) V: are

B

1 fast　　　　　　　2 sad
3 great　　　　　　　4 famous
5 silent

C

1 He spent all his money.
2 We will help you anytime.
3 My big brother has a blue car.
4 Maria bought a new camera yesterday.

D

1 I asked him his name.
2 Carter always buys me presents.
3 Sophia showed him her paintings.
4 Scott made his son a toy car.

E

1 to　　　　　　　　2 to
3 for　　　　　　　　4 of
5 to　　　　　　　　6 to
7 for

F

1 the video to me
2 gave some books to me
3 a house for her dog
4 many questions of her teacher
5 an expensive purse for her brother
6 a message to me

G

1 to stop　　　　　　2 drive
3 sing　　　　　　　4 to come
5 to pass　　　　　　6 play

H

1 keep your room clean
2 named her Harper
3 advise you to find
4 found the baseball game exciting
5 told me to study

I

1 found him guilty
2 expect him to stay
3 ordered her son to watch
4 advised me to exercise
5 told me to take care of my brother

A

1 to ride　　　　　　2 to reach
3 to take　　　　　　4 to meet
5 to write

B

1 a cup of coffee to drink
2 many friends to talk to
3 a coat to wear
4 several problems to worry about
5 three kids to take care of
6 some great toys to play with

C

1 to eat　　　　　　2 to be
3 to help　　　　　　4 to watch
5 to win

D

1 is hard to climb
2 called me to say hello
3 set the table to have breakfast
4 wise to refuse the offer
5 very happy to meet my old friend
6 boring to spend time with

E

1 drawing　　　　　　2 meeting
3 finishing　　　　　　4 going
5 Learning　　　　　　6 playing
7 exercising

F

1 reading　　　　　　2 meeting
3 to rain[raining]　　　4 painting
5 to pass　　　　　　6 playing
7 to take[taking]　　　8 to tell

G

1 Stop talking　　　　2 wants to know
3 kept walking　　　　4 enjoyed talking
5 mind waiting　　　　6 need to send

H

1 too deep to swim in
3 rich enough to buy
4 necessary to consider
5 too sick to eat
6 well enough to be

Chapter 10
p.225-227

A

1 in	2 at
3 on	

B

1 in Canada
2 in front of the door
3 at the party
4 next to you
5 on the floor
6 over the fence
7 behind the teacher
8 under the big tree
9 on the ceiling

C

1 along	2 into
3 through	4 across
5 from	6 to

D

1 He slipped out of the classroom.
2 The road runs through the village.
3 Joseph is lying on the sofa.
4 The kid rolled his soccer ball down the hill.
5 He set a chair beside the table.
6 She threw the ball into the basket.
7 Amy will pick him up at the bus stop.

E

1 in	2 in
3 at	4 at
5 on	6 at
7 in	8 on

F

1 for	2 for
3 during	4 during

G

1 until	2 by
3 by	4 until

H

1 by	2 with
3 about	

Chapter 11
p.228-230

A

1 so	2 and
3 or	4 and
5 but	6 or
7 but	8 so

B

1 or cake
2 and won first prize
3 but he didn't answer
4 so we went on a picnic
5 but he couldn't
6 so he took a taxi
7 or send me a text message
8 and writing scripts

C

1 before	2 before
3 When	4 until
5 when	6 after
7 after	8 until

D

1 When I feel so stressed
2 When Emma smiled at me
3 after I finish reading it
4 before she sang a song
5 before you leave the office
6 until she found him

E

1 if	2 that
3 that	4 If
5 because	6 because

F

1 that Julie is not here
2 that Oliver is good at cooking
3 If you don't arrive on time
4 because he lied to her again
5 If it rains tomorrow
6 Because Sophia helped me before
7 if he wants to drive again

GRAMMAR 1
BRIDGE

The bridge that takes
your English to the next level

This 3-level grammar series for basic learners of English

- covers the middle school grammar curriculum
- provides complete and simple explanations
- helps learners to compose sentences properly
- includes a workbook section with extra exercises

Writing

- 공감 영문법+쓰기 1~2
- 도전만점 중등내신 서술형 1~4
- 영어일기 영작패턴 1-A, B · 2-A, B
- Smart Writing 1~2

Reading

- Reading 101 1~3
- Reading 공감 1~3
- This Is Reading Starter 1~3
- This Is Reading 전면 개정판 1~4
- 원서 술술 읽는 Smart Reading Basic 1~2
- 원서 술술 읽는 Smart Reading 1~2
- [특급 단기 특강] 구문독해 · 독해유형
- [앱솔루트 수능대비 영어독해 기출분석] 2019~2021학년도

Listening

- Listening 공감 1~3
- The Listening 1~4
- After School Listening 1~3
- 도전! 만점 중학 영어듣기 모의고사 1~3
- 만점 적중 수능 듣기 모의고사 20회 · 35회

TEPS

- NEW TEPS 입문편 실전 250⁺ 청해 · 문법 · 독해
- NEW TEPS 기본편 실전 300⁺ 청해 · 문법 · 독해
- NEW TEPS 실력편 실전 400⁺ 청해 · 문법 · 독해
- NEW TEPS 마스터편 실전 500⁺ 청해 · 문법 · 독해

구문독해로 **4**주 안에 **1**등급 만드는 생존 필살기

구사일생

✎ 예비고~고2를 위한 기초 구문독해 대비서

✎ 독해 필수 어휘를 미리 정리하는 Voca Check

✎ 전국 모의고사 기출 문장을 토대로 한 핵심 구문 Key Sentence

✎ 기출 문제로 학습 내용을 확인하는 Point & Chapter Review

✎ 바로바로 정답이 보이는 직독직해 훈련 코너 제공

✎ 한눈에 파악되는 문장구조 분석을 통한 상세한 해설 수록

모바일 단어장
VOCA TEST

구사일생
구문독해 BASIC

BOOK1 　김상근 지음 | 248쪽(정답 및 해설 포함) | 14,000원
BOOK2 　김상근 지음 | 268쪽(정답 및 해설 포함) | 14,000원